ELLA, DRÁCULA

Autores Españoles e Iberoamericanos

JAVIER GARCÍA SÁNCHEZ

ELLA, DRÁCULA

 Planeta

© Javier García Sánchez, 2005

© Editorial Planeta, S. A., 2005
   Diagonal, 662-664, 08034 Barcelona (España)

Primera edición: febrero de 2005

Depósito Legal: M. 488-2005

ISBN 84-08-05480-5

Composición: Fotocomp/4, S. A.

Impresión y encuadernación: Mateu Cromo Artes Gráficas, S. L.

Printed in Spain - Impreso en España

ELLA, DRÁCULA

(Vida y crímenes de Erzsébet Báthory,
la Condesa Sangrienta)

Hungría, 1560-1614

A Susana,
que supo rebatirme, una tras otra,
las cinco razones de peso que le expuse
para no escribir jamás la novela

La sangre es la vida.

Deuteronomio,
XII-XXIII

PARTE PRIMERA

LOS MILANOS Y EL VIENTO

Únicamente de vez en cuando le llegaba el trajinar de los albañiles haciendo ruidos sordos, atenuados a través de los muros. Salvo ésos, sólo oía los que venían de lo alto: los milanos y el viento.

VALENTINE PENROSE

VARANNÓ

Anochece en los Cárpatos.

Está a punto de salir la luna, y su luz se insinúa ya entre negros jirones de cielo que avanzan hacia el este como ejércitos en desbandada, vencidos. En la buhardilla situada bajo la bóveda de una iglesia, en la aldea de Lupkta-Ratowickze, un hombre tose y luego tirita bajo su jubón y la gorra de fieltro que lleva calada hasta las cejas. En el fondo sabe que no es la fiebre sino el miedo. Varios gavilanes rotan en torno a las almenas de una fortaleza próxima mientras, ahora sí, en el horizonte se perfila la silueta de una gigantesca oblea de color perla.

Se acerca a la ventana. Traza una cruz en el cristal con su dedo índice, enhiesto y tembloroso. La superficie del vidrio, empañada por la humedad, emite el chirrido del ratón cuando se sabe acorralado. El rostro del hombre se aproxima un poco más para mirar, pues las últimas luces del atardecer aún le permiten distinguir el paisaje hasta el horizonte. Aquejado de gota y de pleuresía, no le hacen falta médicos ni curanderos que le confirmen que le resta poco de vida. Sus ojos, hundidos en el cráneo por la edad y las dolencias que le corroen, vuelven a quedar estáticos en esa pequeña cruz que ha dibujado con el dedo. La cruz le da fuerzas para afrontar la emoción y la inquietud que le embargan. Tiene un duro trabajo por delante. Debe hacerlo y dejar testimonio de aquello que vio, de aquello que sabe y que hasta ahora luchó con denuedo por apartar de su mente. En vano.

Afuera los abetos son como agujas recortadas sobre las blancas colinas de las estribaciones de los montes. Parecen aguardar algo, al igual que los altos abedules. Y no. Han estado ahí desde siempre. Él, envejecido y débil, camina por la angosta estancia, encorvado entre anaqueles poblados de libros. Se ha puesto sobre los hombros una gruesa manta de lana hecha con piel de oveja. Ni el lar de fuego, cuyos troncos crepitan de vez en cuando como si se quejasen o buscaran cambiar de posición entre las brasas, ni siquiera la gruesa prenda de abrigo consiguen librarle de un frío que viene de muy adentro. Esa helada arborescente crece y crece en sus huesos, en su carne, en su cerebro, conforme va dejando que lo posean las imágenes que proyecta su memoria dolorida. Pasó toda su infancia y parte de la juventud bajo los efectos de aquello de lo que fue involuntario testigo. Entonces no oía, no veía, no hablaba, apenas pensaba, pero ya entonces, inevitablemente, no podía dejar de recordar. Como ahora. En el exterior sigue nevando.

Nieva de modo incesante, como si, resquebrajándose los cimientos del cielo, éste descargase sobre la tierra un diluvio de muerte lenta, indolora y blanca. Es un alud que, aunque no lo empapa, va ahogando el paisaje por momentos. Hacia oriente, sobre los Balcanes, está descargando una fuerte tempestad, pues se ven fugaces rasguños de plata que por un breve instante, lo que dura un parpadeo, penden anárquicamente del firmamento. En los bosques cercanos se confunden los aullidos de los lobos con el bramido del viento. Coronando sus cimas las nubes, negruzcas y abigarradas, avanzan en dirección al oeste como un rebaño de gigantescas ovejas grisáceas o, si se filtra algo de claridad entre ellas, aquello que le pareció ver antes: un desfile de guerreros con armaduras de acero, ya oscurecidas por el uso tras haber dejado a su paso una estela de destrucción.

En el Año de Gracia del Señor de mil seiscientos sesenta y tres desde el Advenimiento de Jesucristo Redentor entre nosotros, en la última semana del mes de febrero, él, János Frantizek Pirgist, hijo de Imre Pirgist, herrero de Tirgovista, en Valaquia, y de Vargha Balintné, lavandera de Bighisoara, en Transilvania, de humilde condición ambos pero devotos de la Fe hasta sus postreros días, se apoltrona en el escritorio y moja con cuidado la punta de su plumón de ánsar en el tintero de cobre y, luego de observar de nuevo la pequeña cruz del cristal, que está ya casi borrada, entorna los párpados unos instantes y suspira. Se encomienda al Buen Dios para que le dé lucidez y arrojo en su tarea, tantas veces iniciada y finalmente pospuesta, por difícil que ésta sea.

Poco tiene que contar en su historia de ese padre al que no conoció, pues fue reclutado por los ejércitos del rey Matías II de Habsburgo en sus luchas contra los turcos, más allá de las fronteras de Moldavia, y del que sabe que murió en una refriega con huestes otomanas a orillas del Dniéster, habiendo recibido, no obstante, pluga al cielo esa misericordia, la Extremaunción Sagrada en sus momentos finales, pues sabidos eran los sacrílegos y abominables desmanes que sufrían los prisioneros de guerra si eran capturados vivos por los feroces jenízaros. Casó con su madre, Vargha Balintné, siendo una adolescente, pero ésta quedó embarazada de János, que desde entonces, como una sombra, la seguiría allá donde fuese. Por un vago parentesco familiar su madre conocía a Katalyn Benieczy, a quien todos llamaban Kata, que a su vez había sido contratada para entrar como lavandera en la muy noble casa de los Nádasdy Báthory, orgullo de la nobleza húngara. Una tal Jó Ilona, de funesto recuerdo, fue quien apalabró con Kata, la lavandera, formar parte del servicio de tan ilustres señores, que poseían tierras, palacios y castillos no sólo en Hungría, sino hasta en la lejana Silesia, en Presburgo y la propia Viena.

Allí, siendo todavía un niño de corta edad, en el castillo de Varannó, János pudo ver por vez primera a quien iba a cambiar el curso de su vida. Surgió como una aparición tiñendo de color cárdeno un paisaje que hasta ese preciso momento aún era hermoso, pues el espliego se expandía por doquier, y también las fárfaras amarillas que alegraban un tanto el gredal cercano.

La vio a Ella, y eso transformó de inmediato su pensamiento. Fue allende los muros de Varannó y sus fosas atestadas de lodo. Poco antes había visto cómo unas salamanquesas trepaban por el escarpado glacis del castillo yendo a esconderse entre las rendijas de las poternas. Como si también ellas huyesen en busca de refugio en el abrojo que cubría parte del hornabeque y la barbacana de acceso al castillo. Él regresaba con un haz de leña, pues esa tarea le habían encomendado realizar junto a otros muchachos, todos varones, cuando entre la niebla que cubría la campiña apareció una egregia silueta. Era la Condesa Nádasdy, porque entonces aún nadie la llamaba por su apellido, el de la fiera casta de los Báthory, ya que su marido, el conde Ferenc Nádasdy, como otros tantos caballeros de armas, seguía vivo y en continua lid contra los infieles llegados de Anatolia que amenazaban con extenderse como una epidemia por las entrañas de la Cristiandad.

Al verla se le cayó la leña al suelo, lo que le produjo un gran azoramiento, aunque nadie se dio cuenta. Fue como una súbita ensoñación, o, para ser más precisos, como un mal sueño del que, medio siglo después, todavía no se había recuperado.

Ahora, sobre las hojas desplegadas de su pergamino, intenta recordar. Arrastra la memoria situándose en el lugar exacto en que entonces se hallaba, a escasa distancia del palenque que hacía las veces de empalizada rodeando al castillo.

Ella vestía una capa negra y larga, pero por debajo salían las enaguas de un vestido de lino blanco. Llevaba un sombrero también negro, con una pluma blanca, perteneciente a una gran ave, que hacía juego con su vestido apenas visible. A lomos de su caballo, al que se conocía como *Visar*, ella, la Condesa, montaba imperturbable, agitando de tanto en tanto una vara que movía como si de un plectro se tratase. Aquel caballo parecía un gigantesco rocín de esplendorosas crines. Piafaba de tanto en tanto, agotado tras el trote, removiendo a su paso la tierra de los eriales inmensos, salpicados aquí y allá de lentiscos, trinitarias y retama. Lejos quedaba el territorio de las frambuesas y los tulipanes silvestres, de los enebros y el laurel, y ahora de su penacho humeante salían vaharadas de sudor. Tras la dama iba otra, asimismo a lomos de un corcel. Rútila la testa bajo un casco cónico de piel de zorro, golpeaba a uno de los *haiducos* que, provistos de anchas espadas, hacían de escolta de la comitiva. Ella, la Condesa, observaba la escena con una sonrisa ausente. Nimbada de seriedad, tenía un rictus acechante esculpido en la tez. Le divertía esa escena. Conforme se aproximaba, el haz luminoso que parecía envolverla iba irisándose de púas que, aun invisibles, cortaban el aliento. Y János sigue recordando.

Se ve a sí mismo, las manos en su faltriquera y queriendo ser invisible, como eso que rodeaba a la dama del caballo negro que acabo de emitir un relincho. Se ve desviando la mirada en dirección a la berma del castillo, tan lejano como la tálea y la puerta de entrada. Imposible llegar hasta allí a la carrera sin llamar la atención. De modo que se quedó quieto como una estatua. Y recuerda.

Los milanos y el viento.

Apenas poco más se escuchaba en la llanura.

La paz verdigualda de la tarde, mecida por el siseo de las espigas al rozarse, sólo era rota por el vuelo negro y silencioso, efectuado en círculos concéntricos y cada vez más cortos, sobre unos trigales cercanos con zonas aún en barbecho. Poco antes una bandada de estorninos había cruzado sobre sus cabezas trazando filigranas sin sentido, quizá también ellos huyendo de sus negros hermanos.

17

Era el de los milanos un vuelo que presagiaba una noche oscura y tiznada de rumores, una de esas noches en que hasta la luna se esconde tras las esquivas nubes. Etérea danza la suya, ora rasante, ora dibujando caprichosos arabescos que parecían acuchillar la quietud del páramo.

Ahí, suspendidas entre hilachos de niebla y tibios rayos de la menguante claridad del crepúsculo, permanecían las aladas criaturas, con toda certeza muy abiertas las pupilas, prestas las garras, a las que posiblemente atrajese el destello dorado de varias lombrices que, en su ceguera terrosa, buscaban alimento entre el barro y restos de estiércol.

Ni siquiera el fino instinto de éstas, acostumbradas a hallar cualquier vestigio orgánico en lo mineral, era suficiente para advertirles que les quedaban escasos segundos de vida. En efecto, casi con la rapidez de un suspiro caía la muerte en picado sobre ellas, en medio de un revuelo de alas negras y graznidos de triunfo. Todo eso sucedía en la espesa y a la vez frágil serenidad del campo solitario, como si alguien tensara el aire con un arco.

Ella, sin moverse de su caballo, hacía lo propio con la sutil diligencia de la serpiente que repta entre la hierba cuando ha detectado a su presa. Blancas, esbeltas manos palpaban ya el carcaj, que descansaba en un costado de la capa, extrayendo de su interior una saeta con la punta envenenada.

Estridulaban los insectos su monótona melodía de afirmación vespertina, ese cántico aturdido de irracional gloria que define su efímera pero intensa, gozosa existencia.

Vivir poco pero vivir el instante, que para ellos tendrá visos de eternidad. Vivir o morir. Vivir para morir. Morir para que otros vivan y, a su vez, mueran otros. Hacer morir. Ser muerte. Matar. La vida.

Era el tiempo en que los mízcalos nacen al pie de los pinares y el añublo devora las espigas de trigo, cuando la vida nace y, simultáneamente, la vida muere.

En el castillo de Varannó no había niñas, eso decían entre comentarios de tinte soez varios muchachos que también salieron en busca de leña y forraje para los caballos. La decena escasa de chicas de la aldea situada en la falda del castillo fueron llevadas a éste días atrás para entrar a formar parte del servicio de la Condesa. Una suerte, eso decían los chicos cacareando sus alusiones lascivas, introduciendo en sus comentarios nuevos detalles que János apenas entendía. A él, tímido y siempre a la escucha, se le antojaba extraño aquel paisaje humano sin risas femeninas, que era la alegría del mundo. Porque tampoco su joven madre, ni Kata la lavandera, a la que quería como si fuera su tía, y de hecho era la protectora de ambos, reían ya desde hacía mucho. Antaño János las recordaba, aunque de modo muy confuso, cantando y bromeando mientras hacían la colada. Pero ya no.

En dirección al castillo, por un camino de basalto y grava, iba un grupo de soldados con la indumentaria parecida a la de los lansquenetes alemanes luciendo sus flamantes alabardas, sus combados sables y sus arcabuces como jorobas. Pretendían entonar una marcha castrense pero, presumiblemente beodos, no lo lograban. Cerca de ellos unas ancianas desdentadas, con pañuelos anudados a la cabeza y los aperos de labranza en las manos, les gritaban algo riendo y mostrando sus huecas encías. De una charca próxima con aguas cenagosas, que seguía allí desde las recientes lluvias, llegaba el rumor de cínifes, moscardas y tábanos.

A grupas de *Visar*, un brioso alazán traído de Anatolia, la Condesa se movió veloz como el reptil. Una flecha salió de su arco en busca de cualquiera de aquellos milanos que rondaban por allí. Pasó rozando el plumaje de uno, lo que provocó la algarabía de los *haiducos*, que aplaudieron siempre serviciales ante el menor gesto o acción de su Señora. Ésta les lanzó una mirada furiosa, ya que había errado en su tiro. Callaron en el acto. Estaba claro que habían salido de caza y volvían sin haber capturado ninguna pieza de importancia. Con los pájaros descargaba su ira quien presidía aquella comitiva.

Se llamaba Erzsébet y era hermosa como la luna en una noche limpia de estío. Sobre todo, además de la pétrea mueca de severidad que poseía su rostro anguloso y proporcionado, llamaba la atención el tono blanco de su piel, palidísima en contraste con el negro de su cabello, que podía vérsele bajo el sombrero. János aún no había visto sus ojos, pues se hallaba a unos metros de ella. Fue entonces cuando sintió marearse de temor y vergüenza: le estaba llamando. ¡A él, que era tan poca cosa! Con un seco movimiento de aquella vara que usaba como si dirigiera una imaginaria orquesta, le indicó que se acercase. János, en un primer momento, miró a ambos lados, convencido de que debía de referirse a cualquier otro de sus compañeros. Pero no, allí sólo estaba él. Con pasos indecisos, y con su manojo de leña recogido de manera lamentable y apresurada, se acercó hasta quedar junto al caballo de la Condesa, que agitó los belfos en presencia de tan menudo ser. Recordó, angustiado, que tanto su madre como Kata le habían conminado varias veces que procurase no cruzarse jamás con ella, bajo ningún concepto. Que se mantuviese apartado. Pero que si por un casual coincidía con la Señora, o si, como ahora terminaba de ocurrir, ella solicitaba su presencia, no olvidase realizar una reverencia. Doblar una rodilla agachando la cabeza, así se lo habían enseñado. También le dijeron que nunca la mirase directamente a los ojos.

—¿Y cómo lo haré si ella me habla? —había preguntado él con la inocencia de sus siete años, quizá menos, quien no obstante su edad sabía que era de buena educación dirigir la mirada a quienes te hablan. No entendía.

—Tú mantente cabizbajo. Clava la vista en el suelo y respóndele únicamente lo justo.

Ahora, por un azar, llegaba el momento de pasar esa difícil prueba.

Se decía que la Condesa hablaba alemán y latín con fluidez, cosa que era cierta. De ello se ocupó su suegra Orsolya Kanisky, esposa de Jorge Nádasdy y mujer piadosa. También aprendió nociones de francés y de italiano, idiomas que estaban muy de moda en los salones y palacios. Pero su lengua era el húngaro antiguo, que János entendía con cierta dificultad.

—*Miert nem jössz?* —le preguntó ella: «¿Por qué no vienes?», frase a la que acompañaría un gesto significativo de su cabeza. János se acercó un poco más, aún sin mirarla. Estaba tan aturdido que prácticamente ni se enteraba de lo que hacía.

—*Kérsz almát?* —insistió de nuevo la Señora: «¿Quieres una manzana?» Le estaba ofreciendo una manzana roja que acababa de extraer de un pequeño capacho. János asintió, no porque le apeteciese aquel fruto sino por no contrariarla.

Se la lanzó y él se limitó a cogerla al vuelo apretándola contra su pecho. Antes había depositado el haz de leña en el suelo. Por suerte no se le cayó de nuevo de manera aparatosa.

—*Hány éves vagy?* —«¿Qué edad tienes?», volvió a preguntar ella, aunque con voz neutra, por completo carente ya no de afectación, sino de sentimiento.

János lo dijo en un monosílabo, que procuró pronunciar respetuosamente. Acababa de recordar la edad que tenía, hasta tal punto estaba obnubilado. Siete años. En un instante se dio cuenta de que temblaba como una hoja.

—*Jó as félelem?* —oyó que le preguntaba esa voz llegada de arriba: «¿Tienes miedo?»

János negó con la cabeza, aunque mentía. Se escuchó una risotada de la mujer rubia que la acompañaba, y que poco antes había golpeado al *haiduco* con inusitada saña. El viento ululaba en la llanura. A duras penas el pequeño János consiguió articular una frase de disculpa:

—*Fáradt vagyok... sjnálon, Asszony...*

Tan sólo eso: «Estoy cansado, lo siento, Señora», esgrimiría con párvula modestia.

Fue entonces cuando, por inercia, elevó su vista hacia ella, que seguía mirándole imperturbable desde lo alto del caballo. Éste hizo además de mover el cuello, golpeando con los cascos delanteros sobre la tierra, pero ella lo contuvo con destreza tirando de las bridas. Pareció susurrarle algo que el animal entendió. La Condesa agachó ligeramente el tronco, ladeándolo un poco al tiempo que estiraba su brazo derecho. Le indicaba mediante ese movimiento que se acercase más. János dio dos pasos al frente. Vio una mano envuelta en mitones de cabritilla. Vio aquellos dedos blancos y huesudos, llenos de sortijas, atrayéndole. Puso su cabeza, dócil, para que la dama colocase allí su mano. Ésta le tocó el pelo, luego deslizó uno de sus dedos por la mejilla de János. Lo hizo con suma delicadeza.

De repente, con cierta brusquedad, se apartó. Dijo algo en dialecto *tôt* a una de las mujeres que la acompañaban, y que iban a pie portando sendas bolsas. Se oyeron risas cruzadas. Él seguía aferrado a su manzana roja, sin decir palabra. Aun sin saber la causa, tenía tanto miedo que se preguntaba cómo era capaz de dominarlo. A una indicación de la Señora se fue la comitiva en pleno. Una vez estuvieron lejos, el resto de muchachos rodeó a János, mirándole como si fuese un héroe. Los dientes le castañeteaban. Creyó estar a punto de orinarse encima. Sus compañeros miraban con envidia aquella roja y reluciente manzana. Él, que lo último que tenía era hambre, se la dio a uno de ellos. La rompieron en varios trozos, repartiéndosela. A los más pequeños no les tocó parte alguna, como suele ocurrir. Otro preguntó a uno de los muchachos mayores qué era lo que dijo la dama, y que ellos no entendieron. Esa última frase que produjo las risas de sus acompañantes. El muchacho conocía bastante bien el dialecto *tôt*, y tradujo libremente:

—¡Qué lástima que no sea una chica…!

Eso es lo que dijo la Condesa a las otras mujeres. Qué lástima que no sea una chica. ¿Por qué habría de ser él una chica? ¿Por qué a tan elegante Señora le parecía una pena que no fuese así? No alcanzaba a entenderlo.

Mientras sus compañeros comían con gula su porción de manzana, disputando entre ellos a causa de lo grandes que eran algunos de tales trozos en comparación con otros, János no podía quitarse de la mente lo que, contraviniendo lo que al respecto se le había dicho, vio al elevar la vista hacia el rostro de la Condesa. La frente curva y amplia, las cejas muy perfiladas en ligero arco, los labios finos y pintados de rojo, marfileña la dentadura, que apenas se insinuaba en medio de unos pómulos alabastrinos y el mentón puntiagudo. Parecía el rostro de una de esas vírgenes que su madre a veces le mostró en los retablos o frescos de alguna iglesia. Rostro que denotaba tristeza, soledad, una nostalgia profunda de a saber qué, y a la vez energía, la loca insolencia de quienes tienen poder y lo usan a cada instante. Era sin duda la mujer más hermosa que János nunca viese, sin contar esas vírgenes de los iconos y pinturas, cuya mera contemplación le producía un sentimiento tan dulce que hasta se sentía transportado.

Al mirar en sus ojos, en el fondo oscuro de aquellos ojos que le observaban atentos pero inexpresivos, su cuerpo fue recorrido por un escalofrío.

Vio allí un lago de aguas negras y profundas, que parecían agrandarse conforme encogía sus labios y la barbilla adoptaba una posición curva, como si acabara de imaginar algo que le causaba un secreto pero fugaz placer, seguido de una no menos rápida decepción: sencillamente, él no era una niña.

Había en aquellos ojos un fulgor opalino que hipnotizaba sin remedio pese a su negrura, o precisamente por ello. A János le parecieron el lindero que conducía a una sima situada más allá de la propia mirada. Aún no podía entender la aviesa opacidad que entrañaba esa mirada irredenta, de hielo, que revelaba más iniquidad que impudicia, más hieratismo que firmeza, y en la que latía un archipiélago supurante que no dejaba impávido a quien la observaba. De hecho, era como si esos ojos no se correspondiesen con el rostro al que pertenecían, como si simplemente fuesen transportados por éste, pues parecían poseer una vida independiente. Tuvieron que transcurrir varios años hasta que János encontrase palabras para describir lo que supuso mirarlos: como si, introduciendo la cabeza en un estanque de aguas sucias con los ojos cerrados, de pronto, al abrirlos, entre algas y corpúsculos de tierra revuelta decenas de anguilas le estuvieran observando a corta distancia. Un escalofrío líquido en el más absoluto de los silencios.

Luego, arrogante en su altivez inalcanzable, se alejó al trote, seguida por el séquito de *haiducos* y mujeres, entre quienes destacaba, precisamente por su corta estatura, la deforme figura de un hombre joven, al que en el castillo llamaban Ficzkó, y cuyo verdadero nombre era Ujvari Johanes, medio enano y cojo. Sin contar la joven rubia que la acompañaba, perteneciente a una de las familias más nobles de Serbia, eso se decía, dos mujeres se hacían notar porque iban caminando bajo sendas capuchas junto al caballo de la Condesa, ligeramente apartadas del corcel de la otra noble. A una la conocía János de haberla visto trajinar de modo incesante por el castillo, siempre regañando y pegando a las sirvientas. Era Jó Ilona, la temible y musculosa mujer de Sárvár, que contrató a Kata y a su madre. La otra, a la que János conocería mejor más tarde, era mayor, pero el que pareciera avejentada no significaba que fuese una anciana. Su andar cansino, así como el hecho de que tuviese que apoyarse en un bastón para caminar, le daba ese aspecto de decrepitud propio de los ancianos enfermos. Se trataba de una tal Dorottya Szentes, pero la llamaban Dorkó. También a ésta, en épocas posteriores, János la vería ensañarse con alguna criada por haber hecho algo mal, o por contrariar a la Condesa. El resto eran *haiducos* al servicio de Ferenc Nádasdy, y que en ausencia de éste por hallarse en la guerra, atendían a Erzsébet.

¿Por qué, si según parecía las dos nobles acababan de realizar una excursión para cazar, se hacían acompañar a pie por esos tres personajes, el tullido Ficzkó, Jó Ilona y Dorkó? Una escena similar tuvo oportunidad de presenciar János desde las murallas del castillo de Csejthe, residencia habitual de la Condesa. Salía ésta, ya caída la tarde, en dirección a la aldea cercana de Vág-Ujhely. Tras el corcel de Erzsébet, caminando, iban Dorkó, Jó Ilona y Ficzkó dando traspiés. Aquella vez les acompañaban tan sólo dos robustos *haiducos*.

Aproximadamente tres horas después, quizá cuatro, cuando ya era de noche, regresó la comitiva, sólo que ahora llegaba seguida de un carro en el que iban cuatro muchachas. Sin duda eran campesinas que entraban al servicio de la Señora, y que, eso parecía, ella había querido reclutar personalmente.

Aquella noche todo el mundo parecía muy agitado en Varannó. A János le despertaron gritos lejanos en mitad de su sueño. Creyó que era una pesadilla, y así, sudoroso y con los ojos abiertos de par en par, se lo dijo a su madre. Ésta, que llevaba un rato despierta y atenta, con la que János dormía en un estrecho jergón de paja, le tapó la boca conminándole para que volviera a dormirse. Fue aquella noche, sí, cuando él siguió preguntando al cabo de un rato. Su madre, presa de un gran nerviosismo, le pidió que no dijese nada. Que olvidara cuanto había oído:

—A partir de ahora serás mudo, János, y sordo. Quiero, y escucha bien lo que te digo, quiero que nadie conozca tu voz mientras estemos aquí. ¿Lo has entendido?

Él, obediente, afirmó con la cabeza, intuyendo el temor de su madre, aunque no entendía nada. Por su carácter taciturno y tímido no iba a suponerle ningún esfuerzo aparentar que era de aire. Si querían que callase, lo haría. Si querían que no viese, no vería. Si querían que no oyera nada, pensaría en sus cosas o se taparía los oídos.

Ya aquella noche, en Varannó, János empezó a poner en práctica lo que su madre le rogase encarecidamente. Porque los gritos, lejanos y espaciados, siguieron oyéndose hasta bien entrada la madrugada.

Lo último que recordaba de aquella noche, cuando ya de nuevo el sueño le vencía, fue a su madre rezando en voz queda. Nunca antes la había oído rezar, o al menos no fuera del sagrado recinto de una iglesia. ¿Por qué rezaba su madre, tumbada junto a él en su jergón?

A la mañana siguiente, como sucede con los niños, que olvidan con rapidez aquello que poco antes les impresionase sobremanera, János preguntó nuevamente a su madre por los gritos oídos horas antes. Lo hizo mientras desayunaba su mendrugo de pan duro mojado en leche. No vio que allí también estaba Kata. Ésta intercambió unas breves frases con su madre. Al poco Kata se le acercó, preguntándole si no tenía en mente lo que su madre le había dicho la noche anterior. Luego Kata le cogió con dulzura por las mejillas y, mirándole fijamente a los ojos, volvió a repetirle que nada debía mirar, ni mucho menos decir o preguntar. Que se mantuviese lo más alejado posible de las habitaciones superiores, las de la Condesa, así como de los lavaderos. Aquéllos no eran lugares para un chiquillo, afirmó. Él debía jugar por el patio del castillo y, si hacía frío, quedarse en las cocinas o en la habitación en la que se hallaban en ese momento. János quiso protestar, pero Kata, ante la mirada de aquiescencia de su madre, le tapó la boca con una mano y le dijo, pronunciando lentamente las palabras:

—*Gyermek csendes...*

«Niño silencioso.» Eso le pedían, eso parecían exigirle en tono de súplica aquellas dos mujeres que tanto le querían. De ellas nada debía temer. Siempre fue un niño respetuoso, y ahora no iba a contrariar a quienes, en un mundo de gentes rudas, le daban protección y afecto. En realidad todo aquello era para él como un excitante juego. Se le demandaba que fuese como una pluma, como un objeto. Sólo se veía incapaz de cumplir una parte de aquel tácito pacto con su madre y Kata: sabía que su innata curiosidad le impediría dejar de estar alerta. Mirar, aunque fuese de lejos. Oír, aunque fuera tras los muros o puertas entornadas. ¿Cómo podría evitar eso? Pero no iba a discutirlo ahora con esas mujeres en cuyas caras se reflejaba la preocupación y hasta la angustia por algo que a él se le antojaba incomprensible.

Las siguientes horas transcurrieron sin sobresaltos. Alguien importante iba a visitar a la Condesa. Quizá su marido, que llegaba del fragor de alguna batalla para tomarse unas jornadas de respiro. Por aquella época a la Señora del castillo pudo verla tan sólo en una ocasión, mientras él jugaba en el patio con otros chiquillos. Estaba asomada a una de las ventanas de su inmensa alcoba. Miraba hacia ninguna parte, hacia la lejanía de los bosques que circundaban Varannó. Estaba más pálida que de costumbre y ni siquiera parecía parpadear, pese a la fuerte brisa que nada más aparecer ella en la balconada se había levantado.

Acorazada en su gorguera, recordaba a una estatua que yaciese olvidada en aquel muro de piedra. El corpiño de lino blanco realzaba su figura, y las mangas anchas, a la húngara, ahora eran mecidas por el viento. Su largo cabello negro, que según decían fue casi rubio pero se lo hacía teñir con agua de ceniza, y de camomila para aclarárselo, así como con azafrán ocre, quedaba recogido en una redecilla engarzada de perlas de Venecia, a modo de rombos, que parecía sujetarle el pensamiento. Apenas se distinguía su falda de terciopelo granate, en la que se anudaba una especie de delantal, característico de las nobles húngaras. Tiesa la barbilla sobre la gola, parecía querer horadar el aire. De tanto en tanto lanzaba una mirada hacia los adarmes del castillo, pero no mostraba interés alguno por la presencia de los centinelas apostados allí. Era una emperatriz expectante en mitad de las almenas.

Esperaba la noche.

Eso llegaría a entenderlo János mucho después. Entonces sólo se sentía impresionado por la imponente silueta de aquella mujer que caminaba como si levitase, y en la que en todos y cada uno de sus movimientos había un poso de feroz orgullo. Incluso cuando había visitas ilustres, ella les otorgaba algo que más parecía afectada resignación e indomable austeridad en el trato que cortesía, lo que hubiese sido normal.

Al poco János la vio salir al galope aquel día, montada en su inseparable *Visar*. De nuevo iba a los bosques. Nadie sabía cuándo pensaba volver. Nadie osaba preguntárselo.

De Erzsébet se comentaba que sólo temía los espacios cerrados y la oscuridad, de ahí que constantemente estuviese rodeada de candelabros encendidos. También se decía que era más valiente que muchos hombres, y que de joven fue mordida por un lobo al que ella misma había alcanzado con una flecha. Creyéndolo muerto se acercó a él, apoyando una rodilla en el suelo, junto al animal. Pero, así se contaba, en un último estertor, el lobo giró su hocico y le mordió ligeramente en una mano. Sin vacilar, la joven Erzsébet sacó su cuchillo y lo degolló de un tajo al tiempo que lo maldecía. Luego, como si estuviese consternada por lo que acababa de hacer, y sin preocuparse aún por su herida, acercó su rostro al lobo y le dijo:

—*Te vagy enyém baty, bocsánát... Voltál hüyle...*

«Perdóname, hermano. Fuiste tonto...»

Ésa era la leyenda, según averiguaría János años más tarde, de algo que sucedió en los bosques que rodeaban el castillo de Ecsed, cuando la Señora era aún casi una niña y ya salía a cazar en compañía de sus primos. Nadie creyó mucho en tal anécdota, pero a sovoz se rumoreaba que en esas escapadas solitarias de Erzsébet, ella iba a lamentarse por haber acuchillado a aquel lobo ya indefenso y moribundo. Tampoco nadie comentó nunca nada respecto a su herida. Si le había dejado marcas, las disimulaba bajo sus pulseras. Quizá, de llevarlas, estaban inscritas en su sangre.

Ella era húngara y eso significaba algo. En los antiguos húngaros, también llamados magiares, de los que descendían Erzsébet y los Báthory, ya latía algo que, muy por encima de la simple inclinación a la guerra o su innata proclividad a la maldad, más tenía que ver con un recóndito y nunca plenamente saciado deseo de venganza. Habría que buscar en los albores del milenio para dar con las claves de ese sentimiento. Los primitivos magiares eran antaño un pueblo de jinetes nómadas, y su origen era ugrofinés, de un lado, y turco de otro. También se les emparentaba con los hunos y los avaros. Fueron continuamente hostigados por los feroces pechenegos, a su vez aliados de los búlgaros, constante terror y quebradero de cabeza de Bizancio, que nunca pudo acabar con ellos. Los magiares serían expulsados de sus asentamientos entre el Volga y el Danubio, junto al mar Negro, pero ello no les impidió hacer devastadoras incursiones por Panonia, Moravia y Bohemia, llegando incluso hasta la Italia septentrional y el sur de Francia. Más tarde se atrevieron a atacar zonas de Sajonia, de Alsacia y de Lotaringia. Fueron una auténtica plaga para todas aquellas tierras que pisaron, provocando indecibles desmanes. No sería hasta el año 900 cuando atacaron con decisión el territorio bávaro. La peor afrenta que sufrieron sucedió en el *anno domini* de 904. Los bávaros, dando signos de desear una paz duradera, invitaron a una embajada húngara, entre la que iban los guerreros más prominentes de este pueblo, incluido su caudillo Chussal. Primero les ofrecieron un pingüe banquete en el que los emborracharon y luego, se dice, los aniquilaron sin piedad en una espantosa matanza. Algunos años tardaron en reponerse de tamaña felonía. En Occidente tan pronto buscaban su alianza como se enfrentaban a ellos, pero los húngaros, desde la vil emboscada de 904, ya no se fiaban de nadie, procurando cometer rapiñas y saqueos donde les era posible. El obispo Luitprando escribió de ellos que, para difundir cada vez más el miedo, se bebían la sangre de los degollados. Y Regino, abad de Prüm y de Tréveris, los mencionó como los «nuevos hunos», ostentadores de *cruentam ferocitatem* y de *beluino furori*, cruel ferocidad y furor de bestias, afirmando después que se trataba de gentes que no vivían a la manera de los hombres, sino como el ganado. El obispo Widukind llegó más lejos, a tenor de testimonios que se le habían descrito, asegurando que devoraban, a modo de remedios medicinales, los corazones de sus prisioneros partidos en pedacitos. De esa estirpe provenía Erzsébet y los fundadores de su familia.

De la Condesa también se comentaba que, hasta hacía unos pocos años, era en extremo puntillosa en cuanto hiciese referencia a la belleza. Prueba de ello lo constituía algo que cuantos hidalgos y cortesanos pasaran por esa ruta se detenían a admirar: el artesonado de los salones de ese castillo de Varannó lucía traviesos cupidos pintados con lapislázuli y polvo de oro. Allí, en las cúpulas silentes, entre telarañas, grietas y goteras, en su carnal y aéreo apelmazamiento, los cupidos aparecían estáticos y boquiabiertos con sus diminutos arcos y sus flamantes liras, con sus rostros rollizos que sugieren inocencia, aunque sus labios destilen voluptuosidad. Anualmente se retocaban con motivo de Pentecostés. Otro tanto sucedía con el gran jardín circundado por un pórtico que había en el interior del castillo, en el que varias mujeres se afanaban sobre los arriates intentando recuperar unos lirios marchitos, y en los que lucían, en una época como ésta, de climatología favorable, sendos manojos de azules vincapervincas y, a un lado, verdinegras aspidistras. Pero ahora, al decir de todos, la Señora se mostraba casi de continuo desabrida, imbuida en una suerte de enigmática ausencia, hosco el ademán, penetrante la mirada, granítico su posible pensamiento.

Fue dos jornadas más tarde de aquella noche en la que tanto se asustase al oír gritos y lloros cuando János, en un pasillo, escuchó que el tullido Ficzkó hablaba con ademán enérgico con un campesino que no hacía más que agachar la cabeza en señal de sometimiento y apretar su gorra contra el pecho. Al parecer era el padre de una de las cuatro muchachas que llevaron al castillo en el carromato. Preguntaba por ella, y Ficzkó le dijo en tono amenazante que la chica estaba bien y que dejase de preocuparse si no quería tener complicaciones. Eso dijo. Complicaciones. Pero como el hombre insistiese, Ficzkó, dando muestras de gran agitación, le explicó que su hija ya no estaba allí. ¿Dónde, pues?, preguntó el estupefacto padre. Ficzkó dijo que seguramente estaría en el castillo de Pistyán, lugar al que al romper el alba había partido junto a las otras tres chicas. La Condesa pensaba ir allí en breve y necesitaría sus servicios. Como el hombre siguiese inquiriendo, Ficzkó le susurró algo al oído y esto pareció tranquilizarlo. Le dio unas monedas, gesto que el campesino agradecería con una sentida y desmadejada reverencia.

János sintió entonces una mano que le cogía por el pescuezo y creyó desmayarse de la impresión. Era Kata, que le sorprendía haciendo algo que él había prometido no realizar. Poniéndole las manos en los hombros volvió a recordarle:

—*Gyermek csendes...* —Y luego le siseó unas frases al oído.

János se hizo hombre al escuchar aquello. Ya nunca lo olvidaría. A partir de ese momento empezaron a creer que el hijo de la lavandera se había vuelto sordomudo.

Y, no obstante, ya entonces, el niño János se preguntaba: ¿quién, quién podrá saber de mi pena y de mi miedo?

Aun ahora, tras haberse hecho hombre ejerciendo durante casi medio siglo el sacerdocio, seguía preguntándoselo.

PISTYÁN

Las piedras lo saben. Y los árboles. Y los objetos que había en aquellas estancias.

Lo saben porque lo vieron, aunque carezcan de memoria y no puedan explicarlo. Aunque estén exentos de razón. De tenerla, sin duda, la habrían perdido al ver aquello.

También lo saben las oquedades, los muros o grietas de esas piedras y paredes, ennegrecidos y ásperos por el paso del tiempo y en los que fue creciendo su capa de muérdago como si de vello se tratase. Aun así, se erizaría la piel de aquellos muros. Esas leves arterias de lo inanimado, a su modo, lo saben. Cada hueco con resquicios de moho, cada minúscula arista o fractura en la roca que protege maternalmente el polvo acumulado. Los para siempre estáticos besos de la humedad aposentada allí durante años y que todo lo erosiona en su abrazo a tiempo perdido, también lo saben.

En eso piensa János Pirgist, sacerdote de la orden de los franciscanos, viejo y enfermo, cuando se desespera en soledad y no puede contar a nadie su secreto. Porque no le creerían, porque dirían que está loco, pese a que mucha gente supo, pero calló. La mayoría ya habrán muerto llevándose, también ellos, su parte del secreto a las tumbas. ¿Descansan en paz esos seres que algún día vieron, oyeron, supieron?

Él no ha tenido paz desde entonces, y teme que ahora, cuando ya presiente cercano el final de su periplo por la vida, dure éste meses o unos pocos años, tampoco pueda hallarla en el más allá.

Porque un número considerablemente elevado de personas sabían, por haber visto u oído. Sobre todo oído. Eso es lo que le llena de desazón, desconocer si sabrá dejar un testimonio ajustado a la espantosa realidad que a él le tocó vivir. Y si los otros no se atrevieron nunca a hablar, ateridos por el pánico del recuerdo, como le sucedió a su propia madre, quien murió siendo muy joven y pocos años después de aquellos sucesos, o a Katalyn Benieczy, la lavandera, quien vivió completamente trastornada desde aquella época, acabando sumida en la folía, o, en su mayor parte por ser analfabetos y no saber siquiera escribir, él, ¿logrará hacerlo ahora en estas hojas de pergamino sobre las que su puño va deslizándose de izquierda a derecha, con irregular pulso, y en las que procura escribir con la pulcra y diminuta letra carolina que le enseñaron sus maestros?

Se consuela pensando que lo saben las ramas de los árboles que circundaban el castillo y los bosques próximos, pese a que desde entonces ya haya cambiado el paisaje, transformándose en crujiente limo y hojarasca putrefacta, alfombra de lo antaño vivo que va germinando, modesta pero tenaz, entre la hierba ensimismada. Y las hojas, y las hijas de éstas, y las hijas de las hijas de éstas, con sus nervaduras perfectas y simétricas cuyo perfil dibuja delicadamente el sol, lo saben. Y los helechos, y las bayas de los abetos, también lo saben.

Todo, en los rincones sin voz de aquellos pasillos interminables y fríos, posee la desolada plenitud de algunas certezas que no pueden mencionarse sin que un sudor helado recorra la frente.

En realidad debiera saberlo el aire que meció en su seno aquel secreto. Pero ese aire se fue, huyendo por claraboyas y contraventanas, por troneras y tragaluces, por agujeros de la piedra, y, si el aire tuviese memoria, lo sabría su heredero que ahora recorre aquellas llanuras, limpio y puro. Mas, si el aire poseyese esa forma de vida que no llegamos a entender, ¿se lo habría transmitido a su invisible descendencia? Y los pájaros que desde las espesuras de sus refugios contemplasen aquello con atónitos ojillos, trastocando su instinto con unos ruidos y unas imágenes que no esperaban, ellos también lo supieron. Como lo supo la cifela y el musgo de los muros, nacidos entre las dovelas de techumbres.

Y la tierra de aquellos patios, y los abedules inertes. Todos lo saben.

La una soportó que sobre ella se arrastrasen pesados fardos que iban dejando una estela roja a su paso. Los otros fueron inmóviles guardianes de entierros apresurados, lejos de todo camposanto, y en los que ni una triste oración se rezó.

Porque las cuatro muchachas de la aldea de Vág-Ujhely que fueron llevadas a Varannó y a las que János vio entrar en el carromato nunca llegaron al castillo de Pistyán, como le aseguró el mismo Ficzkó al padre de una de ellas. Ni tan siquiera partieron hacia allí. Las cuatro fueron de los dormitorios de la Condesa a los sótanos del castillo, donde estaban situados los lavaderos, como en Csejthe. Eran lavaderos a los que no se podía acceder porque estaba prohibido. Y al romper el alba, a diferencia de lo que afirmase Ficzkó, fueron ellas las que quedaron rotas, listas ya para entrar en el alba de una nueva vida. Sus cabelleras rubias eran como escobas, tiesas de terror, y sus tiernos cuerpos acericos humanos de los que apenas brotaba una gota de sangre.

Tenían aproximadamente la misma edad de Erzsébet cuando ésta casó con el conde Ferenc Nádasdy, a quien estaba prometida desde sus once años. ¿Qué ocurrió con aquella esquiva y orgullosa criatura entre los once y los quince años, fecha de su boda, que tuvo lugar con grandes fastos, precisamente en el castillo de Varannó? ¿Qué pudo suceder con ella, a la que el buen hacer cristiano de su futura suegra, Orsolya, no logró dominar? ¿Qué, para que controlase, aun a duras penas y no del todo, sus instintos durante los años de su matrimonio con Ferenc Nádasdy, qué para aguardar a haber cumplido ya cuarenta, siendo viuda, y dar rienda suelta a tan acerbos y execrables instintos? Eso se ha preguntado cientos de veces János Pirgist. No hay respuesta para ello. No la hay coherente o lógica.

Sencillamente se contuvo. Se educó. Exteriormente, pero también hacia adentro. Cultivó su crueldad en agraz. Mantuvo las pavesas del fuego que le corroía, disimuló su proclividad a lo vesánico. Desplegó su magnificencia y su capacidad de seducción pese a que, aunque nadie lo observara, se hundía en el tremedal de su fementida personalidad, y poco a poco se despeñaba por el oscuro risco del crimen. Así, sobrepasado el pretil que la separaba de la locura, accedió a lo ominoso hecho rutina y lo malévolo, religión. Llegó a hacer de su opresiva lobreguez un refinado arte, duro como el pórfido y, como la resina, oloroso. Porque el dolor huele. Ése era su alimento. No permitió que se rompiese aparatosamente el dique de su contenida lujuria hasta que no se supo sola e impune.

Procuró amansar la fiera que anidaba en su seno y que clamaba en sus venas, aullando por despertar de una vez. Se instruyó en la única fe que le era concebible y cara: el mal. Porque, ya adolescente, era una sacerdotisa de la magia negra. Y, como la anfisbena, como el cinocéfalo o como el basilisco, perseveró por convertirse en un animal mitológico de sí misma. Mientras vivió su marido y tuvo que criar a sus tres hijas, Orsolya, Anna, Katherine, y a su hijo Pál, intentó frenar en lo posible aquel grito que la desgarraba por dentro. Fue acumulando visiones, deseos primero impuros y más tarde salvajes, como sus antepasados Báthory, incluso como algunos de ellos que aún vivían en la lejana Transilvania. Pero una vez sintió que tenía en sus manos el poder, se dejó llevar. Tan sólo eso. Se soltó.

Ella lo supo siempre. Era especial. Era la elegida, y nada ni nadie podía truncar su destino. La inmortalidad.

Ese pensamiento debió de acompañarla desde niña: ella, la hermosa, la grave y fuerte hija de Jorge y Anna, ambos de la rama Ecsed de los Báthory, la más temida de cuantas familias nobles dominaban en Hungría, no iba a envejecer ni a morir. ¿Acaso para eso había nacido? Se le antojaba una estúpida incongruencia. No podía ser que la plenitud de la existencia, ni que ciertos placeres y sensaciones que la hacían saberse ángel y demonio a la vez, se truncaran un día, como pasaba con el resto de personas. Como ocurría con los simples campesinos y campesinas que durante generaciones habían servido, a ella y a los suyos, sin atreverse siquiera a mirarles a los ojos. Ella los consideró bestias de carga con forma humana, debido a un caprichoso azar de la Naturaleza. Siendo su espíritu tan ancho como el inabarcable cielo y sus sueños tan intensos y tumultuosos como el bramido de las aguas que bajaban en invierno por los torrentes, junto a majestuosos glaciares, ¿había de terminar todo eso, de súbito, cualquier día?

Las gentes, con resignación, decían que sí, que de ese modo fue desde siempre y para todo ser nacido de humana madre. Pero ella ¿era un ser normal, como los otros? Su instinto le decía que no. Y sus más secretas creencias la reafirmaban en tal convicción. Nunca aborrecía tanto a Orsolya Kanisky, su suegra, como cuando ésta deslizaba en su conversación la palabra «pecado». Entonces, la aún niña Erzsébet, a la que se preparaba para un futuro y próspero matrimonio con un hombre de bien, aunque se dedicase a los menesteres de la necesaria guerra, agachaba la vista, conspicua, y sonreía para sus adentros.

Pecado: sentía al oírlo un estremecimiento que espesaba lo que fluía por el interior de su cuerpo. Pecado. ¿Por qué tenía que ser inaccesible aquello que causaba mayor placer, por qué?

Había visto envejecer y morir a varias mujeres de su propia familia. Las despreciaba por lo primero y las odiaba por lo segundo. Antaño fueron hermosas, aunque no tanto como ella, y de nada les sirvió su antigua belleza, su remoto vigor, su indudable poder. Ellas temieron el pecado, aunque a menudo lo pusieran en práctica. Erzsébet sabía que lo hicieron para arrepentirse acto seguido. Para pronto reincidir en él. Eso no era pecado. Eso era jugar con una inconsistente, volátil idea de pecado. Pecar, tal y como ella lo concibió siempre, era hacerlo con plena conciencia. Llevarlo a cabo con premeditación y deleite. Pecar era sentir la felicidad absoluta, luego de haber caído en él por voluntad propia, y no por incontinencia. Sentirse más fuerte, más poderosa, más sensual, más bella. Haber pecado y comprobar que nada ocurría a su alrededor. Que lo único que pasaba es que ella misma se sentía infinitamente mejor después de haberlo consumado. Y querer repetir lo antes posible.

Quizá si hubiese empezado a pecar con intensidad y desmesura desde que era niña, o en su vida de abnegada esposa y joven madre, su devenir espiritual no hubiese cobrado los derroteros que posteriormente tomó, cuando ya era viuda y sus hijos estaban lejos, cuando ya no tenía a Orsolya a su vera para conminarla a que se portase con corrección y recato en todo momento, advirtiéndole que no se apartase de los caminos de la fe. Ella a todo le decía que sí, porque sabía ser cordero cuando era necesario. Pero la loba que dormitaba en su pecho a duras penas lograba contener las carcajadas de burla que aquellas admoniciones, aun revestidas de cariñosos reproches, le provocaban, dejándola impertérrita.

Incluso había leído, casi en su práctica totalidad, una Biblia que fuese propiedad de un lejano pariente, y que contaba con más de dos siglos de existencia. Allí, en ese libro que todos decían venerar y cuyos preceptos fundamentales se empecinaban en seguir como mansa grey, Erzsébet sólo veía muerte, sangre, venganza, miedo. La Biblia fue la fuente nutricia y maligna de la que bebió con avidez siendo aún una niña. Ella se limitaba a obrar como en ese libro sagrado se decía. Si hubiese pecado, pues, con todo el ardor que el cuerpo y la mente le pedían, quizá hubiera llegado a la edad adulta parcialmente aplacada. Pero no. Se limitó a acumular energías durante casi cuarenta años. Y en su seno fue acumulándose el agua negruzca de un río desbocado que, al toparse con rocas y árboles no canaliza sus corrientes, sino que éstas se arremolinan sin orden ni tregua, subiendo de nivel y poniendo en peligro a cuantos se hallan cerca. Hasta que un día encuentra una vía de escape. Entonces es la inundación.

Con luminosa soberbia se recordaba a sí misma, siendo todavía una chiquilla, gozando al ver cómo reñían a los criados, o cómo alguien golpeaba con violencia a un campesino o a cualquier fámulo del castillo en el que se encontrase. Nadie la vio nunca torturando a animalillos del bosque, cuando éstos caían en sus manos. Y lo hizo. Ella no iba a ser menos que sus primos Báthory, célebres en toda la región por su extrema crueldad con todo ser vivo que les contrariase en lo más mínimo. Al contrario. Ella, por el simple hecho de ser mujer y de apariencia frágil, debía duplicar tales crueldades. Para sentirse como ellos. Pura en su genio, perfecta en su crueldad, impoluta en su perfidia.

Era ella quien solía acudir a los establos en la época de matanza, para contemplar cómo se daba cuenta de verracos, de ovejas, gallinas, terneras o vacas y ciervos recién capturados. A veces le decían que aquello no era cosa de niñas, que ella debía acudir al misal y al huso o a sus muñecas de latón, trapo y madera. Entonces protestaba: *Mutasd hogy kell csinálni!*, «¡Enséñame cómo se hace!».

Y tanto insistía que, aun a regañadientes, le permitían observar. Eso decía con insistencia: *Ezt szeretnérn megnézni!*, «¡Quiero verlo!». Y observaba. Era su lento proceso de aprendizaje.

Erzsébet Báthory, viuda Nádasdy, nació en 1560, en una mañana de tormenta que dio al traste con varias cosechas.

La anunció el relámpago, y todos miraban temerosos el cielo. Jorge, su padre, era de la rama familiar de los Ecsed, y su madre, Anna, era hija de Itsván Báthory y Katilin Telegdy, que provenía de Valaquia. Tuvieron cuatro hijos: Itsván, que se volvió loco siendo muy joven, Klara, Zsofía y la propia Erzsébet, que siempre fue altiva y parca de palabras. Su padre murió cuando ella tenía diez años, poco antes de que la familia decidiera desposarla con un Nádasdy. El apellido les venía del vocablo *Bator*, «valiente» en húngaro, y entre sus antepasados se encontraban los hermanos Guth y Keled, de Suabia, donde reinaban los Stauffen. Todos eran descendientes de los Siebenburgen, combativos y lujuriosos ya en épocas casi olvidadas. También, según parece, había en su linaje una rama proveniente de los bravos dacios, que incluso, en su ardor guerrero, rechazaban a las mujeres y tenían ceremonias en las que se desposaban hombres de un mismo ejército. Estos dacios iban al combate al son de cálamos dobles, y su ferocidad era sólo comparable a la de los turcos. La primera posesión de los Báthory se remontaba a la villa de Gut, reinando entonces en aquellas tierras Salomos y el duque Geza. Una rama de la familia, sin embargo, tenía sus raíces en Hungría, y otra en Transilvania. Uno de sus ilustres antecesores fue Pedro Báthory, fundador de la rama Báthory-Ecsed, en Száthmar, junto a los Cárpatos, cerca de donde estaba la sede de la corona de Hungría, la de San Esteban con la Cruz Inclinada. Otro, Jan Báthory, fundó la rama Báthory-Somlyó en el oeste, donde reinaba Esteban III.

El antiguo blasón de los Guth-Keled era de argén sobre campo de gules. Fueron los Báthory eslavos quienes añadieron el dragón que hasta la fecha lucía en sus emblemas. También le pusieron las alas del águila y tres dientes de lobo. Fue un siglo antes de que naciese Erzsébet cuando la familia ideó que el dragón de su escudo se mordiese la cola, cerrando el círculo. ¿Cabría imaginar mayor signo de bravura y de fiereza en un linaje que no dudaba en automutilar el animal que los representaba? Sólo se sabe de un miembro de la saga que hiciese gala de probada virtud, Nicolás Báthory, que fue obispo de Vág. El resto acabaron sus días de modo dramático. Su tío Segismundo veía fantasmas y luchaba contra ellos, espada en mano. Su tío Gabor vivió los últimos años de vida mordiéndose con saña en cuantas partes del cuerpo alcanzaba. Su primo András murió decapitado en un glaciar, y su cabeza expuesta en lo más alto del mismo, luego de haber sido exhibida como trofeo en sendas guarniciones de infieles.

Cuando se recuperó esa cabeza, fue cosida al resto del cuerpo, y se le expuso, con un lienzo disimulándole el cuello, en la iglesia de Gyulalehervár. Ella nunca llegó a verlo, pero así empezó a odiar.

Fue su tía Klara quien inició a la niña Erzsébet en ciertas conductas licenciosas. Se decía de aquélla que era ninfómana, y tuvo incontables amantes. Su final fue trágico. Apresada junto a su amante, tuvo que contemplar cómo asaban a éste en una gran parrilla, y luego de ser violada por toda la guarnición, se la empaló viva, costumbre muy en boga por aquella época. Erzsébet la adoraba, y nunca se supo con certeza cuál fue el cariz de las conversaciones o tratos que mantuvieron tía y sobrina, pero sí queda constancia de que Erzsébet ni siquiera pestañeó cuando le fue comunicado el espantoso final de su tía. En aquellos momentos por su cabeza sólo pasaron los indecibles suplicios a los que sometería a cualquier turco que cayera en sus manos.

Quizá por lo sucedido a resultas de ese episodio de su tía Klara, no mostró nunca sorpresa el marido de Erzsébet, Ferenc Nádasdy, al que llamaban Beg, el «Señor Negro», debido a su piel oscura, cuando cada vez que regresaba de una nueva refriega contra los otomanos ella le rogaba encarecidamente que le detallase a cuántos turcos y cómo los había matado. Ferenc, que era si cabe de más noble alcurnia que los Báthory, pues estaba emparentado con el propio rey Eduardo I de Inglaterra, y fue educado por György Mürzkoczy, se pasó la vida batallando contra el sultán Amurat III y los hijos de éste, tan crueles como su padre y su abuelo, el terrible Solimán. Hubo entre los Nádasdy otro personaje célebre, Tomas, que llegaría a ser Gran Palatino. La madre de Ferenc, Orsolya Nádasdy, como queda dicho, se encargó de la educación de Erzsébet desde que ésta cumpliese once años: lecturas piadosas, adiestrarse en la supervisión de las tareas domésticas, como planchar y doblar las prendas de ropa en cuadrados tan pequeños como fuera posible, todo ello eran cosas que crispaban el ánimo de la adolescente Erzsébet, quien para librarse de la tutela de aquella buena mujer no veía llegado el momento de su boda. Ésta tuvo lugar el 8 de mayo del año 1575, en Varannó. El preboste clérigo Itsván Benedictus de Krakko fue el encargado de formalizar aquellas nupcias, hecho del que dejó constancia en su informe *Epithalamion conjungit Dominum Franciscum Nádasdy et Domina Helisábeth de Báthory*. El propio Maximiliano de Habsburgo, por entonces emperador, los colmó de presentes, entre ellos numerosos caballos y doblones de oro.

Pero en la época en que vivió Erzsébet Europa era ya un crisol en el que se fundían, o más exactamente se pudrían sin remedio, las pasiones e intereses más dispares y enconados que desde la irrupción de Lutero habían enfrentado a los países. Alemania quedó dividida en dos sectores irreconciliables. En el norte dominaban los protestantes, y en el sur los católicos, aunque lo cierto es que a partir de entonces no dejaría de desmembrarse paulatinamente. Cedió Livonia a los rusos, Estonia a los suecos y Curlandia a los polacos. A raíz de la escisión provocada por Lutero, el emperador español logró que se le condenase en la Dieta de Worms. De hecho, el propio emperador había dado órdenes para que se iniciase el Concilio de Trento, que concluyó cuando Erzsébet contaba apenas tres años de edad, pese a que su inicio y deliberaciones se remontaban a casi dos décadas atrás. Cuando concluyó el Concilio de Trento era ya demasiado tarde para frenar el avance de las tesis protestantes. Éstos habían unificado posturas en la Dieta de Espira, formando la que dio en llamarse la Liga Esmalkalda, propiciada fundamentalmente por los landgraves de Hesse y de Sajonia. No obstante, la fisura estaba creada, y la victoria católica en Gravelines y la posterior Paz de Cateau-Cambresis, por la que Francia se comprometía a no invadir territorios del norte de Italia, sólo mostraron que la Casa de los Austrias españoles, junto a sus escasos aliados centroeuropeos, tenía otros enemigos aparte de los protestantes germanos: Francia y los Países Bajos, que la hostigaban donde y cuando les era factible hacerlo. La Contrarreforma católica pudo frenar el auge del protestantismo en Austria, Bohemia, Renania y Westfalia, así como en la propia Hungría, pero a costa de debilitarse en otros flancos. La labor de los jesuitas en todas estas tierras, al igual que en Estiria, el Tirol, Carintia y Alsacia, fue enorme en su lucha frente a los prosélitos del protestantismo. A pesar de ello, en Bohemia los checos seguían las ideas de Jan Huss, odiando en extremo a la Iglesia del Papado. Erzsébet, pues, vino al mundo en el momento de mayor auge y esplendor del imperio español, pero tuvo que ser testigo del despedazamiento inevitable del mismo. Al final, secundada por Holanda e Inglaterra, Francia sería la potencia que desniveló la situación. Aguardó décadas a que la Casa de Austria se debilitase luchando contra enemigos externos para luego iniciar una feroz y prolongada lid contra ella. Eso no llegó a verlo Erzsébet, aunque sí cómo germinaba el rencor y los deseos de venganza por antiguas afrentas, derivando en lo que sería una contienda que iba a desolar Europa entera a lo largo de treinta años. Se llegó a un extremo tal en el que el propio Cardenal Richelieu, católico, ayudaba a los protestantes alemanes y de Bohemia con intención de desgastar más el poderío español, encarnado por los Austrias y la Casa de Habsburgo. Algo después, la Dieta de Ratisbona o la Paz de Westfalia no serían más que breves respiros en plena refriega, pues los enfrentamientos no habrían de cesar. Sin quererlo, la vida de Erzsébet iba a correr pareja a la época de conflictos más generalizados en toda la historia de Europa, con momentos de tregua y reanudación de hostilidades y encarnizados combates que sembraron de devastación y penuria hasta el último rincón del continente. Asistió, pues, a la desintegración de cualquier atisbo de crear, o de mantener con vida sus restos, lo que era la idea del Sacro Imperio Romano Germánico con el que soñasen Carlomagno, Carlos V y posteriormente Felipe II. Y lo hizo impávida, afirmando a menudo que su único odio, al menos en la faceta más evidente de éste, se dirigía hacia los turcos. En realidad todo el furor y crueldad de su época fue canalizándose, desde que era muy joven, hacia un sorprendente enemigo que ella misma había creado en su mente: las muchachas que, en la flor de la edad, le recordaban que ella misma no era ya tan joven como antaño.

Si los Nádasdy tenían algo del espíritu de los bárbaros carolingios y los implacables húngaros, los Báthory presumían, en un rasgo de paganismo provocador, que en ellos latía la sangre de los dacios, de los boyardos moldavos y hasta de los salvajes turcos, de quienes aprendieron todo tipo de atrocidades. Y, como si quisieran perpetuar esa raza de monstruos, consintieron durante siglos en casarse entre ellos, para preservar así su incólume pureza contra cualquier agente del exterior. A diferencia de otras familias nobles, más afines a los Habsburgos o a los Austrias, los Báthory preferían construirse castillos de tipo militar en vez de palacetes fortificados. Esos castillos, que uno tras otro iban levantando en los espolones rocosos de las montañas, llegaron a poblar toda Hungría, así como parte de Transilvania y Valaquia. Tenían la superstición de que junto a la primera piedra de cada castillo que se disponían a construir, los albañiles debían enterrar el cadáver de la primera campesina que pasara por

44

allí, cosa que hicieron sin el menor remilgo durante generaciones.

Al morir Ferenc Nádasdy en 1604, a los cuarenta y nueve años, su esposa Erzsébet se hizo cargo de los castillos que poseía el Conde. Entre éstos y los de los Báthory llegó a contar con dieciséis, aparte de numerosas mansiones esparcidas por todo el territorio húngaro, Presburgo y Viena. Aun así, Erzsébet se vio en la tesitura de desprenderse de bastantes posesiones, que bien tuvo que vender para seguir disponiendo de dinero, bien se vio obligada a dárselas a sus hijos.

Ella, independiente por naturaleza, nunca quiso tener descendencia, y así se lo había manifestado repetidamente a Ferenc Nádasdy, para disgusto de éste, pero las obligaciones sociales y la cuestión de sobre quién recaerían las numerosas riquezas acumuladas por ambas familias doblegaron su férrea voluntad.

Enviudó a los cuarenta y cuatro años, una edad en la que la mayor parte de las mujeres ya sienten en sus carnes el silente aleteo de la vejez.

Erzsébet, sin embargo, libre de marido e hijos, volvió a nacer. Lo hizo para aquello a lo que siempre estuvo destinada: realizar sus sueños.

Lisonjas y zalemas apenas le servían. Ella buscaba otra cosa, y para obtenerla no dudó en deslizarse por ángulos, intersticios y aristas que ningún ser humano antes de ella osó hollar. Por unos parajes inhóspitos y de pesadilla se deslizó con su andar felino y su imaginación desbordada, que sólo calmaban los arpegios de los gritos que, en sus oídos, eran como el crotorar de las cigüeñas o el zureo de las palomas. Así vivió, festoneada del dolor ajeno, entregada con fervorosa contumacia a la égida de sus perversiones, fiel a la locura de su clan, puntillosa en su pulso caligráfico a la hora de herir, agrandando paso a paso su particular *Vademécum* de la tortura. Nunca fue sumisa. ¿Cómo iba a mostrarse sosegada, pues, o simplemente libertina, cuando su albedrío la incitaba a lo cruel, a las rapacidades más absolutas, al ultraje convertido en diario alimento, una vez se supo libre?

János Pirgist, mientras va redactando hoja tras hoja, aún se pregunta, como ha venido haciendo todos estos años, si Ferenc Nádasdy tuvo indicios para imaginar aquello que en realidad era su nada dócil esposa. No una fierecilla de mujer sino una fiera despiadada. La respuesta es no. Pero por fuerza tuvo que ver pergaminos escritos con sangre de gallina negra, restos de ojos de sapo y rabos de lagarto en frascos, plumas de abubilla para conjuros y toda una colección de pequeños huesos, cada uno de los cuales poseía un especial significado en los ritos de la magia negra y el culto a las fuerzas del mal. Pero él, aun de educación religiosa, siguió siendo siempre un hombre de armas, y esas menudencias, esos signos de ritos que nunca presenció, quizá le parecieron producto de las largas, tediosas temporadas de aburrimiento y soledad por las que debía de atravesar su imaginativa esposa, y que tanto le consternaban por no poder estar junto a ella. De hecho, se sabe que él en persona enseñó a Erzsébet a escarmentar a sirvientes y doncellas que habían cometido una falta, mayormente bagatelas propias de la vida cotidiana de un castillo perdido entre bosques. Se trataba de castigos simbólicos. Unos azotes, calabozo durante varios días. Poco más.

Se cuenta que cierta tarde en la que él regresó de improviso a Csejthe vio, al entrar en el patio del castillo, a una joven sirvienta atada a un palo. Estaba desnuda y su cuerpo se hallaba lleno de moscas y hormigas. La habían untado con miel. La chica estaba desmayada de dolor y espanto. Ferenc Nádasdy preguntó a su esposa qué significaba aquello, a lo que ésta le respondió escuetamente y sin vacilar que había robado una fruta de sus aposentos.

Ferenc rió la broma, que quizá fuera de mal gusto, pero de inmediato dio órdenes para que quitasen de allí a la sirvienta ladrona. Él venía de ver muy de cerca la muerte en sus más horripilantes formas, y aquello debió de parecerle una chiquillada propia del carácter irascible de Erzsébet quien, en efecto, se aburría demasiado.

Es posible que alguien también le informase al Conde de que, en su ausencia, Erzsébet se cebaba castigando a sirvientas histéricas, a las que, para calmarlas del todo y con métodos expeditivos, hacía introducir entre los dedos de los pies papel untado con aceite, al que mandaba prender fuego. Ellas se desvanecían de dolor, lógicamente, y allí se acababan las réplicas, las protestas y los llantos. Costumbre también aprendida de los turcos, que solían ponerla en práctica con sus prisioneros antes de terminar con ellos. De saberlo Ferenc Nádasdy, calló, aunque tal vez se preocupase. En cualquier caso, no tuvo tiempo de comprobar cómo crecía esa inclinación de su esposa por torturar a las chicas del servicio. Bastante tenía él con las batallas de las que había salido milagrosamente ileso, y con las que en breve habría de librar contra gentes sin escrúpulos y en verdad feroces.

Posiblemente nunca alcanzó a imaginar que allí, en su propio castillo y en su lecho, yacía una fiera cien veces más fría y calculadora que cuantos turcos pudiese capturar. Fiera de exquisitos modales que, arguyendo siempre que aquello lo hacía a modo de escarmiento para el resto del servicio, perfeccionaba sus técnicas dejando que el furor aumentase dentro de ella como un incendio que todo lo arrasa en la floresta reseca.

La imagen de su esposa que debió de llevarse Ferenc Nádasdy a la tumba era la de una mujer extrañamente bien conservada para su edad, envidia de nobles mucho más jóvenes que ella, pero a las que ya se les agrietaba la piel y hundían los pómulos. Eso le enorgullecía, y despertaba su deseo cuando la tenía cerca. Ella, en su compañía, debió de mostrarse complaciente hasta el punto exacto de no levantar sospechas. Él sólo veía aquellas manos blanquísimas, siempre encajadas en puños dorados con borlas de seda, veía a la mujer a quien encantaba vestir prendas que tuviesen sus dos colores favoritos, *gyongy*, perla, y *bibor*, púrpura, aunque lo que de verdad le apasionaba era el contraste del negro con el blanco, que solía lucir únicamente en ausencia de su esposo. Ferenc recordaría, en los intervalos de sus batallas, a la dama elegante que mostraba siempre el largo cabello recogido en una redecilla, desplegándolo cuando se hallaban en la intimidad, a la coqueta dama que se hacía cambiar de vestido cinco o seis veces diarias. La que oía con gesto melancólico la música de Valentin Balassa o las arias llegadas de Italia y que tarareaban trovadores afeminados ante los que Erzsébet a duras penas lograba contener sus bostezos. La que se hacía leer a Brantôme, al Aretino y a Boccaccio. La que vivía rodeada de músicos que tocaban para ella con frecuencia en interminables fiestas. La que decía amar el murmullo de los cedros y las acacias cuando son lamidos por la ventisca, los crisantemos y los petirrojos, los vestidos de organdí y las miniaturas biseladas, el sonido de vitelas y urracas taladrando con sus picos la madera, el perfume de violetas, los acantos con motivos florales, los mirtos y el almíbar, las tulipas de mayólica y las piezas de porcelana, las mamparas de damasco y el silbido del cierzo, los ambarinos arcángeles dibujados en jofainas y los abalorios de ónice y nácar, los pañuelos de muselina y los relicarios hechos de ágatas, el olor de las piñas y la caoba, los tapices gobelinos y la hiedra trepadora, los almiares rebosantes y las inalcanzables cimas, el aroma de los heniles y las flores de lavándula, la que incluso le ofrecía compotas de achicoria, ciruela y las más ricas especias, hechas por ella misma para él, la que encendía lámparas de mirra y le decía ternezas al oído, la que alguna vez le pidió que le pusiese un estanque en el patio del castillo, con cisnes y nenúfares, aquella a la que se le ponían los ojos de color avellana en las horas azules de ciertas tardes en las que él reposaba en su lecho, la que recogía arándanos, peonías y rosas silvestres en sus excursiones por los campos, en pri-

48

mavera, la que bajo su inseparable cofia castellana cuando no estaba de fiesta procuraba estar al tanto de lo último en la moda de Viena o Praga, e imitaba signos de distinción propios de los Valois parisinos, la que vestía camisas de lino blanco como la nieve y corpiños en pico, la que no hablaba nunca a gritos ni hacía gala de modales bruscos, siendo recatada en las comidas o con el delicioso vino de Eger. ¿Cómo iba a sospechar Ferenc lo que tenía a su lado?

Sí, también era la noble emparentada con los reyes de Polonia y Transilvania. La que bailaba con corrección, pero demasiado rápido, para turbación de sus damas de honor. La que se encerraba largas horas en su dormitorio tapizado de negro y verde, actitud de la que algunos pensaron, durante una época, se debía a la oración o a la añoranza que sentía por la ausencia del esposo y la lejanía de sus hijos, de quienes uno a uno había ido librándose de manera que pareciese cosa normal, designios de la vida.

En realidad poco o nada pudo saber el bravo y tosco Ferenc Nádasdy antes de su muerte de esa otra simiente oscura que latía en el pecho de Erzsébet, y que ésta, en presencia suya, procuraba evitar en lo posible. Nada de su narcisismo lunático, ni de su veneración enloquecida hacia el cuerpo celeste que ilumina las noches, pálido como su rostro. Nada o poco sabría Ferenc de ungüentos y cremas que ella se hacía elaborar secretamente, ni de la finalidad de sus galopadas por los bosques, sola o acompañada únicamente de sus más fieles servidores. Ni que leía a escondidas el *Opúsculo de los secretos de la Luna*. Nada o poco de sus frecuentes migrañas y jaquecas, para las que se hacía tratar con esponjas untadas de adormidera y algodón extraído de juncos de un pantano próximo. Esos dolores de cabeza y ojos eran algo característico de todos los Báthory, de quienes a sovoz se decía que padecían, como castigo divino a su congénita maldad, la enfermedad de la epilepsia. El propio rey de Polonia, Esteban, la sufrió hasta extremos indecibles. Tampoco pudo saber

49

Ferenc de los escarceos de su esposa con cierto amante llamado Ladislav Bende, que desapareció misteriosamente tras correr rumores de aquella relación. Se dijo también que tuvo un hijo con un campesino del que se encaprichó, y al que luego habría hecho matar por dos de sus más leales *haiducos*, con alguno de los cuales también se le imputaban relaciones carnales. Esto es incierto, pues siempre la atrajeron las muchachas. Un primo suyo, el Palatino György Thurzó, parece que estuvo enamorado de ella, aunque siempre la temió. Mucho iba a tener que ver este noble en el decurso de los acontecimientos venideros. Decían asimismo que una noche Erzsébet hizo subir a su dormitorio a un lacayo de nombre Jezorlavy Istok, que, despavorido, huyó súbitamente de Csejthe, dejando allí incluso sus escasas y humildes pertenencias.

Nada de ello supo nunca Ferenc Nádasdy, naturalmente, porque todo pudieron ser habladurías. Como tampoco llegó a saber del odio que Erzsébet le profesaba a su cuñada Kata Nádasdy, quien por todos los medios rehuía ir a Csejthe o cualquier otro lugar que frecuentase ella. Esa aversión, como suele ocurrir entre mujeres, fue mutua y profunda. El tiempo, pese a no verse más que de tanto en tanto en alguna ceremonia oficial y apenas dirigirse la palabra si no era para los saludos de rigor, fue agrandando sorprendentemente ese recelo. La hermana de Ferenc la odiaba al suponer que en Erzsébet había algo turbio, aunque recóndito y aún no exteriorizado. Erzsébet hacía lo propio al sospechar que Kata Nádasdy, por a saber qué poder, conocía el cariz de sus pensamientos y, ya al final, de sus actos.

El cutis de por sí pálido de Erzsébet adquiría una espectral lividez en presencia de Kata Nádasdy, eso pudieron comprobarlo varias personas relacionadas con ambas casas. Entonces la Condesa agachaba la vista, no nerviosa sino simplemente turbada, y sus ojeras parecían volverse más violáceas, confiriéndole a sus ojos negros un aire decididamente lúgubre.

Ni siquiera llegaría a saber su marido que Erzsébet había nacido bajo la influencia de la Luna y Marte, pero que también, en su carta astral, aparecía la fase de Mercurio, lo cual suponía una peligrosa mezcla de pasiones. Nada supo Ferenc Nádasdy de la atracción tortuosa de su esposa hacia las mujeres, y cuanto más jóvenes, mejor. Nada de aquella noble rubia que pudo ver el niño János golpeando a un *haiduco* sin motivo aparente. Entonces tan sólo se comentó que, invitada de la Condesa en Varannó, pertenecía a una importante familia de Serbia. Nada pudo saber Ferenc de los tratos que tuvo con su tía Klara, con la que pasaba días enteros encerrada en el dormitorio, ni de una misteriosa y al parecer continua visitante a Csejthe y otros castillos en los que estaba su esposa y que no era Ilona Kochiská, también célebre por sus desmanes que atentaban a la moral. Esa otra dama llegaba siempre de visita bien entrada la noche, enfundada en una capa con amplia capucha, lo que impidió que nadie lograse ver nunca su rostro. Era esbelta y de ademanes enérgicos. Se encerraba en los dormitorios de Erzsébet, y allí se hacían subir jóvenes sirvientas, de dos en dos o en reducidos grupos. Se iba al amanecer, tan discretamente como había llegado. De las orgías que en aquel dormitorio tenían lugar nunca se habló.

Aun eso, probablemente, hubiese llegado a comprenderlo, aunque no a justificarlo Ferenc Nádasdy, de haberlo sabido. La soledad de mujeres cuyos maridos se hallan lejos. Sus carencias. Pero había más. Algo, tras aquellas horas de desenfreno y lujuria, en apariencia normales, que lograba conmocionar a unas ya de por sí endurecidas Jó Ilona y Dorkó, quienes se pasaban varios días cuchicheando por los rincones y con aspecto de suma preocupación tras cada visita de la misteriosa dama.

Aquello debió de ser únicamente el principio de una carrera en línea recta hacia la locura y el vicio en estado puro. Como Erzsébet siempre había anhelado. Pecar hasta las últimas consecuencias. Fue por esa misma época en la que la noble sin rostro ni nombre visitaba con frecuencia el castillo de Csejthe o el de Pistyán, o cualquier otro en el que su amiga le tuviese preparada una especial fiesta en la intimidad, en la que Erzsébet mostró interés por saber de las andanzas y desventuras de cierta secta de lesbianas que en el norte de Alemania, y durante la segunda mitad del siglo XIV, dio mucho que hablar en aquellas comunidades. Llevaban a cabo aquelarres completamente desnudas, y se dedicaban a todo tipo de relaciones carnales, unas con otras, así como con víctimas elegidas entre las campesinas que caían en sus redes. Decían sentirse herederas del culto efesio a Artemisa.

Pero lo que sin duda jamás llegó a conocer Ferenc Nádasdy sería el hallazgo que su esposa hizo aproximadamente dos años antes de que él muriera. Fue Jó Ilona, natural de la región de Sárvár, quien puso al corriente a Erzsébet de la existencia de una mujer muy especial y temida en aquellos bosques tupidos y llenos de alimañas, a las que, se decía, dominaba con su sola presencia. Había nacido en una choza, hija de pastores, y entre animales se crió. Su nombre de pila era Jana, o quizá Anna, eso no se supo nunca con certeza. El caso es que la llamaban Anna, como su madre, y fue la madre que Erzsébet siempre soñó tener.

Era Darvulia, una bruja temida en muchas millas a la redonda. Por fin la Condesa había encontrado a alguien que canalizase sus fantasías y sus más bajos deseos. Hizo venir a Darvulia desde aquella alejada región y, como en principio no podía mantenerla en el castillo, pues la presencia de una vieja de aspecto inquietante a la que solían acompañar multitud de gatos negros hubiera disparado las habladurías, la instaló en una recóndita cabaña situada en un bosque no muy distante de Csejthe. Allí iba a visitarla, primero en absoluto secreto y después ya no tanto. Luego Darvulia empezó a ser habitual del castillo, aunque apenas nadie logró verla nunca, pues se pasaba los días en los aposentos de la

Condesa, a los que estaba completamente prohibido acceder sin permiso. Por las noches solían bajar a los lavaderos. Esto ocurría cuando Ferenc Nádasdy ya había muerto.

Y una vez más János Pirgist, encogido sobre las hojas de su pergamino piensa:

Si aquellas piedras hablasen.

Si las rocas sobre las que estaban construidos los lavaderos pudieran expresarse y decir lo que vieron.

Si los abetos, robles, abedules y hayas de la zona del bosque que era la guarida de Darvulia lograsen explicar lo que ocurría allí.

Si fuese de ese modo, seguramente, gritarían de estupor.

Las piedras lo harían desde su percepción gris y neutra de las cosas, pues ¿acaso no podría ser lo mineral un retrato que capta la esencia de aquéllas, su eco, su reflejo en el devenir, la voz de lo que fue su pasado? ¿No son eso algunos monumentos cuya mera contemplación logra sobrecogernos, pues tenemos la sensación no de que somos nosotros quienes los miramos, sino al contrario, de que son ellos quienes desde el pasado nos observan? Y los árboles, amparados en su verde tamiz repleto de enunciados que sólo descifran en silencio la savia y el rocío, ¿podrían decir lo que oyeron?

Si piedras y árboles contasen con la capacidad de tener sentimientos, ese estupor se convertiría en algo mucho más helado y doloroso. Algo que empieza justo donde el pánico despliega sus enormes alas en la oscuridad y eleva vuelo consiguiendo que durante unos instantes se nos paralice el corazón. Una ala señala el silencio. Otra, el vacío.

Darvulia, fuese quien fuese aquel engendro de la Naturaleza, no dudó en posarse sobre la cabeza de Erzsébet, que llevaba aguardándola desde que era niña y ya soñaba con hacer daño para así sentir que estaba viva.

SÁRVÁR

¿Tuvo la culpa Darvulia, aquella decrépita y encorvada bruja de los bosques de la región de Sárvár a la que no sin ímprobos esfuerzos logró encontrar la fiel Jó Ilona, oriunda de esas tierras? ¿La tuvo realmente?

¿La tuvo la belladona, que crece entre otras hierbas con disimulo, como si fuese una más, pero que los animales eluden? ¿La tuvieron el beleño o la mandrágora, que asimismo se camuflan con discreción entre otros cientos de formas vegetales en la espesura de los montes, donde el hombre apenas se atreve a pisar, pues otros tantos animales lo acechan en la sombra?

¿Podían tenerla, acaso, la cicuta, cuyas copas parecen diminutas estrellas estallando, pero petrificadas, o el cornezuelo, cuyos poderes se han transmitido a lo largo de los siglos, o la cincoenrama, con sus amarillas flores solitarias de inocente apariencia? ¿La tuvo el cólquico, tan similar a los azulados tulipanes, o el muguete, que es como el lirio de los valles? ¿La tuvo el acónito, que crece junto a los arroyos, en la alta montaña? ¿La tuvieron, tal vez, esos hongos que en invierno destilaban humedad, cubiertos de agujas de pino y cuya ingestión provocaba, así se decía, delirios y todo tipo de visiones?

Es posible pero, aunque fuese de tal modo, ¿cómo distinguirlos de otras tantas especies de setas y flores, unas comestibles, otras no, si no se conocía su inmencionable religión, su secreta influencia?

Darvulia sabía de esas criaturas nacidas de la tierra. Era su soberana. Sólo necesitaba alguien que las probase. Y, además, que lo hiciese sin ningún temor, sin el más leve signo de aprensión. Ésa era Erzsébet, quien de niña tenía ya pensamientos de anciana loca, y cuando sobrepasó los cuarenta años de edad cayó en la locura de querer convertirse, al menos físicamente, en una niña. Con ella se podía especular en el álgebra de las plantas.

Todas esas hierbas, así como una resina endurecida extraída de lo que se conocía como *cannabis*, nombre latino del cáñamo, y que de Anatolia, Irán o lugares lejanos habían traído los turcos, se las ofreció a Erzsébet, creyendo que al principio ésta le diría «basta» en algún momento. Pero no fue así. Al contrario. La más silenciosa de los Báthory, aunque tan retorcida y curiosa como todos ellos, una vez hubo mirado en ese pozo de fantasmagorías que le provocaba cuanto Darvulia iba dándole, acaso fascinada por algo que entrevió allí, en aquellas profundidades oscuras e insondables de la conciencia, quiso seguir probando más y más. Por fin había descubierto eso que la hacía extraviar definitivamente su temor secular a Dios. Por fin algo que la acercaba a la esencia de lo que tanto anheló, sentirse el Dios que pudo haber sido antes de la rebelión de los ángeles: el Diablo.

Fue todavía peor. Erzsébet, en su avidez, obligó a Darvulia a buscar esas plantas, hongos y hierbas donde ya prácticamente no quedaban. Y Darvulia, amedrentada, sabiendo de lo que era capaz aquella mujer cuya imaginación ella misma estaba contribuyendo a engrandecer, aun enloqueciéndola, dejó atrás el lago Balatón y las llanuras de Hungría y luego ascendió a zonas frondosas del alto bosque, donde fluyen rizados y rumorosos manantiales nacidos en enclaves ignotos, donde las fuentes escriben secretas historias sobre las superficies de la roca yerta, siempre mojada. Indagó en parajes de una espesura tal que sólo el zorro, el lobo, el jabalí y algún que otro animal podían atravesar sin dañarse. Y llegó allí donde la corteza de los árboles, que la permanente umbría ha vuelto tenebrosos guardianes de una nada latente, dicta nuevas sendas, nuevos vericuetos por los que rastrear tan peligrosos y apreciados manjares para la mente. A tal efecto tuvo que realizar largos viajes, hasta la zona de Maramures y los montes de Bistrite, y allí, a los pies de Pietrosul, del Borgo y del Ciahlau, de nevadas crestas, las encontró. Invertía semanas en esos viajes, pero a Erzsébet no le importaba si al final obtenía su preciado botín. Otras veces Darvulia había ido hacia el sur, a los montes Cerne y Steflesti. También en las laderas de colosos de piedra como el Parängului o el Pelezga dio con los ansiados tesoros que sólo ella sabía reconocer.

Y sí, en medio de aquel vivero de sombras y ruidos tenues pero amenazantes, cerca del musgo y a menudo relucientes por las bayas desplomadas una a una de los abetos por la fuerza del viento, por el furor de las heladas o por la inercia natural de su propio ciclo de vida, Darvulia seguía hallando una nueva vida que ofrecerle a Erzsébet. Lejos quedaban los olmos, los gorjeantes hayedos, los sotos floridos de la planicie o el bosque más bajo.

Estaba muy lejos de las zonas en las que aún se veían vilortas y clemátides, espadañas y ruibarbos, prímulas y lisimaquias, que se emplean para tinturas e infusiones. Estaba en la tierra donde impera la constante cellisca, anegando de agua y nieve los prados y vaguadas, donde la calígine, espesa como un mal sueño, colma los bosques impidiendo la visión a unos pocos pasos de distancia. Donde sólo ven el lince y las lechuzas.

Cuando por fin regresaba a Csejthe, instalándose en una de las estancias del piso superior, aún salía por espacio de varias jornadas con destino a los bosques cercanos, que rastreaba como animal en busca de su presa herida. Ella, que no necesitaba ayuda alguna para esas pesquisas, más bien al revés, prefería hacerlo sola, temerosa de que descubrieran su arte para detentar lo maravilloso entre lo superfluo, lo útil de la broza, ella, la única, la bruja, fue haciéndose conocedora y dueña de esos parajes vírgenes. Pero Erzsébet iba más rápido que la propia destreza de Darvulia para encontrar las milagrosas plantas. Su voracidad no tenía límites y a buen seguro Darvulia debió de advertirle de los riesgos que suponía la ingestión desmedida de tales sustancias. Fue en vano. Así que Darvulia, quien por fuerza también debió de sentirse amenazada ante los imprevisibles y cada vez más hirientes brotes de cólera de la Condesa, crisis que se sucedían una tras otra con alarmante rapidez, demoradas sólo por interludios en los que ésta parecía exhausta y somnolienta, quizá se decidió a poner en práctica lo que ella misma había deseado desde siempre. Experimentó, mezcló, probó todas las combinaciones posibles con el mejor y más dispuesto conejillo de Indias que nunca pudo haber deseado, quien a su vez se ofrecía gustosa y sin alguna vacilación a tomar cuanto Darvulia, en quien tenía una fe tan incondicional como carente de raciocinio, fuera ofreciéndole.

En una ocasión le oyeron gritarle a Darvulia:

—*Etz kérem...!*

Tal era su imperativo: «¡Lo quiero!» Y Darvulia, la temible, cuya mirada evitaban cuantos por casualidad se topasen con ella en alguna de las dependencias del castillo, cuya presencia era eludida incluso en lo posible por los pocos que podían considerarse del círculo que tenía acceso a la Condesa, corría apresurada y con visibles muestras de temor en pos de nuevas plantas, de nuevos hongos, de nuevas flores, que si al principio fueron un excitante descubrimiento para Erzsébet, al cabo de un tiempo ya se habían convertido en poco más que un bálsamo imprescindible que, al menos, no hacía crecer su inmenso furor, sino que tan sólo lo mantenía estable.

Porque al principio aquellas pócimas servían como emplastos y pomadas con los que la Condesa se hacía cubrir la piel. Atrás quedaban las pomadas de cebada, los baños con aceites y vinagres o el proceso de untarla con extracto de hojas de mucílago. La palidez de su rostro se acentuaba por días, demacrándola ligeramente, pero no creándole arrugas que hubiesen provocado su ciega ira. Fue después, al decidirse a ingerir aquellos filtros y pócimas en cantidades capaces de trastornar a cualquiera, cuando dio comienzo su verdadera ascensión a un escaño más alto del que ya no habría posible regreso, pues su mente debía de estar ya seriamente dañada.

Ni la misma Darvulia pudo imaginar, pues carecía de elementos para ello, hasta qué punto iba a desarrollarse la lujuria de Erzsébet, ni qué forma cobraría ésta, ni bajo qué apetitos o necesidades se mostraría en toda su amplitud. Esa lujuria, más que desarrollarse, de desenrolló lenta pero inexorablemente en su seno, como la sombra que acompaña a toda sustancia. Había entrado en la fase liminar que anticipa el ciclón, en el proemio de un mundo de acantilados y tempestades que se desataban en su imaginación, y en cuyo vórtice sólo ella se encontraba.

Lo hizo como una víbora adormilada. Como ese dragón que mostraba el escudo de los Báthory, furioso y hambriento. Incluso a la inquietante bruja de todos temida tuvo que asustarle la evolución de su valiente y feroz alumna una vez hubo probado de la manzana prohibida. Pero ya era tarde para echarse atrás. O quizá no, tal vez su oscura e insaciable lujuria, que ella nunca desligó de la fría contemplación del dolor sufrido por otros, que la enardecía incluso más que las propias fantasías sexuales, evolucionó en su interior de manera gradual. Lo hizo como el quinto hijo que nunca tuvo. Lo llevó en su vientre durante aproximadamente un año, el que iba desde la muerte de su esposo Ferenc y la llegada precipitada de Darvulia a Csejthe desde Sárvár. Nueve meses de embarazo, quizá un año de probar casi a diario aquellas infusiones de las que emanaba un penetrante olor.

Un año, porque no pudo ser más, de ingerir aquellos diabólicos pasteles de resina de cáñamo que Darvulia preparaba para ella, y que Erzsébet tomaba en pequeños taquitos, a modo de grageas, y que sencillamente le parecían musgo comprimido. Entonces se produjo la metamorfosis total.

Por fin estaba convirtiéndose en el dragón del escudo de los Báthory, varias veces centenario. El dragón completo, con su cola de serpiente, con esos colmillos de lobo, con sus alas de águila. Para llegar a todas partes. Pero donde Erzsébet llegó fue a sí misma. Al fondo de sí misma. Algo que hasta para ella era desconocido y espectacular.

Había superado la fase de ser la larva inquieta y callada que todo lo mira y sopesa en un intento de evaluar lo que puede reportarle placeres o el intenso gozo de sentir el poder como si de una fiebre se tratase. Había dejado atrás su fase de oruga en la que, engalanada y soberbia, mostró a quienes la rodeaban una faz de sí misma que, de algún modo, todos esperaban de ella: serena y majestuosa, siempre ataviada de bellos colores, moviéndose de aquí para allá no mediante pasos sino en ondulaciones, pues cada uno de sus gestos, cuando había gente delante en cualquiera de las fiestas que se organizaban en cualquiera de sus castillos, o en esas otras a las que, por una simple cuestión de protocolo o compromiso, se veía obligada a asistir, parecía un estudiado paso de danza. Era el precio a pagar por ser de tan noble cuna. Luego llegó la época en la que se convirtió en crisálida. Fue cuando se vio recién enviudada, y ya con sus hijas mayores de edad, a excepción de Pál, que aún era un niño pero estaba muy lejos y vivía bajo supervisión de un tutor al que ella detestaba con todas sus fuerzas: Megyery. Porque, como le sucedía con su cuñada Kata, Erzsébet sabía, o más bien intuía, que Megyery, a su vez, también sabía, o al menos intuía. Lo mismo podría decirse de su pariente, el Palatino György Thurzó, a quien llamara en otro tiempo «primo» pero por el que desde una época reciente sentía indecible aversión. Sólo de esas tres personas, su cuñada, Megyery y el Palatino, la Condesa procuraba estar alejada. Sólo de ellos temía su presencia. Esas tres personas, cada cual a su manera, habían mirado en el fondo de sus ojos negros, tan negros que llegaban a asustar, pero que expuestos a la luz adquirían matices tornasolados, de un verde oscuro o de color berilo, que hacían pensar en los bosques de la región. Aunque ella iba exponiéndose cada vez con menos frecuencia a la luz del día, y poco a poco se convertía en una criatura de la noche en la que su ciclo vital debía de adquirir el nivel de máxima percepción, como sucede con algunos animales. Como crisálida latió en el interior de su membrana, sin salir apenas de ese caparazón filamentoso que la protegía, inmunizándola contra los múltiples peligros que creía le acechaban en el exterior, el mundo de los vivos.

Pero llegó el día, o posiblemente la noche, en que la crisálida se desperezó del todo y, tras prolongadas contracciones, se convirtió en mariposa de rutilantes alas. No obstante, algo había fallado en el proceso: no era una mariposa en lo que se había convertido, sino en una mariposa nocturna y sanguinaria. Especie que no existe en la familia de los lepidópteros. Mariposa de aparente esplendor, pero que en realidad no lo es, o lo es a ratos. Mariposa inmensa, cuyo cuerpo y alas crecen conforme se acerca la noche. Mariposa que engendra no admiración sino pesadillas. Mariposa que, amén de existencia fugaz, no eleva un cántico de vida allí donde pasa, sino que deja una estela de muerte.

Por fin se había convertido en águila.

Águila con vestido de mariposa, con andares de oruga, con mirada de larva, con contumacia de loba, con corazón de dragón. Sin alma.

La ruta interior de su metamorfosis había concluido silenciosa y gradualmente, y pocos, muy pocos, pudieron darse cuenta de que eso y no otra cosa era lo que estaba ocurriendo. Y aun éstos, sus más íntimos allegados, incluida Darvulia, debieron de quedarse paralizados por lo que día a día, y sobre todo noche a noche, iba sucediendo ante sus estupefactos ojos. Pero ella, la loba, el dragón, la serpiente, el águila, les contagió su delirio combinando regalos y amenazas. Supo hacerles partícipes de su creciente locura, involucrarlos en sus actos de manera que éstos se convirtiesen casi en una desagradable rutina, al principio horrorosa, sí, pero luego ya completamente mecánica, realizada con meticulosa eficacia, por puro miedo o por el morboso deleite de sentirse, también ellos poderosos, aunque fuese durante unas breves horas y cada cierto tiempo. Sólo que los márgenes de ese tiempo iban estrechándose más y más, y ellos eran los principales atrapados. Su influjo sobre esos seres era dehiscente, y los impregnaba sin remedio, como esos frutos cuyo pericarpio se abre de forma natural para que salgan sus semillas. También en ellos, sus colaboradores, la nequicia había florecido.

Erzsébet ya apenas mostraba interés por la Biblia que heredase de aquel antepasado, y que siempre leyó regodeándose en los incontables crímenes y suplicios que en ella se relataban, pues la Biblia es un libro que narra infamias, actitudes traidoras y desastres, eso lo sabe bien el pastor Pirgist porque él también la ha leído íntegramente en varias ocasiones. Pero él tiene alma, y ha sabido distinguir lo bueno de lo malo, lo provechoso de lo superfluo, el mensaje positivo de la más que probable exageración y la metáfora admonitoria de quienes transcribieron, a lo largo de los siglos, las páginas y relatos del libro sagrado por excelencia.

Ella, solitaria y herida ante el hallazgo de las claves del mal, acaso momentáneamente desconcertada por lo que terminaba de descubrir, dejó progresivamente de lado su interés hacia cuanto guardase relación con las cosas terrenas. No le preocupó ya conseguir sedas y encajes de Lyon, terciopelos de Génova o espejos vénetos. Cuando salía a los campos galopando con su caballo ya no miraba la genciana, como antes, ni los ciclámenes, ni siquiera seguía con la vista el vuelo de las cornejas, deseando volar como cuando era niña. Incluso olvidó sus baños de lodo en un lugar cercano al castillo de Polodié, o en los pequeños lagos de la misma materia que había en Pistyán y de los que, se decía, tenían propiedades curativas. Ella no quería curarse, sino ser. Olvidó el jazmín, el pimentón, el ajenuz, los aceites, las piedras preciosas de Bohemia, los cristales de Murano. Hasta olvidó esos objetos de forma fálica que llegaban de Italia y que algunas nobles se hacían traer para realizar fantasías en la intimidad de las alcobas. Sus fantasías eran otras porque ya había superado la fase de larva, oruga y crisálida cuando se miraba largas horas en su gran espejo en forma de ocho con dos salientes para apoyar allí los codos a fin de que la contemplación fuese lo más cómoda.

Su libido era de otra guisa. Ella no buscaba el orgasmo fugaz sino el éxtasis prolongado. Y eso sólo podía proporcionárselo su crueldad basal, innata. Se había convertido en una zahorí del tormento.

Ahora vivía en medio de un mar de candelabros flotantes que estaban encendidos casi permanentemente. Ahora, olvidada ya la época en la que podía quedar absorta largo rato ante el movimiento de los helechos, o cuando permanecía impávida horas enteras sintiendo el silencioso fluir de los ríos, o cuando paseaba por sus cauces en barcazas de sirga, acompañada de un reducido séquito, su única preocupación ni siquiera estaba en los afrodisíacos que pudiera conseguir de imposibles mixturas, ni en cosas que antes la habían obsesionado, como descifrar el oculto significado que ella, por superstición, creía ver en los tallos de la correhuela, enredándose por troncos y muros, o discernir qué había tras el amargo sabor que deja la savia viscosa desprendida por los onoquiles, con sus flores azules de áspero tacto, líquido del que antaño oyó leyendas prodigiosas. Tampoco le preocupaba conseguir ámbar traído del Báltico, ni cualquier tipo de abalorios que habrían provocado la suprema dicha de otras damas nobles. Collares de naifes, pulseras de amatistas, anillos de corindón o broches de turmalina. Todo eso era fútil. Ahora vivía inmersa en su pasión por saber más y más acerca de inauditas mezclas, que de las pezuñas de los alces frotadas con escamas de lagarto era posible hacer brazaletes que quitaban la jaqueca, ese mal que con tanta frecuencia padecía y que ella llamaba *bejfajás*, su casi continuo dolor de cabeza. Así, podía vérsela constantemente con nuevos y sorprendentes amuletos prendidos de cuello o brazos, todos ellos con supuestos poderes. Fue en ese aspecto donde más se notó la influencia de Darvulia. Así, Erzsébet llegó a hacerse una experta en los conocimientos ocultos que desde siempre estuvieron ahí, pero de los que las gentes recelaban, bien fuese por no creerlos, bien por su instintivo temor a lo desconocido. Cabeza de sapo triturada, ojos de culebra, cierto huesecillo que se encuentra junto al corazón de los cérvidos y que se llama Cruz de Ciervo, sangre de topo y abubilla, hígado de zorro, intestinos de jabalí, plumones negros de aves rapaces. Todo valía cuando se trataba de conjuros. De todo ello iba escribiendo mentalmente su secreto palimpsesto, su Biblia privada, a la que, por épocas, profesaba una fe fanática.

Y, sin embargo, en lo alto de su querido sombrero llevaba una ala blanca, como si con ello intentase aferrarse instintivamente a un último hilo de esperanza.

¿Cómo iba a importarle ya seguir coleccionando cuantas joyas eran conocidas, si tenía pendiente el estudio furtivo y vehemente de esos grimorios que uno a uno iban cayendo en sus manos? ¿Qué podía importarle ya la supuesta belleza del jade verde, del cristal de roca, de los corales como insólitas flores petrificadas que algunos llamaban espuma de mar, incluso del zafiro, del oro y la plata, de las turquesas, de los topacios, del diamante, de los rubíes o las esmeraldas, cuando ella había probado ya esos diminutos y resinosos pasteles de cáñamo que Darvulia aprendió a elaborar de los otomanos, qué, después de haber visto lo que vio tras llenar su cuerpo de extracto de belladona, de beleño, de mandrágora, o de esas pequeñas setas que la transportaban a paraísos imposibles de verbalizar con humanas palabras, incluso una vez habían pasado del todo sus demoledores efectos?

Leyó con avidez enfermiza textos escritos en otros tiempos por los médicos que se afanaron intelectualmente para solaz de los Médicis de Florencia, o tratados que versaban sobre el difícil arte de obtener los más exóticos perfumes y elixires, en los que eran expertos algunos sabios del círculo de los Valois parisinos.

Ahora, interrumpiendo sus lecturas para dar escuetas órdenes o dejar que su mirada se extraviase por las colinas cercanas, con los abetos puestos ahí como picas prestas para el ataque, se adentraba cada vez más en los libros de conjuros, que con perseverancia de erudita se hacía conseguir en viejas librerías de Viena, Praga o Budapest. Fue así como cayó en el hechizo de sus propias lecturas. El *Laecebook* de los sajones, la *Lacnunga* de los eslavos, el *Conjuro de las nueve hierbas*, del que logró una edición tan antigua que muchas de sus páginas eran casi ilegibles. Pero aun en esos párrafos de los que faltaban frases enteras, Erzsébet se dejó la vista, permitiendo que volase su imaginación.

Ya no iba a coger nísperos en el bosque, no. Ni a capturar zorros y corzos en el llano, justo donde la floresta empieza a espesarse creando una tupida pared de vegetación pero donde, simultáneamente, los animales se acercan para pastar o cazar, pues al final todo se reduce a la desesperada, diaria, inevitable búsqueda de alimento. También ella buscaba el alimento en los libros impresos que en sus manos iban cayendo. Esas manos seguían siendo finas y blancas, de largos dedos que, una vez libres de sortijas, parecían agrandarse como patas de arañas.

Ahora, perdida toda su atención hacia los vestidos a la moda italiana o francesa, los platos y adornos damasquinados, las telas de Constantinopla, las cerámicas de motivos persas, los esmaltes lacados de Limoges, los collares y pulseras obtenidos de mercaderes que llegaban de los sitios más remotos del continente, abandonada ya por completo su inclinación a bañarse en agua de ternera y hacerse frotar el cuerpo con piel de cordero, sencillamente se dejaba llevar. Y si de pronto descubría en cualquiera de esos grimorios que las virutas de azabache bebidas con vino curaban de la mordedura de la serpiente, ella, serpiente de sí misma, corría a probarlo. No le hacía falta que serpiente alguna le picase, pues llevaba el veneno dentro. Lo hacía por ver qué pasaba, segura de que su organismo lo aguantaría. Y, en efecto, su organismo lo soportaba. No sólo eso. También aprendía. Su aprendizaje era lento y tortuoso, salpicado de algún que otro sobresalto. Pero iba ya en una única dirección: el saber absoluto de los saberes ocultos.

¿Cómo iba a importarle lo que otrora la distrajese, siquiera para aliviar su aburrimiento, la música de los *regös* zíngaros, con sus curiosos instrumentos hechos de los más insospechados materiales, ollas de hierro cubiertas de cuero, flautas de hueso de águila, laúdes que tiempo atrás fueron tacos y cortezas de árboles? ¿Cómo, si, perpleja y maravillada, estaba descubriendo los misterios de la diosa Kali, la que bebe la sangre del mundo para así ser fecundada en su eterna vida? ¿Cómo, si con una alegría no exenta de insania le iban siendo revelados los ritos sagrados de las sacerdotisas druidas y de las antiguas aqueas, que también bebían la sangre de sus víctimas, ofrecidas en sacrificio hasta aplacar los volubles designios de las divinidades? ¿Cómo, luego de tomar sus infusiones entre la penumbra rojiza que le propiciaba la laguna de los innumerables candelabros de sus aposentos, o de nuevo habiendo retomado su vieja costumbre de pasarse interminables ratos mirando fijamente su propio rostro en ese espejo en forma de *bretzel*, en alusión a unos pasteles típicos del centro de Hungría, apoyados con languidez dos antebrazos en los salientes de ébano, cómo si había pasado de la abulia insoportable a algo cercano al gozo más sublime que nunca llegara a imaginar?

Allí arriba, en sus aposentos, rodeada del tibio oleaje carmesí que desprendían las decenas de velas, Erzsébet acostumbraba a moverse a la luz de los candelabros, y quería que teas y antorchas ardiesen por donde ella pudiera pasar, corredores, estancias, aun en pleno día. Su infantil aversión a la oscuridad, pese a que era una hija de la noche. Los ojos y el instinto, a pesar de todo, iban acostumbrándose a la negrura que le era propia. Cuando cambió el siglo apenas desayunaba algo de pan caliente con vino, azúcar, clavo y ciruelas. Raramente comía. Sin embargo, cuando llegaba la noche volvía a despertársele el hambre. Sólo que se trataba de otro tipo de hambre. Era tan excitante cuanto estaba sucediéndole que Erzsébet, queriendo dejar constancia de ello en alguna parte, y seguro que influenciada por la lectura de esos libros a los que aludía sin tregua para saciar su curiosidad por todo lo oculto, por todo lo prohibido, por todo lo maligno, cometió un error, el primer error de una larga serie que a partir de entonces sería ya imparable: dio inicio, en un pequeño cuadernillo que ocultaba en uno de los cajones de su cómoda, a un Diario. Nunca debió haberlo hecho. Una de las iniciales anotaciones que podría leerse tiempo después especificaba el nombre de cierta sirvienta. Literalmente ponía: «Rubia, era muy baja.» Nada más.

Horas antes había sido supliciada.

Algo por fuerza muy grave e incontrolable debía de estar pasando en el interior de Erzsébet, pero lo cierto es que fue perdiendo el control de sus acciones, sumida en una especie de vértigo, que a su vez la abocó a un laberinto de entre cuyas galerías ya jamás podría salir, pese a que quienes la acompañaban solían advertirle de los riesgos en que sin cesar incurría. Hasta ese momento lo que hubiera hecho quedaba circunscrito y sellado entre los muros de su imponente castillo de Csejthe o en cualquiera de los otros. Así que tuvo la necesidad física de abandonar ese lúgubre entorno para ir en busca de nuevas emociones, que sin duda le aguardaban lejos.

Se contó que camino de Pistyán hizo detener la comitiva que ella misma presidía. A través de los cortinajes de su carroza había visto, al pasar por cierta aldea, a una joven campesina trajinando con sus aperos de labranza. Luego de observarla un rato, se dirigió a Dorkó y simplemente balbuceó:

—*Ez a lány...*

Ni una palabra más, ni una menos: «Esta chica.»

Usando la violencia la hicieron subir a una de las carrozas. Sus familiares no volvieron a saber de ella más que la Condesa Báthory la había tomado para formar parte de su servicio. Protestaron tímidamente, pues ni siquiera habían podido despedirse de ella y darle unas pocas pertenencias. Se les recompensó con unas monedas, que para aquella humilde familia significarían un año o más de subsistencia. Ya no tendrían que preocuparse, o no tanto, por si se les estropeaba la cosecha o por si cualquier enfermedad acababa con los escasos animales que poseían, pues el carbunclo solía cebarse en ellos. A la familia se la tranquilizó asegurando que la chica parecía ciertamente nerviosa, pero que en realidad luego se había mostrado feliz de su destino. Ellos decidieron creerlo. Ya tendrían noticias de la muchacha, se les aseguró. Y también en esto ellos, analfabetos y atemorizados, a la par que gratamente confusos por el inesperado obsequio que acababa de hacérseles, casi lo agradecieron postrándose de rodillas. No tenían otra opción. Incluso el padre pudo pensar que, a fin de cuentas, aquello significaba una boca menos que alimentar. Y la madre, en un primer momento recelosa y acongojada por la súbita marcha de su hija, bien pudo elucubrar acerca de que en cualquiera de los castillos que poseía la célebre y rica Condesa su niña hallaría un marido con cultura y una cierta fortuna. Era posible, ya que Jana era muy guapa. Nunca tuvo novio, porque era demasiado joven para eso. Sus ojos parecían fragmentos de cielo.

A la familia se le hizo saber que, aunque reticente y desconcertada por la propuesta de dejar cuanto estaba haciendo y unirse a la comitiva, la chica pronto dio muestras de agradecimiento. Poco antes la Condesa en persona, sin dejar su carromato, le había dicho en un susurro:

—*Tessék velem jönni* —«Ven conmigo...», y la chica acudió gustosa a su petición.

Luego, cuando estuvo sentada cerca de ella en el interior de la carroza, le preguntó:

—*Hogy hírnak?*

Lo dijo con una dulce sonrisa en los labios: «¿Cómo te llamas?» A lo que la chica, ruborizada, había respondido con un hilillo de voz:

—Janna.

Los familiares oyeron esta versión de los hechos llenos de orgullo, y poco a poco sus dudas y pena iniciales fueron desapareciendo.

Dos noches estuvo la Condesa en Pistyán. Dos noches en las que nada se supo de Janna, que aún era una adolescente. Fue a la vuelta, camino de Sárvár, cuando Erzsébet incurrió en otro error, aunque en aquel momento todavía no tuviese consecuencias. Con toda certeza se cometieron con Janna abusos y vejaciones que indignarían, avergonzándolo, a cualquier ser con sensibilidad y pudor. Pero la joven, que al parecer era muy terca y también fuerte, debió de ofrecer una enconada resistencia. En la propia carroza de la Condesa, y cuando ya se divisaban a lo lejos las almenas y torreones del castillo de Sárvár, debían de seguir torturándola. Así fue como se les murió. Un pequeño inconveniente con el que no contaban ni Erzsébet ni su reducida guardia pretoriana de lacayos. Ahí cometió Erzsébet su error.

Por completo fuera de sí, hizo que sacaran a la chica de la carroza y en pleno campo, mientras su cuerpo ya inerte era a duras penas sostenido por Dorkó, Jó Ilona y el tullido Ficzkó, ella, arremangándose pese al frío, usando un rebenque de grueso cuero, golpeó con saña una y otra vez el cadáver de la joven. Así un minuto, y otro, y otro. Sus ayudantes le conminaban: «¡Ya está bien, Señora!», o «¡No hace falta más…!». Pero ella, cegada por la ira, continuaba golpeándola en todas las partes del cuerpo, ora con su látigo, ora utilizando su bastón de tejo que solía tener siempre a mano. Y a cada nuevo golpe, ya exhausta, soltaba un gemido, como si fuese ella quien sufría. Janna no daba la menor señal de vida. Sólo cesó en su paliza al sentirse agotada. Mandó entonces que la enterrasen en cualquier lugar y rápido, pues, eso dijo, tenía cosas más importantes que hacer que dar un escarmiento a aquella descarada que al parecer se le había resistido. Era como si aún no se hubiese dado cuenta de que la chica estaba muerta desde hacía mucho rato.

El clima era glacial y todos querían terminar pronto, así que fue enterrada a toda prisa en un sotobosque cercano.

Aquella escena fue vista por un matrimonio que, acompañado de su bebé de pocos meses, pasaba por allí en el instante de los hechos. Asustados, se ocultaron tras la maleza y, aunque algo alejados, pudieron presenciar lo ocurrido. Se dirigían a tierras de Alsacia, donde tenían familia, en busca de una vida mejor. Mudos de terror por lo visto, pensaron que era preferible no decir nada de cuanto habían sido involuntarios testigos. Al contrario, debían de estar convencidos de que si comentaban algo al respecto y aquello llegaba a saberse, no les creerían, o incluso serían encarcelados, pues aunque desconocían quién era la mujer que durante interminables minutos golpeó con inusitado salvajismo el cuerpo de la chica, desnudo y magullado antes de ser sometido a tan ignominiosa e inútil tortura, alguien muy importante debía de ser, a tenor de su elegante aspecto.

Seis años transcurrieron antes de que esa familia regresara de nuevo a su originaria región de Hungría. Entonces sí hicieron algún comentario acerca de aquella increíble escena que la mala suerte les hizo presenciar escondidos. Pero entonces ya habían pasado muchas cosas. Con temor y santiguándose, cruzaron por el lugar en que ocurrió todo. Pese a ello en ningún momento miraron en el sitio en el que, según recordaban, fue enterrada esa chica con la mayor premura. Al llegar al villorrio más próximo a ese sitio lo contaron a sus habitantes, pero de nada parecían conocer a Janna, que había sido secuestrada en otra aldea, no muy lejana pero sí separada por escarpadas montañas.

Un grupo de labriegos se dirigió al enclave que esa familia venida de Alsacia les indicó, y las referencias eran muy precisas. Buscaron durante horas, pero nada hallarían. Durante seis largos años habían caído constantes heladas, a las que seguían auténticos barrizales. En un punto determinado encontraron un hueso en la tierra, que bien pudiera pertenecer a la mano de una persona. Pudo haber sido allí donde la enterraron, si se quería dar crédito a la historia de esa familia. Pero, aunque fuese verdad, aunque allí, a escasos palmos del suelo alguna vez hubiera yacido el cuerpo de una chica, sin duda las alimañas habrían dado cuenta de ella al poco tiempo de ser enterrada, cuando su cadáver aún podía ser alimento. En cuanto a los huesos, y dado que por aquella zona se daban constantemente ligeros corrimientos de tierra y todo quedaba anegado por el agua y el barro, quizá se hubieran diseminado por a saber dónde. Unos debieron de decir, con temor a ser oídos por extraños: «Si es que desde hace bastante que se cuentan cosas muy raras de lo que pasa allí.» Allí era Csejthe. Ellos aún no sabían, ni lo sabrían nunca, que el ámbito geográfico hasta el que alcanzaba el brazo de Erzsébet Báthory era muy, muy largo. Otros, en cambio, serían proclives a susurrar: «Habladurías.»

El reverendo János Pirgist lleva más de cincuenta años haciéndose preguntas al respecto, pero, sobre todo, intentando resolver el enigma: ¿Por qué? El cuándo lo tiene, luego de fatigosas y complicadas indagaciones, relativamente claro. El episodio que acabó con la vida de aquella joven campesina, Janna Slimnová, tuvo que acaecer, aproximadamente, un poco antes o inmediatamente después de la muerte de Ferenc Nádasdy, cuando su mujer dio rienda suelta a todo aquello que llevaba dentro, pero que también, y en contrapartida, la abocó a perder los modos, es decir, a actuar cada vez más a la desesperada. Sería el año 1603, quizá el 1604. Aunque la auténtica locura iba a sobrevenir casi de inmediato. Pero, ininterrumpidamente, Pirgist se había vuelto a enfrentar al dilema de por qué las gentes no hablaron antes, mucho antes, con lo que tantas vidas se habrían salvado. Las respuestas siempre fueron: desconocimiento, incertidumbre, miedo. Las mentes de quienes, durante aquel largo y espantoso lustro que iba a seguir, pudieron saber algo de lo que en verdad acontecía, aunque fuese a manera de simple sospecha, quedaron paralizadas, como si un embrujo les hubiese afectado también a ellas, sin saberlo.

Quizá todo hubiera cambiado si esas dos sendas que pudieron abrirse en sus pensamientos, aceptar lo que pese a iniciarse como rumores iba cobrando visos de realidad o rechazarlo sin más, horadándoles como una acequia reseca las conciencias, se reuniesen de nuevo tras el hiato inconsútil que nos lega, aun confusamente, aquello que no se puede comprender. Ese espacio anímico de lo real en el que en teoría nada ha pasado pese a haber sucedido, y en el que nada fue pese a ser intuido, siquiera eso, porque los humanos no se hallan, de entrada, capacitados para verbalizarlo.

Entonces, sólo entonces, si hubiesen dado crédito a lo que apenas llegaban a intuir por haberlo oído, incluso como simples rumores, podría haber sobrevenido su más absoluto pavor ante el advenimiento de cada negra e incierta noche. Quizá sólo entonces su queja se habría elevado por el aire, de aldea en aldea, de villa en villa, de región en región, como una plegaria dislocada. Quizá entonces, sí, alguien se hubiese atrevido a actuar, a hacer algo.

Pero del mismo modo en que las criaturas irracionales deben de sentir algo parecido al miedo en su puro instinto de supervivencia, así ellos, las decenas, quién sabe si cientos de personas, debieron de actuar poniéndose una venda en los ojos y tapones en los oídos. Sellando los labios y pensando en otra cosa. No existe certeza alguna acerca de sobre qué particularidad de los sentidos se estructura lo que comúnmente denominamos instinto de supervivencia, pensó Pirgist con frecuencia. Y otro tanto cabría decir del miedo que sin duda, a un buen número de ellos, vendó sus ojos, taponó sus oídos, selló sus labios y resecó sus conciencias. Al final, en la balanza, el miedo podría más que el desconocimiento y las dudas juntos. Porque hay un miedo a lo que está y otro miedo a lo que no está, pero se teme. Incluso un tercero a lo que ha estado, rozándonos suavemente como el ala de una ave que, maltrecha, ha perdido el rumbo de su vuelo. Incluso hay un cuarto miedo, acaso el peor de todos: el miedo a lo que podría estar junto a nosotros, acechándonos y buscando nuestra ruina, pese a que no seamos plenamente conscientes de ello. Hay miedos que laten en las gentes como corazones de fetos que ya preparan su salida a la vida. No se les ve, pero están ahí aguardando, creciendo.

Por desgracia, la suerte estaba echada en aquel lluvioso otoño de 1604. Y, sin embargo, ella, quien abrió de par en par las puertas del abismo, había empezado a cometer errores, y lo hizo en cadena. Así suele ser la vida, y también lo que acompaña a la muerte. Todo acaba sabiéndose. Iban a transcurrir pocos años hasta que, en el cuadernillo de notas que se encontraba en la cómoda de la Condesa, apareciese allí, lacónicamente, una escueta aclaración. Era de las primeras:

«Janna. Guapa pero rebelde. Hubo que escarmentarla.»

KEREZSTÚR

El dragón representado en el escudo de los Báthory, aunque en apariencia siguiese impertérrito en los blasones y emblemas heráldicos de la saga, cada vez se enroscaba con mayor fuerza en la mente de la más desequilibrada de los miembros que nunca tuvo esta familia. Así debió de ser. Si algunos de ellos fueron vilordos, perezosos hasta la afeminación, otros se entregaron a cuantos vicios se den entre las clases poderosas, pero no pasaron de ahí, aunque la mayoría llevaba la crueldad en su carácter. Erzsébet, en cambio, ya era desabrida de adolescente, y luego siguió siendo una mujer constantemente malhumorada, irritable. Con la deshonrosa excepción de su tía Klara, cuya proclividad a la concupiscencia había frisado lo animal, y que de hecho la llevó a una horrible muerte, ese simbólico galardón de la crueldad lo ostentaron siempre, como no podía ser de otro modo, los hombres. Pero ellos tenían una excusa para sus excesos: la guerra. Y en ese caldo de cultivo para el odio y la venganza fue donde cometieron sus desmanes pese a que, en contrapartida, y como penitencia a su actitud, solieron ser muy creyentes.

Tanto los Báthory como los Nádasdy siempre se mostraron partidarios de la hegemonía española en Europa. Profesar la fe católica les hizo tener muy claro del lado de quién querían y debían estar. Años antes de que ella naciera, los ejércitos imperiales, con su triunfo en la batalla de Mühlberg, en Sajonia, restablecieron el catolicismo en Europa, aunque haciendo puntuales concesiones a los protestantes luteranos. De ello oyó hablar con frecuencia siendo una niña, así como de las victorias españolas en Pavía o San Quintín. Incluso, nada más llegar a casa de su futura suegra Orsolya Nádasdy, supo de la destrucción casi completa de la escuadra naval turca en Lepanto, evento que fue recogido con gran alegría por los húngaros. Posteriormente no dejaría de seguir, aunque con desgana, los acontecimientos que oía narrar aquí y allá, en conversaciones apasionadas de nobles a quienes sí importaba lo que acontecía en Europa. Se enteró, sin duda, del amotinamiento de los temibles Tercios de Flandes a causa de llevar varios meses sin recibir su paga, en Alost y Amberes. De que, años después, comandados por don Juan de Austria, esos famosos Tercios derrotaron a los Estados Generales de los Países Bajos en Gembloux, junto a Namur, o de que Ambrosio Spínola, genovés al mando de los Tercios de Flandes, conquistó varias plazas francesas y Ostende a los holandeses, quienes, como Inglaterra y posteriormente Francia, no dejarían de intrigar para infligir derrotas a la causa del catolicismo y los Austrias. No llegaría a saber de la aniquilación de los Tercios de Flandes, acaecida en Rocroi, pero sí de la tenaz defensa que durante años realizaron para salvar el invisible corredor geográfico que iba de los Países Bajos al norte de Italia, y por el que se trasladaban usualmente sus tropas. Hasta una tregua obtenida con Holanda en el año 1609 no era otra cosa que un suspiro para mover piezas sobre el tablero continental y armarse de nuevo en secreto. El que Felipe III de España se casara con la archiduquesa Margarita de Austria unió aún más los lazos de Habsburgos y Austrias. Pero España, aparte de por el oro que llegaba de las Indias Occidentales, era sostenida por los banqueros genoveses, que a su vez habían obtenido preponderancia en Europa tras arrebatarle ese papel a los Függer alemanes. Milán, en el norte, y Sicilia en el sur, así como Lucca, Módena, Parma, Urbino y la propia Génova eran aliados incondicionales de los católicos españoles. Sin embargo, el Papado se mostraba indeciso cuando no opuesto a la política de expansión de los imperiales, receloso de perder su influencia. Otro tanto podía decirse de la poderosa Venecia, con una de las flotas navales más expertas y temidas de Occidente. De todo ello había oído hablar Erzsébet en innumerables ocasiones, y siempre con gran ardor, incluso a su marido, quien a menudo se lamentaba de verse obligado a mantener una constante guerra con los turcos en el frente oriental de Rumania, Valaquia y Transilvania, no pudiendo combatir junto a los católicos en el corazón de Europa, donde, comentaba, sería tanto o más necesario que en la otra parte. Erzsébet siempre escuchó tales conversaciones, impregnadas de temores, lamentos o amenazas, como quien oye el sonido de la lluvia. A cuanto le decía su marido apostillaba con secos monosílabos, indicativos de que estaba de acuerdo, pero jamás preguntó nada en concreto, nunca dio muestras de enojo o predilección por ninguna de las potencias que en aquellos mismos momentos se disputaban la hegemonía de Europa. Parece claro que su mente, ya entonces, se hallaba en un lugar aparte, lejos de toda circunstancia o moral.

Erzsébet no estaba en guerra con nadie salvo consigo misma y su pléyade de fantasmas, que tampoco nadie podía ver. Ya de niña se enfurecía por cualquier nimiedad, habiendo llegado a golpear a varias de sus primas en mitad de sus juegos infantiles, y lo propio haría con las criadas. De joven vivió secretamente enfurecida contra la que había de ser su suegra. Amasó rencor hasta límites insospechados. Luego, recién casada con Ferenc Nádasdy, se negó durante varios años a tener hijos. Ella quería sentirse libre. No le temía tanto al dolor físico del parto como a la esclavitud que en su mente representaba poseer descendencia. No obstante, y como es natural, Ferenc insistía una y otra vez en el tema, lo cual la exasperaba, pero siempre procuró ir sorteando con habilidad lo que amenazaba con convertirse en un verdadero obstáculo para consumar sus planes. Ella anhelaba ser libre como la loba, como el águila, como la serpiente. Tuvo que ser la cólera secreta que le produjo dar a luz en cuatro ocasiones, varias de ellas en ausencia de su marido, que seguía en sus contiendas a lo largo de toda la frontera oriental, lo que la convirtió en dragón. Por fin era digna de sus antepasados. Sólo que ese dragón de forma humana, esa bestia de rasgos delicados e indudablemente atractivos, pues cuando se hallaba tranquila su semblante era de fragilidad, en el fondo ávido de destrucción y con una hambre crónica que le inducía a cometer el mal frecuentemente, había empezado a devorarse a sí misma. Atacaba su propia cola. Era antropófaga de su propio organismo. Y no iba a cesar en ese empeño hasta atragantarse, saciándose del todo. Aunque ¿dónde estaba tal límite? ¿Quién la advertiría cuando se sobrepasase, quién le daría sabios consejos que la librasen del cerco que, así debía de imaginarlo ella, se estrechaba en su entorno? Darvulia, quizá. Pero tampoco la anciana bruja parecía hallarse en condiciones físicas ni mentales óptimas cuando se inició el siglo. Aquejada de una incipiente parálisis que iba desgastando su cuerpo, Darvulia, la supuestamente inmortal, la todopoderosa capaz de hablar con las fuerzas del Mal allí donde éstas estuviesen, también se deterioraba a ojos vistas.

Acaso el dragón pensara entonces: ¿cómo, sabiendo tal cantidad de remedios para zafarse de la enfermedad y del envejecimiento, ella misma era ya casi una piltrafa? Eso sacó de quicio a Erzsébet. ¿Cómo Darvulia no empleaba sus fórmulas en beneficio propio? Además, una vez rebasada la cuarentena, y pese al estado inmejorable de su piel y la lozanía evidente de su cuerpo, empezaba a detectar aquí y allá arrugas que apenas un par o tres de años antes no estaban.

Las ojeras iban agrandándose de manera alarmante, al sur de sus ojos. Con auténtico frenesí se palpaba la Condesa esas arrugas cada mañana, tirando de la piel hacia abajo con energía, casi hasta hacerse daño. No pensaba en sus excesos, que la habían privado del descanso nocturno necesario. No pensaba en todo aquello que su cuerpo estaba ingiriendo, a través de la garganta o de los poros de la piel. Pero, sobre todo, no pensaba, no quería pensar en su edad. Se espantaba con la mera y forzosa aceptación de la realidad, y ésta no era otra que, luego de haber esperado tantos años para hacer lo que realmente deseaba, cosa que no pudo llevar a cabo libremente hasta el fallecimiento de su marido, ya podía ver en el horizonte la cincuentena. Seguían llamándola hermosa, y lo era mucho, seguían recordándole cada rato lo increíblemente bien conservada que estaba, y lo estaba. Pero eso no era suficiente. Ya no.

Allí, inmóvil durante horas frente a su enorme espejo oscuro, cada vez se apoyaba menos en los salientes, como hacía antaño cuando, decíase, deseaba besar su propia imagen reflejada. Un día recapacitó, sobresaltada, que llevaba bastante tiempo mirándose a una prudente distancia. Se dio cuenta de que cada día iba apartándose más y más de la superficie de azogue del espejo que, como si de una fatídica premonición se tratase, también iba oscureciéndose aquí y allá. El tiempo los consumía por igual al espejo y a ella.

Esas manchas de tono ligeramente carmesí ribeteadas de marrón, ¿de dónde salían? ¿Tal vez de la humedad, del polvo acumulado? Es difícil pensar que creyese en esa circunstancia natural que afecta sin distinción a los objetos, al brillante acero y al cobre repujado, al bronce bruñido o al hierro frío y suave. No, ella veía en el deterioro del espejo un presagio, una advertencia. Era la patética plasmación de su propio e inevitable envejecimiento. Entonces frotaba con encono, pero las manchas seguían allí. Como sus arrugas.

Hubo personas que la vieron en ese trance de descubrir día a día que, pese a todo lo que estaba realizando para impedirlo, se hallaba en camino, también ella, de convertirse en una anciana. Kata Benieczy, la lavandera, así se lo confesó llena de temor a su ayudante, la joven Vargha Balintné, madre de János. Y ésta, con el paso del tiempo, se lo contó a él.

Los gritos de Erzsébet podían oírse por todo el castillo cuando en uno de esos momentos se sentía valiente y volvía a mirarse de cerca en el espejo.

El azul de las ojeras iba volviéndose negruzco, y allí había ya dos bolsas que sus dedos hacían desaparecer si tiraba de las mejillas. Pero, al dejar de hacer presión, las bolsas volvían a su sitio. Sus pómulos cedían. Muy lenta y fláccidamente, pero cedían semana a semana, mes a mes, y ella lo notaba. Lo mismo la piel del cuello, que empezaba a agrietársele. Pensar en los pellejos que colgaban del cuerpo de Darvulia la ponía al borde del espasmo. ¡Maldita bruja! Si no era capaz de evitarlo en sí misma, ¿cómo iba a hacerlo con ella? ¡Maldita mil veces! ¡Maldita embustera! Entonces Erzsébet la emprendió a golpes con todo cuanto se le pusiese a mano. Incluso se infligió heridas en el rostro, se arañó en esa zona de los brazos donde la carne se reblandecía sin remedio, se golpeó en los pechos que poco a poco parecían deshinchársele, perdiendo su antigua tersura. Fue por todo ello por lo que la alimaña con cuerpo de persona, la elegante depredadora que había sido hasta entonces, se convirtió en el dragón que, enloquecido, desesperado y hambriento, decide mutilarse a sí mismo, soportando el dolor de esa acción. El orgullo era más poderoso que la aprensión. Prefería morir a degradarse. Pero moriría matando. Estaba escrito.

Y es que el siglo se había iniciado con funestos signos que nada bueno auguraban para su futuro. Ferenc se mostraba achacoso con frecuencia, y llegaba enfermo, por lo general, de las batallas. Las infecciones de sus heridas tardaban en curar. Todo parecía derrumbarse tan lentamente que eso la exasperaba más que si de pronto hubiese perdido sus privilegios. Así lo manifestó públicamente en varias ocasiones. Porque Erzsébet admiraba, de entre cuantos personajes conocía, a su primo Segismundo Báthory, de quien el propio

Ferenc Nádasdy había llegado a decir que era un energúmeno sin entrañas, ante lo que ella agachaba la mirada, como dando a entender que compartía esa opinión, pero en verdad tener conocimiento de ello la honraba en extremo. Segismundo, príncipe de Transilvania, que había abdicado de su trono a punto de concluir el siglo, quiso recuperarlo al año siguiente, pero fue sucesivamente derrotado por el *voivoda* de Moldavia. ¿Cómo hablarle a Ferenc de los juegos que ella y Segismundo realizaban cuando Erzsébet era una joven ya recién casada y él un adolescente lleno de brío e ideas impuras? Nunca lo haría, obviamente. En cuanto a su otro primo, Esteban, el rey de Polonia, se hallaba demasiado alejado y era demasiado religioso como para no renegar de él interiormente.

El nombre de Segismundo, el Báthory a quien Erzsébet sintiese más cercano en lo espiritual, pese a que sólo se veían cada mucho tiempo, era el que solía mentar cuando se sentía amenazada. «¡Llamaré a mi primo Segismundo y él pondrá las cosas en su sitio!» Ésa era la frase que acostumbraba a acudir a su boca cuando algo o alguien la contrariaban profundamente.

Y si al principio todos temían al susodicho primo, cuando pudieron verle en alguna celebración, borracho y decrépito, tan tosco en su actitud como abstruso y salvaje en sus comentarios, después ya no dieron crédito a tales amenazas. Tras la enésima derrota a manos del *voivoda* moldavo, Segismundo se había refugiado en su fortaleza del norte de la región de Ratot, construida en un escarpado monte, a orillas del Tisza. Desde allí, en su delirio megalómano, soñaba sin tregua con un nuevo intento de reconquistar la soberanía transilvana, de la que siempre se creyó acreedor por derecho divino. Pero en sus momentos de lucidez hasta la propia Erzsébet debió de convencerse de que era el poder de los Báthory el que estaba viniéndose abajo de modo inexorable. La ambición y crueldad de la que constantemente hicieron gala les había llevado a eso. Carecían del menor don de gentes para mantenerse en el poder, y su nula astucia en materia política los había aislado definitivamente.

En cierta ocasión, cerca de la villa de Cluj, en una pequeña aldea llamada Zvatará, pasaba Erzsébet por la zona de Borsa. Iba en dirección a Csejthe y vio algo que, según pareció, la llenaría de regocijo. Varios niños miraban, entre atemorizados y curiosos, el espectáculo de un hombre que asomaba la cabeza profiriendo lamentos y rezos desde el interior de un caballo muerto. Era obra de su primo, sin duda. Preguntó y así se lo confirmaron. Nada más llegar a Csejthe escribió a Segismundo y éste, a través de un mensajero, le hizo saber en su breve misiva que aquel hombre era un traidor: había permitido que los turcos, en una incursión por sorpresa a la aldea, se llevasen a su mujer y su hija prisioneras para sus harenes o para matarlas en cuanto las violasen, qué más daba. Aquel despreciable hombre, le decía en la misiva Segismundo, seguía vivo. Parece ser que, aterido de miedo, se escondió en un pajar mientras los otomanos saqueaban la aldea para retirarse de inmediato a los montes del Pók, donde tenían sus escondrijos. Aquel hombre estaba vivo, aquel hombre no defendió a su mujer y a su hija, y ése era el castigo que merecía por su infame pusilanimidad. De otra parte Segismundo se excusaba del hecho de que tal suplicio no fuese ocurrencia suya, así se lo explicaba a Erzsébet en su carta, sino que era algo usual que ponían en práctica los turcos con sus prisioneros.

Matar un caballo, abrirle en canal e introducir allí, fuertemente atado, a un hombre. Luego cosían de nuevo la piel del caballo y el tipo quedaba mezclado con sus entrañas, que en pocas horas empezaban a descomponerse. Así se pudrirían juntos. Los gusanos del animal devoraban lentamente al hombre en un suplicio que duraba días.

La imagen de la cabeza de aquel hombre saliendo, más o menos como si de una pelota se tratase, del culo del caballo, como si éste estuviese pariéndolo, cautivó la imaginación de Erzsébet. Pero aunque hechos de tal laya fueran normales en aquella época de litigios con gentes de otra raza y cultura, muchas personas los veían con la lógica repugnancia. El propio Ferenc Nádasdy, cuando su esposa le narró entusiasmada y con todo lujo de detalles el episodio de la aldea de Zvatará, puso un mohín de asco y arguyó que con un traidor lo que debía hacerse era matarlo pronto. Sin más. Y si de lo que se trataba era de dar un escarmiento, se exponía su cuerpo durante varios días. Lo otro, dijo, era algo que nada tenía que ver con la fe cristiana, y ni siquiera el horror de la guerra lo justificaba. Ella, disimulando su decepción, volvió a mostrarse recatada y hasta convencida, pues tal fue siempre su táctica con Ferenc, pero interiormente veneró aún más a su primo Segismundo, quien ahora, por desdicha, había perdido casi toda su influencia en Transilvania, y cuya figura quedaba relegada a la triste, ignominiosa tesitura de ser un rebelde más, como los propios turcos. Pero algún día, pensaba Erzsébet en su fuero interno, Segismundo recuperaría lo que le fue arrebatado injustamente, sin tener en cuenta la estirpe a la que pertenecía, ni sus méritos en el inacabable combate contra los infieles.

Algo martilleaba sin cesar y amargamente en la conciencia de Erzsébet, no en el sentido de que la tuviese en una acepción moral del término, eso cree János Pirgist en sus reflexiones. Más bien lo que martilleaba hasta causarle un profundo dolor, una ansiedad voraginosa, debía de ser la certidumbre de una total ausencia de la misma. Porque su educación, quiérase o no, había sido cristiana. Su suegra incluso intentó hacer de Erzsébet una mujer piadosa, como ella misma. Pero la joven Erzsébet creció terca y llena de crédulas supersticiones. Con la boca oraba, pero con el pensamiento iba más allá, mucho más allá de los páramos de castigo, penitencia o gozo que prometía la fe que a la fuerza intentaban inculcarle. A ella le atraía ese otro vacío, esa suerte de ausencia de ser, ese vacío que la imantaba y cuyo significado no empezó a desentrañar hasta que aparecieron sus visiones.

Porque, a fin de cuentas, y una vez superada la época de las pócimas que Darvulia utilizaba únicamente sobre su piel, llegaron las visiones, ora espeluznantes, ora creadoras de un elevado grado de excitación física, y sobre todo mental. Eso le provocó la ingestión de la gavilla de plantas y productos nacidos de la madre tierra que su bruja le procuraba. Primero a modo de simples infusiones, que debía apurar hasta el último poso que aquellas mezclas lograban. Luego comió, ya directamente, el hongo y el tallo de la planta, el pétalo de la flor y la raíz de la mata. Sabores amargos todos, sí, pero que a los pocos minutos generaban en su mente una sucesión de imágenes tan aturdidoras que poco más podía hacer que permanecer echada, bien fuese en el lecho o en su mullido sillón veneciano bordado de rafia. Al principio ni siquiera era capaz de mantener el equilibrio. Después su organismo fue inmunizándose paulatinamente. Ya permanecía erguida, aunque sin hacer apenas movimientos. Hasta que vio que era posible realizar algún gesto, por leve que fuese, mientras duraban aquellas sesiones que consistían en un envenenamiento a duras penas controlado de los sentidos. Finalmente llegó a dominar su motricidad simultáneamente a cuando se consumaban sus caídas en ese demente estado de éxtasis, nunca controlado del todo, pues si en una primera fase le resultaba imposible tan sólo abrir los ojos o articular una palabra, con el tiempo no sólo llegó a hacerlo, sino que daba precisas órdenes y ella misma se movía, aunque con torpeza, como sonámbula de algo que era muy superior a la simple ebriedad.

A ese respecto el padre János Pirgist cree tener un amplio conocimiento. Pero eso le resulta algo tan inconfesable que hasta ponerlo por escrito le causa recelo. A veces ha pensado en ello con culpa, pero otras, fundamentalmente en la última época, cuando siente que el tiempo se le acaba y todo en la vida posee un relativo valor, porque todo será olvidado cuando nos introduzcan en la gélida tumba, ese sentimiento de culpa se diluye en otro quizá menos duro, pero igual de desazonador.

Él, a diferencia de esas gentes que nunca quisieron saber, pese a que poseían múltiples indicios para haber indagado en ello, siempre quiso llegar hasta el fondo de los enigmas que le acosaron a lo largo de su vida. Él, filósofo a su pesar, no podía dejar de hacerse la pregunta acerca del porqué de las cosas, de las sencillas y de las complejas. Lo mismo pasaba con la actitud o carácter de las personas. No se quedaba tranquilo hasta que alcanzaba, si no a justificar, sí al menos a comprender las causas profundas que incitaban a alguien a hacer esto, y a ése de más allá, lo otro. Por tal razón, y no sin los lógicos esfuerzos para dar con lo que buscaba, finalmente halló lo que, a su entender, pudo haber sido el elemento, o con más exactitud, la serie concatenada de elementos endógenos que marcaron el comportamiento brutal de Erzsébet Báthory.

Que la mayor parte de sus antepasados, e incluso sus contemporáneos, como era el caso de su primo Segismundo, estuviesen locos, a tenor de determinados actos que cometieron, incluso teniendo en cuenta la eventualidad de que ella hubiera padecido algún grado de epilepsia, una enfermedad que forzosamente tuvo que transmitirse de generación en generación entre su familia, ¿justificaba lo que hizo Erzsébet en aquella década de locura, la última de su vida? La respuesta era no. O no sólo.

Y a pesar de todo parecía cierto que en ella latía el embrión de un monótono y atroz compás que durante más de cuarenta años nadie pudo evaluar en toda su amplitud. Pero faltaba el desencadenante, y una de las piezas clave de ese factor desencadenante, así lo creía Pirgist tras largo tiempo de indagaciones y posteriores pruebas consigo mismo, por fuerza tenía que estar en lo que Darvulia le daba. Algo que fue subiendo de nivel hasta desbordarse como el cauce de un río. Algo que, por supuesto, ni la propia Darvulia se atrevió jamás a probar, pues no estaba segura de lo que podía salir de tal experiencia. Su maña para sobrevivir se cifraba en la secular superstición de las gentes ante lo desconocido y, aquí residía lo importante, su innegable sabiduría para extraer de la tierra arcanos que estuvieron ahí, creciendo y marchitándose, volviendo a nacer para de nuevo pudrirse, en interminables ciclos, y así desde que el mundo es mundo y la tierra, tierra. Darvulia conocía las reglas de los cielos, anticipaba los eclipses y las tormentas, así como los períodos de sequía. Todo ello estaba inscrito en una serie de códigos que, a su vez, debió de heredar de otra hechicera como ella. Y, si se lo hacía saber a las gentes con antelación, éstas creían automáticamente en sus poderes. Lo mismo podría decirse de su conocimiento de los misterios que envuelven el universo vegetal. Si a una persona de buen corazón e inconmovible fe le hubieran dado una de aquellas pócimas, diciéndole en tono seguro: «Con esto verás a Dios», sin duda, o por lo menos con un elevado número de posibilidades, esa persona crédula y bienintencionada hubiese acabado arrobada con la súbita irrupción del Paraíso ante sus aturdidos ojos, incluso teniéndolos herméticamente cerrados. Toda una legión de ángeles desfilarían sin cesar por la mente de quien ingiriese el extracto de la planta, pues su fe en lo ultraterreno era enorme y su bondad inagotable. Porque era eso y no otra cosa lo que deseaba ver. En el polo opuesto, si esa misma operación se efectuase con una persona de turbios pensamientos y con una innata inclinación a profesar credibilidad a cualquier tipo de fuerzas tenebrosas, sus visiones probablemente irían en tal sentido.

Erzsébet no era a Dios a quien quería contemplar. No precisamente. Más bien quería hacerlo con su opuesto. Y lo encontró. Darvulia, pues, se limitó a ofrecer a su mecenas el alimento que ésta necesitaba, convirtiéndola en una vicaria del mal. Pero si ella misma no probó aquello que ofrecía a Erzsébet es porque era bruja, mas al cabo humana. Erzsébet no. O no del todo. Y ahí se inició su precipitación al abismo.

Pirgist siente una fuerte punzada en el pecho al recordar, mientras escribe sin pausa. Se ve a sí mismo, más joven y desesperadamente curioso, probando alguna de las supuestas pócimas que ella tomó en cantidades imposibles de mesurar, pero enormes sin ningún género de duda, muy superiores a las que él se vio capaz de ingerir. János cierra el puño, dejándolo muy cerca del corazón cuando reconstruye las imágenes que su cerebro creó al hacerle efecto tan devastadores poderes. Sus alucinaciones fueron horribles, porque de entrada era horrible lo que él esperaba hallar en ellas. Al igual que hizo Erzsébet, probó de aquí y de allá. Luego, aún neófito y temeroso, efectuó mezclas, siempre asesorado por personas con conocimientos de Botánica y de Medicina. Intentaba acercarse así al espectro que la Condesa tuvo que presenciar. Paso a paso, en soledad y con escasa luz, cerrado su dormitorio bajo llave y con un libro de oraciones a mano, se dejó llevar por aquella tempestad de imágenes que en varios momentos dieron con él de bruces en el suelo.

Entonces, al reponerse un poco del impacto de tales visiones, le sobrevenía una sudoración fría, así como fuertes temblores. Igual que a ella. Entonces se decía: «Ya lo sé, ahora sé qué veía...» Acto seguido, entre rezos compulsivos, se repetía: «Nunca más, nunca más...» Pero al cabo del tiempo lograba enterarse de la existencia de otra planta que también ella pudo tomar, el estramonio o el mezéreo, la aladierna o la dedalera, el ajenjo o el evónimo, y su espíritu, en ese afán desmedido de conocimiento que estaba llevándole al borde de la sinrazón, no descansaba hasta que la probaba. Luego se repetía su contrición. La mente de Pirgist estaba tan llena de cuanto vio, oyó, e intuyó cuando era niño, tan rebosante de cuanto logró sonsacarle a su madre antes de que ésta muriese, en medio de períodos de fiebre en los que era posible arrancarle alguna palabra relacionada con aquella época aciaga que a todos marcó de por vida, tan repleta de cuanto respecto a la Condesa había ido averiguando en el último medio siglo y que en verdad conformaba la mayor parte de su vida, tanta había sido su obcecación por entrar, más allá del espacio, más allá del tiempo, en el cerebro de Erzsébet, que por fuerza sus propias alucinaciones tenían que ser aterradoras. Lo fueron. Por eso, y porque llegados a tal extremo seguía sin comprender realmente, aunque por fin había entendido algo, entreviéndolo con la mirada de la imaginación, hubo un momento en el que el «nunca más» se hizo realidad. Alcanzó la frontera en su osadía. Ya ni siquiera deseaba saber más, pues aceptó que cuanto viese en tal estado sería de índole espuria y abominable. Llevaba el horror cosido a sus más inextricables pensamientos y sensaciones. Por ello decidió poner fin a la búsqueda. No inútil pero sí vana. No baldía pero sí, en esencia, estéril. Porque, así se lo dijo vez tras vez, aquel horror continuado y sólido, a juicio suyo seguía sin justificar los actos cuya génesis él intentó discernir con la tenacidad del descubridor, con el temple del cirujano, con la firmeza del pionero.

Hay ciencias, hay descubrimientos, hay paisajes espirituales que sólo admiten un pionero, pues el resto, los que le suceden, son burdos imitadores, ecos de un eco ya ido y cada vez más débil e inaudible. Ella fue la pionera, y él sólo podía seguir el difuso rastro de sus huellas. Supo que nunca hallaría el camino y, atemorizado, a ratos arrepentido y otros lleno de frustración y enojo, lo abandonó.

Era excesiva la delantera que Erzsébet le llevaba, incluso al margen de sus taras familiares y su supuesta maldad en estado puro. Ella sin duda fue muchísimo más lejos que él en ese pulso con lo desconocido. Tomaría otras plantas de las que Pirgist no había encontrado rastro alguno, y en proporciones considerablemente más grandes. A lo que cabía añadir que mientras él era un hombre corpulento y sano, pues siempre llevó una vida regida por principios de austeridad y buenas costumbres, ella debía padecer el inconveniente de sus continuos excesos, así como su propia condición de mujer, en teoría menos fuerte que el varón. Pirgist seguía siendo un hombre no obeso pero sí fornido, que sobrepasaba en más de una cabeza a la práctica totalidad de personas que conocía. En cambio la Condesa, según le contó en cierta ocasión su madre, ya en el lecho de muerte, no tanto en una confesión producto de los recuerdos sino producto de la fiebre que la hacía monologar intermitentemente, era más bien baja de estatura, aunque muy estilizada pese a su edad. Ella lo disimulaba usando altos tacones que ocultaban los pliegues de la falda y caminando erguida como un junco. Eso la hacía aparecer inmensa. Así lo balbuceó su madre mientras agonizaba:

—¡Tendrías que haberla visto, apoyada en la balaustrada junto a la torre más elevada del castillo, o paseando por los alrededores, tendrías que verla! ¡Parecía llegar al cielo…! —deliraba su desdichada madre, que en su obnubilación confundía cielo con infierno.

Entonces, se dice Pirgist, si era de constitución débil y por tanto su organismo vulnerable, si ese cuerpo por fuerza debía de estar castigado por la vida que siempre llevó, ¿cómo era posible que hubiese aguantado *aquello*?

Pirgist nunca llegó a saberlo. Simplemente se lo imaginó, ya que no le quedaba otro remedio. El ser humano, y algo de humano debía de tener Erzsébet, es capaz de sobrepasar con creces, en apariencia, sus propios límites físicos y mentales si su convencimiento le induce a hacerlo. En cierta ocasión, un galeno de Praga le dijo, sabiendo de lo que János le hablaba:

—La sugestión no mueve montañas, pero sí las hace cambiar de sitio…

Ahora por fin lo entendía.

Él mismo era un pobre hombre acosado de temores, de achaques, de dudas. Un pecador más de los muchos que pueblan el mundo intentando que la muerte no les sorprenda sin tener su espíritu en paz y libre de mácula para así, en la otra vida, tener no sólo el descanso eterno sino también la dicha infinita de yacer junto al Creador.

Pero nada de eso concernía a Erzsébet. Su ateísmo no fue humano, como no lo fueron sus actos.

Ella fue la hija del trueno y de la noche. Vivió carente de escrúpulos, y ni el más ligero atisbo de remordimiento impidió cualquiera de sus fechorías. No necesitaba alcanzar un estado de gracia en la otra vida, pues se la había dado a sí misma en ésta. Tampoco anhelaba la presencia del Creador, ya que no creía en Él, sino en su acérrimo enemigo. Eterno a fin de cuentas. De ahí, quizá, que en vida hiciese méritos por acercarse más, en la hora de su muerte, a Aquel a quien rindió culto mientras vivió.

Pero en su demencial búsqueda de la gloria en las Tinieblas, desconocedora de qué significaban la moral o el pecado, también ella cometió errores. Errores puntuales, mínimos, que a la postre lo único que hicieron fue cortar bruscamente la desgracia que llevaba a cuantos lugares alcanzase su poder, que era mucho. Los cometió, por suerte, precisamente por su empeño en vulnerar cualquier precepto ético adoptado por el género humano desde que éste existe. Por ejemplo, profanar a los muertos. Así, ahondó en su propia superación del pecado, buscando siempre uno mayor y más inmencionable. Ése fue su gran pecado.

Si su tía Klara obró como obró, inducida por los rigores del sexo cuando éste se torna enfermedad, y sus antepasados y familiares aún vivos, como su primo Segismundo, lo hicieron por algo tan humano como detestable que simbolizaba el afán de poder, ella, la hija del trueno, no dio síntomas de hacerlo ni por lo primero ni por lo segundo. Sus orgías fueron depurándose en perfidia y voluntad de causar daño físico, sin otra razón aparente que las justificase. Es dudoso que lo obtenido en ellas, piensa Pirgist, fuese únicamente placer sexual, aunque sin duda también lo obtendría de vez en cuando, sobre todo en la primera época. De eso apenas nada puede saberse, pues ella sería la única testigo. En cuanto a sus víctimas, todas murieron. Quizá haya que aguardar a estar en el cielo para que lo cuenten, sigue razonando Pirgist.

Y en cuanto al poder, ¿de qué le servía a Erzsébet todo su supuesto poder si lo empleaba prácticamente en soledad, a lo sumo rodeada de su fiel círculo de secuaces, que permanecían a su lado como animales de compañía, y con los que realmente no podía compartir nada? Quien tiende a aspirar al poder lo hace para mostrarlo al exterior. Ello va implícito en el propio espíritu del poder. Emplearlo para que otros lo vean. Hacer gala del mismo para que otros sufran sus consecuencias. Ésa es la diferencia básica entre quienes lo ejercen y quienes lo padecen. Pero usar tal poder en alcobas sombrías, en lavaderos helados y oscuros, borrando después a toda prisa las huellas de lo que allí sucedió, es decir, la prueba fehaciente de ese poder, ¿tiene sentido?

Comúnmente, así viene siendo desde hace siglos y por desventura así acaecerá hasta el final de los tiempos, quien tiene poder es para ejercerlo y también para hacer ostentación del mismo en cuantas ocasiones puede, pues de ese modo se perpetúan las jerarquías y vínculos con quienes obedecen. En su caso, seguía diciéndose una y otra vez János Pirgist, ¿no resultaba absurdo ese poder cuando lo utilizaba para dar rienda suelta a sus más bajos instintos prácticamente en la furtividad, ya que así consumó sus más abyectas acciones? Lo grave de Erzsébet es que fue, aun en un nivel intuitivo, lo suficientemente astuta como para saber utilizarlo de modo que una serie de personas, desde sus fieles ayudantes Dorkó, Jó Ilona y Ficzkó o Kata, la lavandera, y luego una lista mucho más extensa de colaboradores, la ayudasen en sus proyectos. Era inteligente pero ¿de dónde emergió su instintiva sabiduría para sembrar el miedo? ¿Con qué sutileza hilvanaba sus tramas, articuladas sobre el lánguido encanto que emana de quienes, poseyendo gran belleza, tienen asimismo enorme poder? ¿Cómo supo conjugar esa sugestiva connivencia entre servidumbre y silencio?

Tuvo que ser, no obstante, al poco de quedar viuda, o sea a partir de 1604, cuando la Condesa empezó a cometer sus primeros excesos graves. Y eso, con el tiempo, iba a acabar volviéndose contra ella. No fue en Csejthe, su guarida predilecta y donde mayor número de muchachas torturaba y asesinaba, el lugar en el que incurrió en tales incurias. No, esa serie de negligencias empezaron en los alejados castillos de Pistyán, de Sárvár y de Kerezstúr. Ahí se le fue la mano, ahí fue donde perdió los nervios y la paciencia. Donde tuvo prisa, una prisa inconcebible que la hizo olvidar la elemental prudencia de borrar huellas de sus crímenes.

En Pistyán dejaron el cuerpo de una muchacha enterrado a escasa distancia de la superficie poco antes de que ella misma partiese de allí con sus secuaces. Era época de lluvia y el agua removió la tierra. Días después de que hubiesen abandonado el lugar, uno de los perros de su yerno, el conde Miklós Zrinyi, removiendo con sus patas dio con el macabro hallazgo. El yerno, asustado, quizá ni siquiera se lo comentase a su esposa, la hija mayor de Erzsébet. A quien sí hizo partícipe del descubrimiento fue a Megyery, el tutor de Pál, hijo pequeño de la Condesa. Éste receló, sin duda, y a partir de entonces ya nunca dejaría de estar en guardia, pues desde entonces empezaron a llegarle rumores, primero confusos y dignos de poco crédito, luego ya más preocupantes y fundamentados. Pero aún tardaría varios años en comentarle tan terribles sospechas a György Thurzó, el Palatino pariente de Erzsébet.

En Kerezstúr se recurrió a unos estudiantes que estaban de vacaciones por aquella zona para que enterrasen los cuerpos de varias muchachas. Cuando preguntaron, se les dijo que habían fallecido a causa de una súbita y rara epidemia. Pero a nadie más parecía haber afectado esa misteriosa epidemia. Además, se dieron cuenta de que los cadáveres de aquellas desdichadas estaban horriblemente mutilados. Sus memorias no olvidarían.

En Sárvár, exactamente junto a unas cuadras que distaban poco del castillo, se enterró a cuatro muchachas en un hoyo destinado para guardar el trigo. También ahí alguien vio los cuerpos. También ahí se les dijo que habían muerto por motivo de una repentina enfermedad que era contagiosa, con lo que las gentes no tendrían intención de acercarse a saber más. En el propio Kerezstúr cinco muchachas habían sido asesinadas durante un fin de semana, pero la Condesa, con sus volubles cambios de ánimo, decidió partir de improviso. Ordenó a Kata Benieczy que levantase parte del suelo y las dejase allí. La lavandera no tuvo fuerza suficiente para hacerlo, así que, como tuvo que irse rápidamente en dirección a otro castillo, las dejó debajo de una cama, envueltas en sábanas y mantas. Como era verano y las temperaturas bastante elevadas, pronto los cuerpos empezaron a despedir olor. Éste se extendió por todo el castillo. Algunas gentes preguntaron, alarmadas. Kata se vio obligada a excusarse diciendo que aquel olor se debía a varios animales de compañía de la Condesa, que murieron durante su estancia. Pero nadie había visto a esos animales. De madrugada, y antes de regresar a Csejthe, Kata tuvo que sacarlas de allí y enterrarlas en un campo algo alejado. A pesar de eso, la alarma cundió por todas partes. Pero nadie parecía dispuesto a hablar.

Fue en esa época cuando Kata se sintió definitivamente aterrorizada por lo que estaba pasando. Llevaba más de diez años al servicio de la Señora, y vio su evolución. Incluso le había confesado a Vargha, la madre de János, que a menudo pensó en huir, pero era consciente de que si lo hacía no iba a llegar muy lejos. El brazo vengativo de Erzsébet la perseguiría allí donde estuviese con intención de cerrarle la boca para siempre, pues ya había visto demasiado. Para agravar su situación, y aunque ella nunca estuvo presente durante las torturas, la Condesa solía avenirse a sus consejos, mientras que Jó Ilona y Dorkó o el taimado Ficzkó se encargaban de la parte más nauseabunda de tales procesos. Kata no veía, pero a fin de cuentas primero tenía que lavar los rastros de la ingente cantidad de sangre que dejaban aquellas orgías y posteriormente deshacerse de los cuerpos. Previno a la madre de János, diciéndole que al menos ella hiciese todos los esfuerzos posibles para mantenerse lo más al margen posible de cuanto sucedía. Y que, sobre todo, tuviera la boca cerrada. Bajo ese estado de sobresalto y perpetuo pánico vivían las dos, fundamentalmente Kata, a quien la Condesa había regalado, entre otras cosas, catorce faldas para sus dos hijas. Éstas, a las que Pirgist recordaba haber visto alguna vez en Csejthe, y con quienes llegó a jugar en los patios del castillo, eran algo mayores que él. Kata consiguió sacarlas de allí enviándolas con su familia a Rîsnor, en la frontera con Valaquia. Era un modo de salvarlas, pues también ese par de hermosas muchachas estaban justo en edad de ser objetivo de Erzsébet. Kata la conocía lo suficiente como para saber que en un momento de crisis, como ella llamaba a los períodos en que la Condesa parecía estar poseída y se comportaba como una furia, probablemente no haría distinción alguna entre simples campesinas secuestradas en cualquier parte o las propias hijas de una de sus más fieles servidoras.

Para cuando enviudó y por fin se supo libre, Erzsébet debía de tener sobre su conciencia un número bastante alto de crímenes, aunque, a excepción de los casos de Pistyán, Kerezstúr y Sárvár, había conseguido disimular la estela que dejaron. Ella misma, en su enloquecida huida hacia adelante en aquello en lo que se había convertido, una consumada sacerdotisa del espanto, olvidó que la vileza extrema, la abyección más tenaz y la crueldad más obsesiva, también requerían, aunque fuese una noble, alguien de tan egregia cuna, que por el mero hecho de ser una Báthory estaba emparentada con los reyes de Polonia, Hungría o Transilvania, de determinados protocolos y formas. Y del mismo modo en que quien mata una vez, eso se dice, ya está desinhibido para volver a hacerlo, así quien comete un exceso en relación a su crimen inicial, será proclive a reincidir en esa negligencia, bien debido a la suerte que sin duda cree que va a acompañarle siempre, bien a que, como le sucedía a ella, en todo momento pensó que estaba por encima de las humanas cosas y leyes.

En el recuerdo atormentado de János, aquellas chicas que fueron inmoladas eran claveles, rosas, orquídeas. Todas acabaron teñidas de rojo. Careciendo de futuro, fueron prematuramente cortadas. Mas si la propia Erzsébet se esmeró en anotar la mayor parte de sus nombres en el cuaderno que llevaba a modo de Diario, también Pirgist recordaba ahora que, años atrás, él intentó ponerles palabras a sus efímeras vidas:

«Clavel, rosa que envejece. Rosa, orquídea suplicante. Orquídea, mariposa disecada.

»He ahí el clavel, rosa con llagas y fiebre. He ahí la rosa, que dormita aovillada. He ahí la orquídea, que con elegancia perece.

»Clavel, pasión que yerra astillada. Rosa, sudario de muchacha enamorada. Orquídea, esqueleto del clavel, y de la rosa balada.

»He ahí el clavel, rosa crispada. He ahí la rosa, clavel ruborizándose. He ahí la orquídea, paloma engalanada.

»Clavel, rosa, orquídea, pétalos rotos como cuentas de un rosario en el camino, huellas rojas sobre la escarcha de la mañana.»

Y pisoteando el clavel, la rosa y la orquídea, con sus mangas de blanco lino empapadas, ella, Erzsébet, la alondra ensangrentada.

LEZTICZÉ

Sin embargo, tuvo que haber un principio. Eso lleva diciéndose János Pirgist desde hace cincuenta años, día tras día. Es casi su primer pensamiento cuando se despierta, y con bastante frecuencia el último antes de dormirse. Ya que el *cómo* más o menos lo sabe, igual que el *dónde*, y el *por qué* sigue siendo la pregunta cuya respuesta a hallar, es el *cuándo* aquello en lo que busca refugio.

Nada es porque sí, sin fundamento. De modo que, cada vez más absorbido por el relato de su historia, va llenando cuartillas que escribe con su letra menuda y apretada, tarea en la que trabaja desde la prima hora del alba, cuando un rayo de tibia luz entra por los postigos abiertos de su ventana, hasta que ya por la noche le vencen la fatiga y el sueño. Una a otra se suceden las jornadas. Sabe que no debe hacer sino eso. Lleva toda la vida aguardando enfrentarse al momento de repasar minuciosamente su propio pasado y ahora que es consciente de la rapidez con la que la salud lo abandona, ya no encuentra motivos para eludir esa lid, tan costosa, tan traumática, con sus recuerdos, con las verificaciones que durante el transcurso del tiempo fue realizando.

No puede decirse que se halle en el mismo punto que cuando inició esta búsqueda, aproximadamente medio siglo antes. Mucho es lo que ha avanzado. Mucho lo que descubrió. Datos, fechas, lugares, nombres. Cree haber conseguido trazarse en su imaginación un perfil más o menos exacto de la forma en que se consumaron los acontecimientos. Aunque en el fondo, y en lo referido a la esencia del problema, a menudo siente que está justamente donde empezó: perdido, dubitativo y sin dar con las respuestas fundamentales que anhelaba ante la pregunta de por qué aquella mujer hizo lo que hizo, y por qué la manera en que lo llevó a cabo.

Ahora, enfermo y a ratos abatido por el desánimo, que le invade como ráfagas de viento zarandeándolo hasta casi dejarlo postrado, continúa con su trabajo de reconstrucción mental e intenta superar los obstáculos que le salen traidoramente al paso. Sobre todo uno con el que ya contaba, y que no por haberse mostrado repetidas veces en toda su virulencia, va a hacerle retroceder en su empeño. No a estas alturas, pues es necesario que alguien deje testimonio de lo que ocurrió. Así, está sufriendo desde hace un tiempo horrorosas pesadillas que le impiden conciliar el sueño, y que al hacerlo lo despiertan varias veces por noche, en ocasiones profiriendo gritos, otras bañado en sudor y jadeando. Pero por la mañana, pese a su fatiga, pese a ese dolor que siente aferrado al alma, vuelve a ponerse sobre sus cuartillas. Es una deuda que tiene con la posteridad, piensa a veces. Y otras que la tiene con su pasado.

Cuando repasa sus páginas ya escritas, de nuevo cunde en él un gran desaliento. Se da perfecta cuenta de que ahí no hay sino leves atisbos, poco más que un tímido acercamiento, un temeroso movimiento de circunvalación en torno a las dudas que le acosan desde hace tantos años, es decir, las causas que llevaron a Erzsébet Báthory a ser como era y a hacer lo que hizo. Pero es que, debe reconocerlo, sigue como cuando era niño y, aun de modo intuitivo, ya presentía cosas. Igual que cuando, lejos de allí, pensaba en su infancia o reflexionaba sobre historias que oyó al respecto. Sigue padeciendo un profundo temor e impotencia ya no únicamente para dar testimonio de aquello, sino incluso para pensar con claridad en tales hechos.

Recapacita sobre la circunstancia de que, siendo aún joven, mientras vivió Ferenc Nádasdy y por lo tanto pudo hacerse acompañar por él, Erzsébet iba de tanto en tanto a determinadas fiestas en las cortes de Budapest o Viena, aunque después ya únicamente se trasladaría a la de Presburgo, donde sus compromisos eran ineludibles en ciertas fechas. Allí estaban instalados los Habsburgos, la rama germana de los Austrias. Pero nunca se sintió cómoda en tales eventos, que otras damas de la nobleza esperaban ansiosamente durante largos meses, pues para ellas era la única posibilidad de conocer gente importante y lucir sus encantos, así como sus vestidos y joyas. Erzsébet debía realizar grandes esfuerzos, en esos momentos, por disimular su nerviosismo. Llevaba ya varios años cometiendo crímenes de modo sistemático, y la sospecha de ser observada por alguien que recelase de sus actos no dejaba de perseguirla doquiera que fuese en cuanto abandonaba sus dominios. Había oído contar cosas fabulosas de las cortes francesas, italianas y española. Lo que veía allí, en Presburgo, estaba muy lejos del ambiente de sofisticación que tan a menudo imaginase. La tosquedad de que hacían gala la mayor parte de invitados la soliviantaba en extremo. Ella podría ser una fiera asesina disfrazada de persona, pero cumplía, al menos en público, su papel a la perfección. Ni comía con desmesura, ni bebía demasiado, más por temor a desatarse que por otra cosa, ni bailaba si no era requerida con insistencia. Y aun así, abandonaba pronto el baile para volver a su silla. Procuraba acudir a la corte lo más atractiva e impecable que podía. Con sus guantes perfumados en ámbar, habiéndose bañado antes con agua de azahar y canela, a veces impregnando su piel de extracto de glicinias o de lavándula, otras veces luciendo su falda saboyana con perlas, de la que sobresalían unas enaguas de tisú dorado, chapines en los pies, y el cabello siempre recogido en su redecilla de brillantes. Llamaba la atención por su hermosura y por lo espléndidamente bien que se conservaba.

Pero aquello la aburría sin remedio. Jugaban a cualquier cosa que pudiera provocar la risa de los invitados. A las prendas sobre todo. O a fingirse loco durante toda una noche, o a hablar con palabras y frases en las que no podía pronunciarse una determinada letra. En aquellos lujosos salones de frisos con motivos corintios y bajorrelieves jónicos se hacía poco más que imitar lo aprendido de otras cortes con más solera. Por todas partes colgaban orlas, caireles y grecas, las fuentes de manjares se sucedían una tras otra, lo mismo que la presencia de menestrales escanciando fuertes vinos y licores. Los bufones arrancaban constantes risas con sus baladronadas, y quien más quien menos improvisaba melopeyas sobre cualquier tema propuesto. A costa del hígado la gente solía divertirse mucho, pues uno tras otro los invitados debían inventar nuevos versos, glosándolos. Al principio, cuando Erzsébet participaba más del jolgorio de la fiesta, y por lo tanto sudaba a causa del ajetreo del baile, tenía por norma requerir los servicios de una vieja criada que llevaba muchos años con ella, Maria Szelenká, cuya misión era introducirse en la boca polvo triturado de rosas y, colocando el rostro muy cerca de Erzsébet, soplar allí con fuerza. Esto se realizaba con discreción en una estancia en la que no hubiese nadie, y ocurría tres o cuatro veces por noche. Maria Szelenká falleció de anciana poco antes de que concluyese el siglo, y la Condesa se dio cuenta de que había perdido a su aspersor natural. Otras criadas que intentaron hacer lo mismo recibieron sendos bofetones. Una porque, en su precipitación, no aguardó a que ella tuviese los ojos cerrados y le introdujo algo de polvo en un ojo. Otra porque le escupió ligeramente. Aun otras porque dirigían mal la bocanada, yendo ésta al cuello o a la frente. Nadie realizaba tal labor como la vieja Szelenká, según parece. Pero lo cierto es que, ya al final, la Condesa no se veía en la obligación de renovar su maquillaje facial mientras durase una fiesta. Éstas cada vez le provocaban mayor aburrimiento, cuando no sensación de disgusto.

Los bailes eran burdos y a veces descaradamente soeces en cuanto las bebidas causaban efecto. Tampoco compartía la pasión por cualesquiera juegos que se propusieran, así que paulatinamente iba aislándose, y las últimas horas de la fiesta se dedicaba a observarlo todo con aspecto abacial, si no severo, lo cual contribuía en mayor medida a agrandar el misterio que la rodeaba, volviéndola, como viuda rica y hermosa que era, más apetecible a los ojos de muchos nobles que la miraban con deseo. Su actitud displicente los enervaba y ella, dándose cuenta, se excitaba en secreto, pero sin dar nunca pábulo a que ninguno de ellos pretendiese lograr sus favores, ya que solía desaparecer de improviso tras haberse despedido de sus ilustres anfitriones con cualquier excusa. Erzsébet, a diferencia de la mayoría de aquellos nobles, sabía trinchar viandas, y hasta hacía uso correcto del tenedor, mientras que el resto, incluidas damas de alta alcurnia, seguían comiendo con los dedos, o sonándose de idéntica manera. Gustaba de detalles como ver las servilletas puestas a modo de cogollos de col, o de manzanas o peras. Aunque lo que la asqueaba de verdad era la inclinación por la comida abundante que allí se servía, y que los comensales iban liquidando con inusual gula, como si no hubieran ingerido alimento alguno en varios días. Por las mesas pasaban espaldas de corzo, aves confitadas, pasteles, pecho de cabrito relleno, biércola, jamón de jabalí, asado de ternera, pavo, gallina, carne de buey y ciprinos, torta de higos, lucios, congrios, alcachofas, albóndigas, ternera en adobo, cangrejos de río, lechón, pies de cerdo y toda una amplia gama de exquisitos postres, entre los que había multitud de melones. Ella, acostumbrada a una alimentación frugal, soportaba aquel espectáculo a base de eructos, carcajadas y hasta vomiteras en cualquier rincón con un estoicismo rayano en la pura inmovilidad. Desde comienzos de siglo eran varias las sociedades creadas para moderar tales excesos gastronómicos. Así, en 1601 el landgrave Mauricio de Hesse fundó una orden de templanza, pero la realidad de aquellas cortes era muy distinta. Como apenas nadie tenía idea de la situación política, de poco podían hablar que no fuesen fruslerías. Es decir, las damas de atavíos, joyas y perfumes. Los hombres de caza y, muy pocos, de guerras. Sólo se bailaba, se comía y se reía. De tanto en tanto empezaban a oír fragmentos del *Orlando* de Ludovico Ariosto, o del ciclo épico dedicado a «Jerusalén», de Torcuato Tasso, pero al poco el personal volvía a prestar atención a las payasadas de los bufones o a tal o cual chascarrillo. De nuevo parecían interesarse por las alegres danzas de los zíngaros o, si el ambiente se había calmado lo suficiente, por una aria de Jacopo Peri o por un madrigal de Monteverdi, pero la atmósfera de recogimiento duraba lo que tardase cualquiera de los allí presentes en contar un nuevo chiste. Los efluvios del vino eran los que mandaban en aquellas celebraciones cortesanas, en las que todos los valores parecían haberse dado la vuelta. Así, los concurrentes observaban con seriedad a volatineros y saltimbanquis haciendo sonar el atabal, los timbales o sus cascabeles, mientras que se ponían a reír ante las admoniciones de monjes intonsos que, ebrios, predicaban el fin del mundo ante un divertido auditorio. No obstante, eran dos cosas las que alteraban a Erzsébet en esas fiestas de la corte. De un lado las repetidas menciones a ella misma, en las que loaban su virtud y la firmeza con la que soportaba su viudedad, algo que ella, ya acostumbrada a tales comentarios, oía sin mengua alguna de arrobo y contrición. Esos comentarios solían ir acompañados de alusiones a la bizarría de su difunto esposo. De otro lado se alteraba hasta lo indecible viendo a jóvenes sirvientas de las demás nobles invitadas. Tantearlas habría sido infructuoso, de no incurrir en evidentes riesgos. Nadie deseaba ir a un lejano castillo para servir a una mujer de aspecto tan grave, cuando no siniestro. Era a la vuelta de esas fiestas cuando la Condesa, llena de acuciantes sensaciones provocadas por las muchachas que había tenido cerca sin poder echarles encima la mano, intentaba frenéticamente dar con campesinas por las aldeas que iba atravesando de regreso a Csejthe. En cualquier caso, su excitación contenida acabarían pagándola quienes allí estaban.

Ahora, tantos años después, podía decirse que era János uno de los pájaros que por la noche, y para protegerse del frío, anidaban entre las maderas y piedras de los más dispares rincones de Csejthe y otros castillos en los que estuvo acompañando a su madre y Kata. Igual que esos pájaros, hechos un amasijo de picos y plumas entre techumbres carcomidas por la humedad, cobijándose unos a otros en penumbras que creían tranquilas. Acaso ellos, los inocentes pajarillos que durante el día volaban y con la llegada de la oscuridad buscaban resguardo entre aquellas paredes, no vieron nada. O no todo. De lo contrario, también ellos, parpadeantes sus ojos fijos e inmóviles sus alas, habrían quedado paralizados por la impresión. Y, pese a todo, allí, en Csejthe y los demás castillos, se oía el trino de los pájaros. Hasta que llegaba la noche. Algunas noches. Emitían su música a modo de cántico irracional para mostrar gratitud a la vida por haber pasado un nuevo día. Y de pronto, aquellas noches, tras los primeros gritos, tras las iniciales súplicas con que se repetía el ritual, nada. Enmudecían. Como una cajita de música que se cierra de golpe. János las había visto en algún mercado de Praga. Las abrías y volvía a sonar una dulce melodía. Las cerrabas y la música cesaba. Pese a su carácter de objetos inanimados y mecánicos, diríase que habían sufrido un cierto tipo de daño. Por eso callaban. Como las piedras y los árboles. Como una larga, insospechadamente extensa lista de personas que, teniendo orejas y ojos, no oyeron y no vieron nada porque nada quisieron oír ni ver, incluso pudiendo haberlo hecho.

Cabe la posibilidad de que ésta fuese una historia no de ausencias o actos inexplicables, sino de sordera y mudez. De ceguera e instintos amordazados. Podría ser.

Porque ahí estuvo él aquellas noches de nervios y rezos dichos en un murmullo, muy pegado al pecho de Vargha, su madre, quien conforme crecían los gritos, al principio lejanos pero según iban avanzando las horas más y más próximos y nítidos, algo a lo que sin duda contribuía el silencio de la noche, que agudiza la mente de las personas en sus mínimas percepciones, rezaba ininterrumpidamente, y él, aterido de miedo y cansado por la imposibilidad de conciliar el sueño, contagiándose del estado de constante angustia en el que parecía vivir ella, la acompañaba con susurros en esos rezos murmurados en la oscuridad. Su madre ya sabía lo que significaban aquellos gritos, y que Kata, la lavandera que además de amiga era su protectora, no estuviese en el lecho que le correspondía. Allí llegaría, y a veces ni siquiera eso, a punto de concluir la madrugada, siempre llorando y en un estado de agitación tal que nadie era capaz de consolarla. Era entonces cuando Kata, secándose las lágrimas como buenamente podía, hablaba de escapar, de que había que irse de allí a toda costa y lo antes posible, de que si se quedaban un solo día más, y como a un día habría de seguir otra noche como la anterior, quizá ya fuera demasiado tarde para todo.

Por eso a János le acompañaron siempre las palabras que Kata le dijese cuando le sorprendió mirando a la Condesa, que estaba asomada a su balcón. Luego de decirle que se apartase de ella y jamás volviera a mirarla, exclamó compungida: *Mánytam lélek!*, «¡Tengo rota el alma!». Aquella frase nunca la olvidaría János, quien empezaba a adivinar por qué la lavandera decía eso.

Quienes habían visto, estaban condenados de antemano. Eran testigos.

Ella, Kata Benieczy, había visto. Veía casi todas las noches. Veía no el cuadro preciso del horror, sino sus secuelas, pero eso ya parecía motivo suficiente para estar marcada. Antes o después la Condesa en persona, o quizá alguno de sus secuaces, llamaría la atención de ésta acerca de la lavandera, sugiriendo que podría ser un peligro si se iba de la lengua. Pero, misteriosamente, Erzsébet sentía un cierto apego por la lavandera. Nadie como ella dejaba tan limpios y suaves sus vestidos de lino blanco. Nadie como ella lograba borrar las manchas de sangre que en la ropa quedaban tras las sesiones nocturnas, o en el suelo de su alcoba o en alguno de los calabozos, o a veces hasta en lugares apartados de los propios lavaderos. La Condesa continuaba haciéndole puntuales regalos a Kata, que ésta agradecía, cómo no, con grandes muestras de humildad y fingida alegría. No haberlo hecho así hubiese supuesto su inmediata desaparición. Kata caminaba junto a un precipicio, y lo hacía con los ojos vendados. A tientas. Así semana tras semana, mes a mes, año a año. Por momentos parecía que estaba a punto de perder para siempre la razón. Entonces Vargha Balintné o alguna otra de las mujeres que hubiese por allí la consolaban diciéndole que mantuviese la calma, que siguiese haciendo lo que hacía, por miserable y sacrílego que le pareciese, porque en ello le iba la vida no sólo a ella, sino a todos aquellos con los que Kata pudiese haberse confesado. Y era cierto. De haberse venido abajo la lavandera, rápidamente las sospechas hubieran recaído sobre quienes la acompañaban a diario y con las que ella tenía más confianza. Las vidas de todos pendían de un delgadísimo hilo. Por eso le suplicaban que aguantase un poco más, tan sólo un poco más. Aquello tendría que terminar de algún modo, porque el buen Dios no podía seguir consintiéndolo mucho tiempo, y entonces por fin quedarían libres de la amenaza que se cernía sobre ellos.

Cierta madrugada, recordaba Pirgist, hubo un gran revuelo cuando entró Kata en el dormitorio, tirándose sobre su jergón mientras era presa de un enorme desconsuelo. Él pudo verlo todo, parapetado tras el rebozo de su manta, que no era de suave lana, pero sí gruesa, y le libraba del intenso frío. Al parecer se había consumido lo que temían: Kata fue amenazada. Algo tuvo que contestar, quizá enmarcó un gesto de tristeza o de asco y repulsión, o se le escapó una expresión inadecuada, pero el caso es que Ficzkó, hablando en plural, le dijo que si por casualidad se enteraban de que ella había contado el menor detalle de cuanto terminaba de ver o hacer, y por tanto de lo que llevaba viendo y haciendo durante años sin apenas rechistar, no dudarían en cortarle la lengua. Kata, por lo que János llegó a oír, se explicaba entre hipidos, apretando con ambas manos su garganta, todavía no repuesta del susto que le causó aquello. Quizá le contestó a Ficzkó algo inapropiado. El caso es que protestó por algo, eso parecía ser cierto, y éste le siseó unas palabras a la Señora. Cuando ya se disponía a abandonar el lugar en el que estaban, hastiada de lo que demandaban de ella, oyó la voz de la Condesa. ¡Había olvidado por completo que también ella, Ella en persona, estaba en ese sitio!

—Mi fiel y buena Kata… —empezó a decir Erzsébet en un tono que al principio a Kata le pareció conciliador y hasta amable.

Se giró hacia su dueña haciendo una ligera inclinación con la cabeza.

—Deja ese cubo en el suelo y atiéndeme un instante… —siguió la Condesa, en idéntico tono. Ella obedeció. Debía de llevar un cubo con restos de ropa ensangrentada.

»Mírame. —Ahora Erzsébet había modificado sustancialmente su tono, pues aquello ya era una orden.

Kata elevó la vista en dirección a la Condesa. En su inocencia, aún esperaba unas palabras de ésta intentando quitar tensión al cruce de frases habido entre Ficzkó y ella. Pero lo que oyó de los labios de Erzsébet fue:

—Tú sabes bien que si eso ocurriera, que si por un azar contases cualquier cosa, no sería sólo la lengua lo que perderías. —La Condesa dibujó una amplia sonrisa en su boca, y al poco siguió—: Eso sería sólo lo primero que perderías. Yo misma te arrancaría, uno a uno, hasta el último miembro de tu cebado cuerpo. Lo haría con mis propias manos. Lo sabes, ¿verdad?

Seguía sonriéndole.

Kata, presa del terror, le aseguró a la Señora que podía contar con su mutismo.

—Así es como debe obrar mi lavandera, a la que saqué del arroyo y la indigencia, y por cuya salud, y la de sus bonitas hijas, tanto me he preocupado durante estos años... —Ahí dejó suspendida su asertación.

Acababa de amenazar a sus niñas, aunque de modo elíptico, sinuoso. Kata, intentando sobreponerse a la impresión, asintió con otra inclinación de cabeza al tiempo que pensaba que, por fortuna, sus dos hijas se hallaban muy lejos de allí. Hacía casi medio año que partieron. Pero, como si le leyese el pensamiento, la Condesa añadió, casi cuando Kata se disponía a cerrar la puerta:

—Aunque esas adorables criaturas estén en un remoto confín de nuestros dominios, bastaría con que hiciese sonar los dedos de una mano para que cualquiera de mis primos las buscase hasta el mismísimo infierno y me enviara sus lindas cabecitas en un saco, para que se las diéramos a los perros.

Kata se desmoronó, pretendiendo suplicar a la Condesa, pero ésta no le permitió acercarse. Con un gesto seco le gritó:

—¡Ahora, vete ya!

Kata obedeció. Minutos después, al contarlo en el lavadero, reconoció su consternación y disgusto por aquel episodio, así como la enorme angustia que le había producido oír dicha amenaza. Rogó a las allí presentes, cuatro o cinco de las mujeres que la ayudaban a lavar, que por lo más sagrado del mundo no dijesen absolutamente nada de todo ello a nadie. Ni siquiera a los maridos de dos de ellas, que vivían dedicados a tareas agrícolas en el pueblo de Csejthe, situado a las faldas del castillo, pues la seguridad de todos estaba en juego. La tranquilizaron diciendo que no se preocupase, pues ya sabían. Claro que sabían. Esas mujeres, al igual que la madre de János, también podían oír los alaridos de dolor que llegaban, en plena noche, de algunas dependencias del castillo. Sentían idéntico miedo al suyo, y podía confiar en ellas. Luego rezaron juntas durante un rato.

Después la madre de János entró en el jergón, ciñendo su cuerpo contra el de él. Tenía la cara llena de lágrimas y le decía una y otra vez:

—Duérmete, mi pequeño, duérmete. No pasa nada. —Y le acariciaba el cabello para tranquilizarlo.

Pero él la oía rezar en un tenue murmullo durante largo rato. Hasta que se quedaba dormido con ese grato ronroneo zumbándole en el oído. De hecho, se sentía protegido. Su mente de niño le decía que estando allí su madre, que era tan trabajadora y buena, así como el resto de mujeres, no podía ocurrirle nada malo.

Al llegar el nuevo día, y eso era lo sorprendente, abría los ojos esperando hallar muestras de lo que allí había sucedido horas antes, pero todo era diferente. Las mujeres iban de aquí para allá parloteando de sus cosas, algunas incluso aparentando alegría. ¿Cómo era posible aquello? Cantaban y hacían bromas, incluida Kata, cuando apenas unas horas antes él la había visto rezar, descompuesto el rostro y santiguándose a cada momento, como si con ese gesto quisiera darse ánimos en sus letanías.

János entonces aún no alcanzaba a pensar que si hacían eso era para olvidar. Porque su cordura no habría podido resistir mucho tiempo de dejarse vencer por el miedo.

Él, triste y cada vez más taciturno, se levantaba y se ponía a deambular por cualquier parte. Haciéndose, también a su manera, el ciego, el sordo, el mudo, el tonto. No respondiendo siquiera, muchas veces, cuando alguien de los de arriba se le dirigía preguntándole algo. Más bien al contrario. Se quedaba allí como una estatua y como si no comprendiese absolutamente nada de cuanto le preguntaban. Y si éstos insistían, diciéndole:

—Pero niño, ¿es que no sabes hablar? —Aunque eso se lo dijeran en actitud cariñosa, él salía del lugar como una flecha.

—¡Ese crío parece un gato! —oía a sus espaldas, temiendo siempre que fuesen tras él, lo cogieran y lo llevasen arriba, a las habitaciones de la Condesa y sus ayudantes. Porque para János todos los adultos del castillo, todos sin excepción salvo su madre, Kata y las otras lavanderas, eran de los de «arriba». Y ellos sí sabían. Ellos por fuerza sí habían visto y oído. Tenía razón, pero sólo a medias. Eso no llegó a comprenderlo hasta mucho más tarde, cuando ya era casi todo un hombre. De momento, como esa decena escasa de mujeres y un par de *haiducos* con los que él las había visto hablar, y a los que ellas se referían diciendo que también ellos estaban asustados, se limitaba a sobrevivir. A ese par de *haiducos*, cuando se dirigían a él preguntándole cualquier cosa, sí les respondía, aunque con breves monosílabos.

El pequeño János iba creciendo entre aquellos muros, atento y esquivo. Incólume ante las inclemencias del tiempo y por completo ajeno a la gradual evolución de las diferentes estaciones del año. Hoy gruesas gotas de sudor perlaban su frente, mañana repentinas tiritonas de frío le hacían temblar de arriba abajo, pasado mañana un suave bienestar le abocaba a sentirse reconciliado con todo, aunque siempre en guardia. Él seguía observando con discreta atención cuanto acontecía a su alrededor. Veía sin mirar. O miraba sin ver, pues en el fondo no quería ni ver, ni mirar, ni entender. Sólo salir, huir de allí. Pero mientras su madre estuviese en Csejthe era imposible hacerlo. Para distraerse dejaba vagar su vista por las lomas frondosas de los alrededores, o seguía el vuelo de los pájaros. Y de repente se ponía tenso como la cuerda de un instrumento musical o como el palo de un arco al ver un gato. Él, a quien en broma llamaban de ese modo por sus correrías y silencio. Sabía que eran los gatos de la vieja Darvulia. Gatos negros y altivos que paseaban por allí como si fuesen los señores de aquel lugar. Pocas veces, no más de cinco, había logrado ver, siempre de lejos, a la encorvada y siniestra Darvulia, quien, se rumoreaba, estaba constantemente junto a la Condesa.

Pero pasó algo.

Fue una de esas mañanas en las que se despertó un poco antes de la hora usual, en la que se iniciaba la vida cotidiana del castillo. Era aún casi madrugada y, despistado, atisbó por uno de los ventanucos que tenían los dormitorios de las lavanderas. De repente vio algo que se movía entre las sombras. La luz aún no permitía distinguir con detalle, y menos a esa distancia. Parpadeó, frotándose los ojos. Contuvo el aliento.

Ahora, cruzando el patio del castillo en el que todos aún dormían, creyó distinguir la silueta de esas dos mujeres que siempre acompañaban a la Condesa, Jó Ilona y Dorkó. Entre ambas llevaban a cuestas una especie de saco. Por un momento dio la impresión de que iba a caérseles. Se reprocharon algo una a la otra. Ficzkó, que iba detrás de ellas, les conminó con un gesto de mando a que bajaran la voz. A los pocos minutos volvieron a pasar por el patio, pero en dirección contraria. Y de nuevo al poco tiempo volvían a salir con otro enorme saco que a duras penas conseguían arrastrar. Esta vez iba junto a ellas la vieja Darvulia, quien con su bastón azuzaba a varios de sus gatos para que dejasen de olisquear y maullar en torno al saco.

Entonces los ojos de János, aprovechando que en esos minutos había clareado un poco más, se fijaron con renovada atención en la escena. Aquel saco era muy extraño. El trigo no se doblaba así, y era demasiado pesado y maleable como para ser leña.

Sintió como si una fina lluvia calase hasta lo más hondo de sus huesos, pues había intuido algo que lo sacó definitivamente de su modorra. Incluso se agachó unos centímetros por temor a ser visto, cosa que era imposible desde el patio, pero él no lo sabía.

Fue entonces, sí, cuando hizo un gesto indebido. Algo que estaba prohibido y que en innumerables ocasiones le habían advertido que no hiciera, tanto su madre como Kata. Pero fue un gesto inevitable, humano: miró.

Sus párpados, aún llenos de legañas, se movieron en un tenue aleteo entre el desconcierto y la curiosidad propia de un niño que, era verdad, había adquirido las costumbres propias de un gato. Su retina, vidriosa, se dilató con lasitud. El nervio óptico aún debió de tardar varios segundos en captar la imagen que llegaba desde un extremo del patio, al otro lado de un muro de piedra que separaba esa zona de un huerto.

¿Qué veían los ojos del niño, que ni siquiera se atrevía a mirar? ¿Qué, cuando le pareció que todo él flotaba en el aire de aquella madrugada?

Algo en el saco llamó su atención, quizá la forma peculiar de lo que llevaban dentro. Era fláccido y se bamboleaba tenuemente conforme las mujeres, no sin dificultades, iban caminando. Aun sin verlos, pudo distinguir que allí dentro había unas piernas y unos brazos. Lo notó sobre todo por las piernas, que se doblaban de modo inconfundible. Eso solamente podían ser unas piernas.

Se apartó bruscamente del ventanuco, apoyando su espalda contra la pared de piedra. Luego fue dejándola caer con lentitud hasta quedar sentado en el suelo. Comenzó a jadear compulsivamente. Y su primer pensamiento fue: será alguien que se ha puesto enfermo y murió. Ahora lo llevaban a enterrar en cualquiera de los campos cercanos.

Pero los dientes empezaron a castañetearle. No podía frenar ese movimiento. Él tenía sólo ocho años, y quería pensar bien. Porque así lo deseaba su madre. «Nunca pienses cosas malas», era la constante admonición de ella. «Nunca pienses cosas malas.» Y de nuevo acudía a su mente la idea de una muerte repentina ocurrida horas antes en el castillo.

Aunque parecían ser dos las muertes que habían acaecido, ya que eran dos los sacos, más o menos de idéntica forma, que transportaban aquellas mujeres, ambas de gran corpulencia.

Pese a todo, su instinto le dijo que era posible que él sólo hubiese llegado a ver una parte del proceso. Y, al igual que había visto dos de esos sacos, era probable que, antes de que mirase, ya hubiesen sacado alguno más. Y también parecía lógico que después de haber visto y esconderse, pues eso y no otra cosa sintió que había hecho, aún siguieran transportando nuevos sacos. Pero no iba a ser malo y mirar. Ya tenía bastante.

Empezó a rezar el Padrenuestro en latín, improvisando varias partes, inventándose otras, porque lo cierto es que correctamente sólo sabía el inicio de esa oración.

Su boca no dejaba de temblar, pese a estar rezando. Así se introdujo de nuevo en el jergón y se arrebujó bajo la manta llena de remiendos. Su madre dormía con apariencia tranquila. Estaban a salvo. No había pasado nada, se dijo. No había oído ni visto nada. A nadie contaría jamás aquello.

Cuando repetía por enésima vez el inicio de su soliloquio: *Pater Noster, quid est in caelis...*, le vinieron a la cabeza los gritos que pudo oír, aunque llegados de muy lejos, y a los que decidió no prestar más atención, pues eso había empezado a ser habitual en el castillo por las noches. Cerró los ojos y pegó su rostro a la espalda de su madre.

Pero nunca olvidaría el movimiento de aquellos sacos, el suave vaivén de sus extremos y laterales.

Se sentía tonto, ciego, sordo, mudo, y empezaba a creer que era una maldición no poder olvidar. Esa sensación iba a serle insoportable con el paso de los años. Porque una y otra vez, cuando creía haber avanzado en su acercamiento al núcleo del enigma que rodeó a la Condesa Báthory, en esos momentos en los que estaba seguro de haber establecido unas bases sólidas para entender la genealogía profunda del mal que anidaba en ella, de nuevo veía derrumbarse una a una todas sus expectativas al respecto.

¿Era Darvulia a quien se debía la genuina inclinación a la crueldad que parecía sentir esa mujer que nació para tenerlo todo, hijos, felicidad, riquezas, y que sin embargo de todo ello prescindió para seguir alimentando el fuego perverso de una pasión que la consumía: maltratar a inocentes, torturarlas y finalmente darles muerte, pues ésa y no otra fue su auténtica pasión desde muy joven? Seguramente no. A lo sumo Darvulia, con todo su ritual de conjuros y pócimas alucinatorias, vio consternada que cuanto le había contado a Erzsébet en los últimos años a fin de que ésta pudiese mantener intacta su belleza, algo imposible y que atenta contra las más elementales leyes de la vida, la introdujo en el culto de la sangre. Pero ella, bruja e infame, no hizo sino cumplir su patético papel de ser un eslabón más, otra mecha que se encendía. ¿Acaso esas plantas de poderes mágicos y efectos imposibles de imaginar por quien nunca las hubiese probado, y de ello podía hablar Pirgist con fundamento pues él sí se introdujo en esa desquiciada ruta mental en pos de obtener respuestas, acaso esas plantas, fuese inhalando su vapor, bebido su extracto, masticado e ingerido lo que resultaba de su maceración una vez prensadas, eran las causantes directas de los actos que en una espiral sin freno Erzsébet había empezado a cometer? Sin duda, no. También esas plantas, que en ella ejercían un poder venenoso pero en otras personas, y en ajustadas dosis, tenían los efectos precisamente opuestos, eran un mero peldaño en su ascensión suprema y solitaria al trono de la locura.

La génesis de su mal, por lo tanto, era necesario rastrearla en diversos factores, cada uno de los cuales, aislados, habría hecho de ella un personaje de inicuo carácter y costumbres bárbaras o licenciosas: la lógica serie de perturbados mentales que hubo en su familia, su más que posible epilepsia, cuyos brotes surgían tan de improviso y con tanta intensidad como tan pronto se iban, su creencia en lo oculto, su atracción por lo obsceno, su exacerbada y demente lujuria, incapaz de satisfacerse si no era causando un extremo dolor físico a alguien indefenso. Todo ello fue la mezcla que la llevó a ser como era.

Pero es que ella nació en Nyírbáthor, junto a los montes Maramures, y en esa región, así como en zonas boscosas colindantes, los campesinos aún creían en los poderes del dios *Isten* y la diosa *Mielliki*, o en el diablo *Ördög*, a quien rendían pleitesía numerosas brujas a las que, como sucedió con Darvulia, acostumbraban a seguir perros medio salvajes, nacidos y criados en el bosque ignoto, al igual que gatos siempre negros, cuya simple visión abotargaba los sentidos.

Nació en una época de fabulosas historias y leyendas de un salvajismo difícilmente comprensible en sociedades más civilizadas, donde el búho y la comadreja blanca, denominada *Savoldu*, eran animales sagrados a los que se reverenciaba lo mismo que a la Cruz, lo cual da pábulo a pensar que la mentalidad de aquellas gentes estaba, en lo religioso, profunda e insoslayablemente escindida. Allí, y así tuvo que vivirlo Erzsébet desde su más tierna infancia, que nunca fue tierna porque ella no lo era, se respiraba una atmósfera de secular atracción hacia seres invisibles, como *Delibab*, el hada del viento, o las divinidades llamadas *Tünders*, a las que se consideraba hermanas de todas las maravillas del mundo.

Era tal su interés por ilustrarse en dichos temas que llegó a erigirse casi en una erudita en ellos. Lo que no tenía cerca, y por ello no podía comprobar con sus propios ojos, se lo hacía traer, si se trataba de algún objeto o sustancia. O se lo hacía describir, si de lo que se trataba era de una fábula. De ese modo aprendió, siendo ya muy joven, los secretos de *Dzié-wanna*, diosa de los bárbaros, o los misterios del inmenso bosque de avellanos de Zutibure, donde es tal su espesura que, se decía, el sol apenas nunca roza la tierra. También supo de la adoración a símbolos erigidos con yesca y musgo seco, que podían hallarse cerca de Habsburg, en la Sajonia Oriental, o en el Broksberg, cerca de Gotzlav, sitio en el que se seguía adorando al dios Krodo, y donde efectuaban libaciones de sangre en honor a Harduc, el Señor de la Guerra, actos en los que usualmente se añadía el sacrificio de un caballo blanco para aplacar su funesta cólera. Aunque varios sacerdotes cristianos derribaron muchos de estos ídolos, y el obispo Geroldo exorcizó bosques enteros, las gentes de aquellos lugares continuaron compaginando su curiosa manera de entender la fe: de un lado honraban las enseñanzas de la Biblia y del Evangelio. De otro, no querían prescindir de un culto a toda esa serie de divinidades paganas. Y era frecuente, aun en aquella época, que a sus animales de compañía les pusiesen nombres como *Senki*, Nadie, o *Bus*, Melancolía, o *Kedvellon*, Pena.

Siempre tristeza y temor. No eran proclives a la alegría aquellas gentes que debían soportar un clima abrasador en verano y temperaturas glaciales en invierno, donde los otoños parecían ser caldo de cultivo ideal para vientos huracanados y torrenciales lluvias que duraban semanas enteras. Sólo la primavera, justo en ese período inmediato a la plena irrupción del estío, veía llenarse de flores los campos. Eso fue lo único que durante aquellos aciagos años alegró el corazón del pequeño János Pirgist. Las flores de los campos, que él miraba soñando que eran el mar, que entonces aún no había llegado a ver. Allí vivía, siempre con un secreto supeditado a otro, como el de la madrugada en la que se levantó antes de tiempo.

En la soledad de su escritorio piensa que cuando la Erzsébet era niña, una chiquilla de la misma edad en la que él atisbó a través del ventanuco y vio lo que vio, ya se habría quedado con la música que emanaba de los relatos que sin duda alguien le contaría. Y sin duda prestó especial atención al dato de las libaciones de sangre en honor a Harduc. La niña que empezaba a leer no sólo en húngaro, sino también en alemán y latín, combinando la lectura de la Biblia con la *Oración Fúnebre*, el texto más antiguo escrito en húngaro. La niña de apariencia tranquila pero con súbitos accesos de furia a la que poco importaba cómo vestían las esposas de los nobles que visitaban sus castillos, con atuendos que recordaban iconos y pinturas representando personajes sasánidas o bizantinos. Tampoco le importó nunca lo que contaban aquellas aristócratas, la mayor parte de ellas de conducta tosca y casi todas vocingleras, de cuanto habían visto en Presburgo, en Praga o allí donde estuviese la corte de los Habsburgos. La que apenas prestaba oídos a las melodías entonadas por trovadores magiares, canciones henchidas de nostalgia que oyeron, siglos atrás, Hegedüs y los miembros de la ilustre familia de los Kobzós, descendientes directos del famoso Atila, rey de los hunos.

No, ella quería saber más y más acerca de todos esos ritos y aquelarres de brujas y endemoniados de los que tanto se hablaba, aunque fuera en chascarrillos y nadie los hubiese visto jamás. Ritos que tenían lugar en el Harz alemán o el monte Tonale, en los Alpes Orientales o el monte Meliboeus, cerca de Brunswick, y también en enclaves de Francia como Bvanny, Casignan, Sabene o Chamblay. O, en la propia Hungría, en las zonas de Sárvár y Vasoakv. Su cultura, en ese sentido, ya no iba a dejar de crecer ininterrumpidamente. Pero al final siempre estaba su predilección por Lilith, llamada en esas tierras Lilitu, la lúbrica diosa del amor, que pervierte a los hombres mientras duermen, incitándoles al adulterio y a la concupiscencia.

Erzsébet amaba a Lilith por encima de cualquier otra deidad. Porque era Lilith la que, según las antiguas versiones de la Biblia, fue primera esposa de Adán. Fue Lilith la que le indujo a practicar formas del amor que iban contra la naturaleza humana, y por ello, con el advenimiento del catolicismo, se la borró de cualquier texto bíblico. Erzsébet había rastreado sus huellas entre las páginas del sagrado libro, y sólo en Isaías dio con una referencia a tan detestado personaje, aunque no se la mencionara por su nombre real. En la *Vulgata*, en cambio, sí podían hallarse menciones a ella. Lilith, la succionadora de sangre y semen. Lilith, a quien todavía ahora, en muchas aldeas de Hungría, se temía como a la peste, inscribiendo las familias en la entrada de sus viviendas el lema: «Adán y Eva, sí. Lilith, no.» Porque Eva, pese a su pecado, que en realidad no fue más que producto de la curiosidad, era la mujer buena y sumisa a los deseos de su hombre. Lilith, en cambio, era viciosa e insaciable. Si los niños enfermaban y morían, se debía a Lilith, y a Lilith las enfermedades venéreas. Contaba la leyenda que Lilith, expulsada por los ángeles del Paraíso, y antes de que Dios hubiese creado a Eva, huyó hasta el mar Negro, precisamente a la zona de Transilvania en la que nacieron los antepasados más remotos de los Báthory. Allí vivió largo tiempo, ocupada en sus maldades. ¿Cómo no iba a amarla Erzsébet si Lilith era, como se conocía en Astrología, el punto en el que la Luna, estando completamente alejada de la Tierra, alcanza su grado de mayor oscuridad? Así, como concepto filosófico aplicado a las ciencias del cielo, ella seguía amándola. Se sentía Lilith en su cenit. Brillaba con rutilante esplendor, aunque de ella sólo emanasen tinieblas. Estaba en su apogeo, y Lilith la protegía.

Lilith se encontraba a su lado, como un ente protector, cuando la niña Erzsébet, mientras jugaba con sus primos a los trineos, los embestía por detrás, intentando despeñarles por barrancos helados. Alguno le pegó, pero eso poco habría de importarle. Al contrario, le estimulaba para intentar no fallar en un nuevo y premeditado golpe. Entonces de ella se decía, no sin haberla castigado, que era irremediablemente traviesa. Pero no era traviesa, era mala, y su maldad sólo ella podía sentirla plenamente en cada embestida con su trineo, pese a que la conminaran a no hacerlo, pues podía provocar un fatal accidente, cosa que varias veces estuvo a punto de conseguir.

La niña Erzsébet nació con corazón de anciana resentida. Pero su ancianidad se remontaba a muchos siglos, a milenios si cabe. Tanto que ni podían contarse con los dedos de ambas manos. Se remontaba hasta cuando ora se temía, ora se rendía culto a esa Lilith que los hebreos consideraban el monstruo de la noche. Ya adolescente, Erzsébet sabría de carrerilla los nombres de cada uno de los demonios que durante el sueño penetran subrepticiamente por los orificios del cuerpo hasta poseerlo sin remedio. Ella les habría ofrecido no sólo gustosa sino servil sus *nadvaras*, sus agujeros de carne por donde la vida fluye. Sus nueve orificios se los ofreció a esa cohorte soñada: las dos fosas nasales, los dos ojos, las dos orejas, su vagina, su ano, su boca. Todo.

«Tomadme. Hacedme vuestra y yo os serviré por siempre...», empezaba una de aquellas pecaminosas plegarias destinadas a Lilith y sus demonios.

Entonces, agitada en el lecho y sintiendo una creciente excitación por su osadía, que para inicial sorpresa suya quedaba impune, lo que le dio renovadas fuerzas para ahondar en esa senda, invocaba la joven Erzsébet una y otra vez a *Lamashtu*, hija de *Anu*, y a *Namtaru*, deidades babilonias del Mal. Les pedía secretos e inconfesables favores. No olvidaba en sus ruegos a la diosa *Shakti*, la de vulva poderosa que todo lo absorbe para expulsarlo después, ya saciada. No olvidaba mirar con embeleso a los sapos, símbolo de la voluptuosidad femenina, tan temidos por sus primas y primos, pero que ella guardaba en una jaula que tenía escondida cerca de cierto estanque, en Pistyán. Tampoco olvidó en sus letanías, siendo aún muchacha, a la diosa cobra Waat, y siempre deseó tener *nagas*, esas temibles serpientes de las que, se decía, hechizaban con la mirada. Porque las *nagas*, según la tradición, eran espíritus encarnados en animal. Por eso los humanos las temían tanto, y no por su mortal picadura.

Que se sepa, Erzsébet nunca llegó a poseer una *naga*, y las culebras de los campos o las víboras del alto bosque no le servían.

Ella no se dio cuenta, o quizá sí lo hizo, quién sabe, que con apenas veinte años de edad se había convertido en una cobra. Hasta el bravo Ferenc, el marido acostumbrado a matar y ver morir, evitaba su mirada cuando discutían.

Por fin Waat, la diosa serpiente Waat, había tenido descendencia.

KOLOZSVAR

—¡Padre Pirgist, padre Pirgist... despierte...!

Lo escucha y esa frase le llega envuelta en el color de una llamarada. Ni anaranjado, ni rojo, ni amarillo, sino una mezcla dañina que se le pega a la piel, que la muerde.

—¡No, no... fuera... fuera de aquí! —gime él dando manotazos en el vacío.

El fuego se aleja lentamente. Oye una respiración agitada. Es la suya. Mira alrededor, atolondrado. Hay objetos, pero no fuego. Por un instante ve ante sí una enorme sombra reflejada en la pared que está repleta de estanterías con libros y una tea encendida.

—Padre Pirgist, soy yo, tranquilícese...

Mira en torno suyo, aún desconcertado. Ahí está András Boniawski, el joven y piadoso sacerdote que le ayuda en las tareas de la parroquia de Lupkta-Ratowickze.

—Se ha quedado dormido mientras escribía —dice el cura tendiéndole un humeante cuenco de barro—. Tome un poco de este caldo, o de lo contrario mucho me temo que no pueda seguir con su fatigosa labor...

János coge el cuenco entre sus manos todavía vacilantes y sorbe con lentitud.

Es verdad, una noche más ha vuelto a quedarse dormido sobre sus cuartillas. Le duelen la cabeza y todo el cuerpo. Las ha manchado ligeramente de tinta, pues el recipiente de cobre en el que mojaba su plumón, ya bien entrada la madrugada, se volcó. Por suerte estaba casi vacío. Comprueba con alivio que continúan intactas las páginas que ha llenado en las jornadas previas. Siguen ahí. A salvo.

Murmura algo en tono de disculpa. No volverá a sucederle de nuevo. Cuando note que el sueño empieza a atenazarle, dejará todo correctamente colocado sobre el escritorio y se irá a su camastro. La manta está algo arrugada de cuando dos noches antes, vencido por el cansancio, se tumbó ahí encima echándose una pelliza. La lucidez le dio únicamente para eso. Es ya muy mayor y apenas controla sus escasas fuerzas. Además, esa tos está matándolo por días.

Vuelve a sorber el caldo. El joven sacerdote le tiende una bandeja metálica. János ve ahí pan y algo de tocino. También un trozo de queso. El caldo va entrándole a duras penas, pero la simple contemplación de alimento sólido le produce náuseas. Su cuerpo lo rechaza por más que la voluntad, siempre férrea para todo, reclama su ración diaria de comida, aunque sea frugal. Fue hombre de costumbres sanas, y fuerte por naturaleza.

—Reverendo —le dice el amable ayudante—, debe comer, pues aún el invierno no ha pasado del todo. Es posible incluso que aún quede lo peor.

János Pirgist se levanta ayudado por el sacerdote. Quiere estirar las piernas. Un tímido sol asoma en el horizonte, y el perfil de las montañas se recorta a tramos entre láminas de niebla. Por fin consigue poner en orden sus pensamientos. Se echa por encima un mantón de lana y dice:

—De acuerdo, padre András, le haré caso. Lo prometo.

El joven cura inclina ligeramente la cabeza, pero en el fondo no debe de estar muy seguro de que su superior vaya a hacerle caso. Es astuto, y por tanto sabe a la perfección qué argumentos debe esgrimirle para que esto no quede en una cariñosa reprimenda:

—Aunque sea, ya que no por su menguada salud, hágalo por ese trabajo en el que tanto empeño parece haber puesto.

János le mira y esboza una sonrisa. Intentará comer cuanto le deje en la bandeja, afirma.

—Y por la tarde volverá a comer.

—Claro...

Minutos después de nuevo se halla en la más absoluta soledad, entre una bruma de recuerdos. Su vida se extingue lentamente, lo sabe. Siempre esperó mostrarse íntegro cuando llegara ese momento de ir con Dios. Pero antes tiene una deuda. También con Dios, si cabe. Sobre todo consigo mismo y con quienes tanto padecieron. Ya casi nadie debe de vivir de cuantos presenciaron aquellos acontecimientos de la primera década del siglo.

Se lava con energía en una jofaina. Seca el agua de su rostro, que cae a chorreones, cuello abajo. Eso acaba de espabilarlo.

Por fortuna la noche pasada no tuvo ninguna pesadilla. Bastante sufrimiento supone enfrentarse a cuanto va redactando, a ratos con inusitada fluidez y sin que vacile su pulso, llegando a ser más veloces los pensamientos que los dedos para deslizar el plumón de ánsar sobre el papel, y en otros quedándose literalmente bloqueado ante determinados párrafos. Pero vuelve a sacar fuerzas de flaqueza de donde ya no creía tenerlas, y continúa con su escrito.

Regresa al punto de partida, o más exactamente a lo que estaba escribiendo anoche poco antes de caer rendido y dar esa cabezada de tres horas, no más, inclinado el tronco sobre la mesa.

La niña Erzsébet.

Porque, aunque parezca mentira, una vez hubo cierta niña de bonitos ojos negros y piel blanca a la que sus parientes húngaros llegados de la parte más oriental del país llamaban Alžbeta. Una niña que creció y, seguramente siendo aún muy joven, se transformó en serpiente. Sí, eso escribía anoche al dormirse.

Él no cree, quiere no creer en espíritus malignos. Él es

un hombre de fe. Pero a veces, como cuando antes vio el reflejo de esa sombra en la pared, por un fugaz instante pensó: «¡La cobra!»

No hay cobra. Eran sombras y su imaginación. Nada más. Si cuando era un niño también tenía fantasías, ¿por qué no habría de seguir teniéndolas ahora? La edad marchita nuestro cuerpo, incluso produce el inevitable desgaste de nuestros sueños, pero nunca los borra del todo. Fundamentalmente si, como es su caso, se trata de los peores sueños. Hay dos cosas que nunca desaparecen plenamente, ni siquiera en la vejez más extrema: el color del iris de los ojos y los sueños.

El aroma a incienso que sale de cuatro velas situadas en los extremos de la estancia le ayuda a concentrarse. El padre Andrés las encendió, siempre atento, antes de salir. Toma su plumón, lo moja en el tintero que ya ha renovado, y se deja llevar. Tiene mucha razón el padre Andrés: lo peor está todavía por llegar. Y no es precisamente el frío del invierno. Es su historia, las partes de la misma que aún no se ha atrevido a afrontar. Va rodeándola por temor a ser absorbido en el torbellino de las imágenes que sin duda le evocará. Pero se dice a sí mismo, apretando las mandíbulas, aquello que gritaban los caballeros Cruzados en su pugna por tomar los Santos Lugares:

—¡Dios lo quiere!

Duda si el buen Dios quiere esto, si puede desear que de algo así quede constancia escrita. A fin de cuentas, ¿para qué habría de servir? Entonces, una y otra vez, János Pirgist se dice que debe hacerlo para dejar testimonio a las generaciones futuras, si el azar permite que sus palabras sean oídas el día de mañana, de aquello que puede incubar el ser humano, capaz de lo más generoso, bello y altruista, pero también de lo más bajo y abyecto.

Porque hay monstruos, sí, monstruos que se esconden entre nosotros sin que nos demos cuenta. Unos deciden emerger a la luz, otros tal vez permanezcan siempre aletargados. Pero debe de ser posible, y no algo quimérico, saber descubrirlos a tiempo. Debe de serlo, piensa casi enojado. Para ello es necesario comprender, ya que no sus viles actos, sí al menos lo que les abocó a cometerlos.

La niña Erzsébet, cuando aún era una adolescente de modales tímidos, aunque combinados con arrebatos de soberbia, como queda constancia al respecto, un malhadado día conoció algo. Sencillamente, lo descubrió. Otros descubren la hermosura de un paisaje o de las flores. O la sublime plenitud que emana del amor o del arte.

Ella descubrió la sangre.

Cuanto ésta significó desde tiempos inmemoriales.

Porque la sangre es el único río de la vida que tenemos, y por el que navegamos desde que nacemos hasta que morimos. Pero por esa misma razón va inscrito en su reverso, como la otra cara de una moneda, que también puede convertirse en el río de la muerte.

Sin embargo, las fuentes, el manantial que apuró Erzsébet, la curiosa y con toda certeza ya maligna Alžbeta en sus solitarias indagaciones, ¿de dónde provino?

Él cree saber, o al menos tiene fundadas sospechas para pensar de tal modo, cómo y dónde sucedió. No fue en Csejthe, pues ese terrible castillo aún no le pertenecía cuando era joven. Ni siquiera lo había visitado. Tuvo que ser en otro de los castillos que pertenecían a los Báthory. Seguramente fue en el castillo de Kolozsvar, propiedad de su familia, y en el que daba rienda suelta a sus más recónditos furores en cuanto por una temporada quedaba libre de la estrecha y asfixiante vigilancia a la que era constantemente sometida por su suegra, Orsolya Nádasdy, en esas épocas en las que por espacio de varias semanas iba a visitar a sus familiares, a los de su raza. Allí empezaron los desmanes.

Primero un bofetón. Luego puñetazos. Pero aún procuraba contenerse. Incluso entre los suyos.

Después vinieron los golpes con una vara. Tan sólo uno,

a una descuidada sirvienta. Más tarde, dos, tres, cuatro. A eso seguirían castigos de tipo usual, como tenerlas encerradas varias horas, o incluso días, por una negligencia. Al principio éstas debieron de ser medianamente graves, pero pronto la menor nimiedad hizo que fuese perdiendo los estribos con las chicas del servicio. Ni más ni menos, las odiaba como odiaba todo cuanto de vivo, inocente y puro pudiese haber a su alrededor. Porque ella y los de su raza habían nacido para venerar justo lo contrario, aquello que es perverso o impuro. También la muerte, de ahí sus inclinaciones hacia la magia. Orsolya le tenía prohibida esa conducta hacia las sirvientas.

Los Báthory, pendencieros y venales, siempre aspiraron a algo que les venía de sus más pretéritos antepasados, tan perdidos entre las páginas del tiempo que de ellos sólo se sabían inciertas leyendas, todas llenas de violencia. Ellos no aspiraban a la gloria y las riquezas. No era ése el orden de sus turbias apetencias. No, ellos aspiraban a jugar con la muerte, ya no la ajena, sino la propia. Nunca fueron cristianos convencidos, salvo honrosas excepciones, y por tal causa se consideraban soberanos de sí mismos. Nada podía ser obstáculo ante aquello que querían. Y así como otros Báthory deseaban llevar el miedo de la espada allí donde estuvieran, ella, la joven y lánguida Erzsébet, aspiró muy pronto a algo que rebasaba con creces las fantasías de sus antepasados.

Ella quería ser inmortal.

Algo tan esencial y contumazmente insensato como eso: no envejecer nunca.

Se cuenta que pudo ser en uno de sus paseos por los bosques de los alrededores de Lezticzé o en Kerezstúr cuando, cierta tarde en la que iba al galope en su caballo *Visar*, casi arrolló a una anciana con aspecto de mendiga que se le cruzó de repente en el camino. Conociendo a Erzsébet es más que probable que en vez de interesarse por aquella anciana a la que casi mata, la emprendiera a insultos con ella. Aunque desde muy joven supo combinar con maestría la dama parca de palabras y gestos precisos con la lenguaraz y grosera mujer que también llevaba dentro. Entonces blasfemaba del modo más horrible que pueda imaginarse. Tuvo que ser esa pobre anciana quien, amenazándola con su puño cerrado y huesudo, le gritó:

—¡Vive, vive y goza ahora que puedes, maldita, pero llegará un día en que te veas como yo ahora!

János oyó esta anécdota de labios de su madre moribunda, quien a su vez se la había oído contar a Kata o a alguna de las otras lavanderas.

Lo cierto es que Erzsébet quedó tan profundamente impresionada por aquel episodio que durante varios días perdió el apetito, y se pasó otras tantas jornadas sin salir de sus aposentos.

Era una premonición, pero ella aún no podía saberlo. Y aunque lo hubiese hecho, jamás lo habría admitido.

Desde entonces, eso parece claro, creció su odio ante todo lo que fuese decrepitud, la vejez incluida. Apartaba la vista cuando una noble ya entrada en años estaba cerca. Ella no podía seguir ese mismo y lamentable camino. Ella, tan bonita y de esbelto cuerpo, ducha en lúbricos juegos desde que era niña. Ella, que tanta excitación extraía de la vida, no podía corromperse de ese modo.

Cuando tomó a Dorottya Szentes y a Jó Ilona para entrar en su servicio permanente, lo hizo porque aún no eran mayores, y además, ambas eran mujeres muy fornidas, casi hombrunas. Ya entonces sabía de quién quería estar acompañada. Seguramente ya urdía qué provecho obtendría de las dos. Bastaba con aunar el agradecimiento, el temor, la incultura y la fortaleza física de ellas para saber cómo y para qué acabaría utilizándolas.

Si recurrió a la vieja Darvulia fue, con toda probabilidad, porque no tenía otro remedio. Sólo se logra ser una reconocida bruja cuando se llega a muy vieja. Primero, pese a haberla secuestrado casi del bosque de Sárvár en el que vivía, la admitió de mal grado en su cercanía. Luego fue acostumbrándose. Es más, parece posible que la presencia de aquella malvada anciana le hiciese sentir más joven y vigorosa de lo que realmente se creía ella misma.

Tardó mucho en enfrentarse al pensamiento que un buen día empezó a corroerla por dentro, su omnipresente y atormentada duda: si Darvulia poseía esos poderes, ¿por qué había envejecido de manera tan lamentable? ¿Por qué también las más reputadas brujas envejecían y morían?

Algo no habrían hecho bien. Algún error habrían cometido en determinada fase del proceso. Ella lo averiguaría.

Pero el inicio del manantial por el que fluía el río de la vida, que para ella significaba muerte, ¿dónde estuvo?

Katalyn Benieczy, la lavandera, también contó esta anécdota a la madre de János. Y también ésta se la contó a él, aún con el pavor en la mirada y la voz en apenas un inaudible susurro, como si temiera ser oída por el espíritu de quien la provocó: Ella.

Cierta tarde, en el castillo de Kolozsvar, pasaban lentas las horas. Erzsébet se aburría enormemente en aquel tedio que para muchos era placidez y holganza, pero que a ella parecía atacarle los nervios. Erzsébet necesitaba otra cosa. Y la obtuvo. Fue en un instante, y quizá ni siquiera lo esperaba, aunque estuviese anímicamente preparada, plenamente dispuesta para ese momento que en secreto debió de anhelar desde la cuna.

Una costurera, distraída, trajinaba en sus faldones y mangas. Mientras, esa costurera iba hablando con otras criadas. Erzsébet fingía oírlas, pero en realidad estaba al acecho.

Y se produjo el pinchazo. Fue un desliz, un agudo y espontáneo dolor que pasó pronto. Nada más que eso, el pinchazo en la mano de la joven dama.

Erzsébet contrajo el rostro. La costurera dio muestras de contrición, después de alarma. Porque lo que estaba ocurriendo ante aquella atemorizada chica nadie lo esperaba. Sabían de sus bofetones por cualquier bagatela, sabían de sus gritos y amenazas ante la menor contrariedad. Incluso sabían, porque lo habían visto repetidas veces, de los varazos que con su bastoncillo de tejo la joven señora propinaba a cualquiera del servicio, tuviese causa justificada o no para hacerlo.

Pero nada de eso sucedió. Más bien al contrario. Lo que ocurriría aumentó el temor de aquella concurrencia femenina que de pronto se había quedado muda y cabizbaja. Lo grave era, precisamente, que no ocurría nada. El silencio les pesaba a todas como gruesas cadenas. Y seguía sin pasar nada.

Falso. Estaba pasando algo. La metamorfosis cobraba forma, aun confusa, dentro de ella. A su modo, pese a ser analfabetas y chicas de pueblo, quizá ellas ya lo notaron. Una a una fueron elevando sus miradas en dirección a Erzsébet. Nadie se atrevía a pronunciar palabra alguna. La causante del pinchazo sollozó, tras emitir un gemido y, según parece, intentó excusarse.

Una simple mirada de Erzsébet bastó para callarla.

La joven dama se había puesto pálida. Parecía una estatua, y su faz, un busto de alabastro. Tenía el brazo a medio levantar y lo miraba absorta, sin hacer comentario alguno.

No se quejó, no protestó. Simplemente estaba allí, en medio de la habitación con su brazo suspendido en el aire. Los ojos fijos en la mano que recibió el pinchazo.

Otra de las costureras, previendo un duro castigo que podía ser colectivo, inició una frase exculpatoria. De nuevo los ojos de Erzsébet dejaron de observar su mano para dirigirse a la que por momentos, y llevada por el temor a las represalias, perdía la compostura. También ésta enmudeció, agachando la vista.

Los ojos de Erzsébet recorrieron aquellos cuerpos cabizbajos. Luego se dirigieron a la ventana. Se movió un poco, llevando su mano elevada en el sentido de la luz vespertina que aún entraba por la ventana, como si pretendiese cogerla. Quería contemplar mejor su diminuta herida.

En efecto, allí, en el reverso de la mano, había una gota de sangre. Ella volvió la mano con extrema suavidad y sin dejar de tenerla todo el rato a la altura del rostro, en posición paralela al suelo. Diríase que temía que cayese esa gota, rodando por la superficie de la mano.

Una gota de sangre.

Una simple gota de sangre.

Su barbilla sufrió un leve estremecimiento y en las aletas de su nariz se registró una levísima contracción.

Entornó los ojos, incrédula, para observar mejor la gota. Un arrebol cincelaba sus mejillas.

Algo vio en el rojo intenso de esa mancha que formaba una minúscula semiesfera en su mano.

De repente, dirigiéndose a la costurera que provocó la herida, silabeó:

—*Gyere ide...*

Apenas pudieron oír sus palabras, pues las había dicho con la boca casi cerrada.

—«Ven...»

La chica rompió en un fuerte sollozo, ahora sí. Temía los golpes, al igual que las otras. Un codo la empujó hacia donde se hallaba su dueña. Era preferible aceptar el castigo o la reprimenda a enfurecerla, eso bien lo sabían todas. Mientras, la pobre no dejaba de emitir hipidos al tiempo que suplicaba:

—*Szjnálom, Asszony, szjnálom...* —«Lo siento, Señora, lo siento...»

El silencio iba espesándose a cada segundo, que se les hacían interminables. Tuvieron que sentirse sumamente desconcertadas cuando oyeron que Erzsébet, quien parecía haberse puesto aún más pálida, decía en voz baja:

—*Kersz... enni?*

Se miraron unas a otras, atónitas. Habían oído bien:

—«¿Tienes hambre?»

—*Köszönöm, nen...* —«No, gracias.» Por un momento creyó que la obligaría a ingerir una, dos, tres manzanas a modo de escarmiento, hasta atragantarse. De nuevo sollozó—: *Bocsánat, bocsánat...* —«Perdón, perdón...»

Pero era por completo inútil cualquier frase.

Erzsébet volvió a mirar su mano herida. La gota se había deslizado un centímetro hacia un lado, dejando un surco encarnado en la piel. De nuevo colocó recta la mano. Sus ojos se clavaban directamente en la chica, que ahora se mordisqueaba los nudillos de ambas manos pese a que éstas aún sostenían una prenda.

Sin moverse de donde estaba, Erzsébet ofreció su brazo a la chica. Fue entonces cuando dijo en tono imperativo:

—*Lassú... iszik...* —pero interrumpió su frase.

No daban crédito a lo que oyeron. Le había ordenado que lamiese esa gota, que se la bebiera. Volvió a mandárselo, ahora con ademán glacial pero sin elevar la voz. El gesto firme de la mano, como si señalase algo, así lo indicaba:

—«¡Lámela!»

La chica, disimulando a duras penas su aturdimiento, se acercó hacia ella. Erzsébet bajó un poco su brazo, dejándolo justo delante del rostro de la costurera. Ésta fue aproximando la cara a la mano. En la estancia todas temblaban, menos ella, la joven dama que acababa de realizar tan desconcertante petición.

—No te lo repetiré otra vez —se la oyó decir—: Lámela...

La costurera, que se llamaba Irina y tenía largos cabellos de color rubio pajizo, acercó más el rostro a la mano. Por unos instantes, y con el rabillo del ojo, miró a las demás. Debía de darle una cierta seguridad que las otras estuviesen todo el rato ahí.

Su lengua apareció indecisa entre los labios. Éstos rozaron la mano de Erzsébet. La lengua tocó la gota. Ambas cerraron los ojos. Una de asco y miedo. La otra, por lo que estaba sucediendo en su interior, y que incluso a ella le resultaba difícil de dominar.

Erzsébet sintió el contraste cálido de esa lengua que se agitaba en un débil estertor. La chica, contraído el rostro y todavía con los ojos cerrados, apartó la cara pero permaneció quieta donde estaba, frente a su Señora.

Con toda seguridad aquellas chicas pensaron que estaba loca, pero era preferible una reacción así a una paliza o cualquier otro castigo.

No podían tener ni la más remota idea de lo que estaba sucediendo en el seno de Erzsébet, de lo que, como un estallido de infinitas transparencias y texturas, cruzaba por su mente enferma.

Estaba siendo embarazada. De hecho, llevaba ya algo en las entrañas.

Esa luz. Ese resplandor. Ese trueno perdiéndose por un confín de sus huesos y llenándoselos de algo más dulce que la ambrosía, algo que quemaba como el fuego pese a no dejar huellas.

Sintió un extasiante abandono en todos sus sentidos, como si mil soles hubiesen estallado al unísono en su pecho.

Las palpitaciones que empezaban a dominarla eran la prueba de lo que ella siempre creyó.

Había entrado en un túnel del que no veía el fondo, pero por el que se dejaba deslizar hacia profundidades insondables. Mas ese túnel, aunque en realidad sólo la hundía en la ciénaga otro paso, ella supo invertirlo. Así, se sentía proyectada a las alturas, hacia una luz cada vez más intensa, más cegadora, más roja, pese a que la oscuridad lo encharcaba todo. Ella tuvo el presentimiento de esa luz. La adivinó al final del túnel. Imantaba de su ser con una violencia tal que tuvo que creer que se elevaría por los aires de un momento a otro. Por fin iba a volar como esos pájaros negros que tanto miraba durante sus largos paseos a caballo por la llanura. ¿Por qué esas criaturas podían volar y ella no? ¿Por qué?

Ahora volaba. Siempre que mantuviese los ojos cerrados, volaba.

Había iniciado su pertenencia a una fe prístina, milenaria y a la vez nueva, lejos de todo prejuicio o concepto moral, al margen de cualquier mandamiento, y esa simple idea, tanto o más que lo que pudo sentir exactamente cuando notó el contacto de aquella lengua en su sangre, la enloqueció de placer.

Ella era la diosa y su única feligresa, ella el púlpito y el confesionario, ella la ermita y la basílica, ella el altar y la píxide que conserva la Sagrada Forma. Adorándose a sí misma en su demente silencio, rito que había tenido comienzo, aparentemente, con el tibio candor de un pollito saliendo de su caparazón en busca de algo más, de aire, de vida, de alimento, se había convertido por fin en suma sacerdotisa de todo lo orgánico latente en su alrededor.

Ahora ya sabía, o por lo menos empezaba a tener una idea aproximada de ello, qué era ese algo más, qué el aire que necesitaba, cómo la vida a la que aspiraba, cuál el alimento que serviría para saciarla.

Porque durante aquel eterno segundo en el que todo quedó transgredido, en aquel lapso de tiempo infinitesimal y a la vez inabarcable en el que la temblorosa lengua de la chica rozó su sangre, Erzsébet instauró un nuevo orden de cosas hechas a su medida, creó un único mandamiento para cimentar la religión que en un instante, en apenas un instante, había consumado.

Pero la escena, según contó Kata a quien quisiese oírla, y esto seguramente tuvo que ocurrir cuando por fin ya se podía hablar de ello sin tener paralizadas el habla y la razón, años después, aún ofreció una sorprendente continuación.

Inmediatamente después de que la chica lamiera su gota, Erzsébet contrajo el cuerpo ligeramente, como si una febril sacudida la hubiese recorrido de arriba abajo. Sobrecogida, dio unos pasos hasta quedar situada junto a la amplia ventana. Con la cabeza pareció mandar que la dejasen sola. Iban a hacerlo cuando de pronto se giró buscando a la costurera con la mirada. Ésta permaneció quieta. Erzsébet le indicó con su mano que se acercase de nuevo. La chica obedeció, sumisa, todavía muy asustada. No obstante, se detuvo a un metro de su Señora. Erzsébet movió la mano en señal inequívoca: quería que se aproximase un poco más.

Entonces, cuando la tuvo a su alcance, le propinó una fuerte bofetada.

El moño que llevaba Irina quedó deshecho en el acto, y su cara fue zarandeada como si de un muñeco de tela se tratase.

El dragón, la serpiente, no podía quedarse sin realizar ese último gesto de venganza y represión sobre la víctima ya ultrajada.

El dragón, la serpiente, tenía muy largas las uñas. Así había sido desde siempre, y ésa era una costumbre de las damas húngaras de cierto abolengo. Se hacía cuidar esas uñas obsesivamente, lo mismo que obligaba a que cepillasen su larga melena durante interminables horas mientras ella, sin inmutarse, se miraba en el espejo, medio cerrados los ojos, perdida en sus pensamientos, mucho más allá de una burda coquetería que nunca sintió. Tales sesiones sólo eran interrumpidas cuando, con el cepillo, alguna infeliz le daba un tirón. Entonces volvía a relucir su proverbial cólera. Y los castigos. Por ello llevaban tanto cuidado al peinarla y al limarle las uñas.

Cuando la chica elevó el rostro, todavía aturdida por el doloroso impacto que había caído sobre su mejilla con la celeridad del rayo, se vio que tenía un profundo rasguño en el pómulo. También de ahí empezaba a brotar un hilillo de sangre. Sin embargo, la expresión de Erzsébet al contemplar esa herida que acababa de causarle a su criada era de paz absoluta, pese a que momentos antes pareciese toda ella contraída de rabia. Tal fue la fuerza con la que la abofeteó.

Sí, allí, en aquella escena, estaba escrito: lo que hasta ahora no había sido sino un presentimiento, era ahora un estrepitoso clamor, un rugiente bienestar.

La sangre conseguía serenarla.

Tan sencillo y tan perturbador como eso. Su visión, su cercanía, la colmaban. Incluso su parcial visión o su proximidad intuida. El atroz milagro se consumaba minuto a minuto. Por fin veía cuál debía ser la senda a seguir para llegar a la salida del túnel. A la luz que la inundaba con ese sentimiento de plenitud desparramándose por su estómago, por su pecho, por su garganta, por sus sienes, que le zumbaban de felicidad como un avispero.

Al apartar ella un poco la cara, dando a entender que no iba a seguir golpeando, la chica hizo ademán de retirarse.

Entonces Erzsébet volvió a mirarla. Lo hizo con un rictus de contenida desesperación dibujado en su faz, como quien asiste a una pérdida irreparable y nada puede hacer por evitarla.

No miraba a la chica, sino su mejilla ensangrentada. Ese ancho y alargado rasguño era lo que sus ojos buscaban. La desgarradura era considerable, pero no sabía qué hacer con lo que acababa de provocar. Ahí estaba lo anhelado y, ahora que lo tenía tan cerca, tan al alcance, se sentía paralizada por completo. Entreabrió la boca como para decir algo, y de hecho musitó unas palabras, aunque fueron dichas casi con dulzura:

—*Vár-j-ál...!*

Se habían intercambiado los papeles. Ahora era ella quien pedía, casi quien rogaba con la mirada y esas pocas sílabas que nacieron con ribetes de ruego:

—«¡Espera...!»

Iba a hablarle a la costurera, deseosa de compartir algo, pero no llegó a hacerlo. Sencillamente lo pensó. Una sombra cruzó por su semblante, o quizá fue la penumbra que poco a poco empezaba a apoderarse de aquella estancia.

Se giró por completo, dándole la espalda al grupo de temerosas muchachas que se apelmazaban junto a la puerta como ganado deseoso de salir de sus establos.

En un gesto temerario, pues aún no les habían dicho que podían marcharse, una tras otra abandonaron con premura la estancia. La última en hacerlo fue la costurera que por un descuido propició aquella escena. Instintivamente, y con toda posibilidad creyendo que ya nada más podía sucederle, miró de nuevo en dirección a la ventana. Y su mirada encontró lo que nunca hubiese esperado en una situación como aquélla: su Señora se había vuelto ladeando ligeramente la cabeza, y la observaba con expresión entre serena y complacida. Increíblemente, ahora le sonreía. Desconcertada, la chica permaneció con la mano en la puerta, presta a salir pero sin decidirse a hacerlo. Entonces Erzsébet le dijo lenta, sinuosamente:

—*Édes vagy...* —Y acentuó aún más su sonrisa.

Lo había oído con claridad: «Eres dulce.» Eso fue lo que salió de su boca. La chica, cada vez más confusa, hizo una marcada reverencia, doblando incluso las rodillas, y salió de allí con suma cautela, procurando no hacer el menor ruido al cerrar la puerta tras de sí.

A la joven prometida del célebre y muy temido Ferenc Nádasdy se le había iluminado el rostro, que de nuevo miraba en dirección a los bosques, ahora respirando acompasadamente. Nadie podía imaginar el cariz de sus pensamientos.

Ella estaba viajando al mundo de los griegos, que bebían vino al son de canciones que les recordaban que aquello no era un producto nacido de la tierra, sino sangre del dios Dionisos. Recordaba las lecciones del sabio Herodoto, quien sostenía en sus crónicas que medos y persas se lamían sus heridas para obtener favores de las divinidades. Recordaba haber oído que en el Talmud de los hebreos se aconsejaba el vertido de sangre de animal sobre la cabeza para aliviar las molestas jaquecas, algo que también hicieron los vikingos cuando eran respetados en todos los mares y latitudes. Recordó a Plinio, el erudito, quien mencionó los baños de sangre que celebraban los egipcios para curar, así lo decían ellos, la lepra, la elefantiasis y otras dolencias. ¿Y no era en Inglaterra donde, siglos antes, las mujeres del condado de Yorkshire bebían sangre de quien había combatido contra sus hombres, para así ser más fértiles y fuertes? ¿No fue en Alemania donde tanto dio que hablar, apenas unas décadas atrás, el culto a Garmann, la mujer felina que sorbía el extracto vital de sus víctimas para convertirse en inmortal? Qué más daba que se tratase de animales o de personas nacidas de humana madre. Eran seres vivos por los que fluía el líquido rojo. ¿No había también leyendas acerca de ciertos pueblos en los que estaba instaurada la costumbre de que un esclavo, al que llamaban *ramanaga*, lamiese la sangre de su señor cuando éste se hería? ¿Por qué ella, pues, no podía tener su *ramanaga*, por qué? ¿Por qué ella no podía ser la Señora de sus esclavas? Incluso en la Biblia había leído que la sangre es la vida.

Nada de todo ello podía saber la humilde costurera que en aquel atardecer de Kolozsvar clavó una aguja en la mano de su Señora, nada.

Aquella chica fue destinada al poco al castillo de Bicsé, y de ahí a un palacete, casi siempre habitado sólo por el personal de servicio, situado en Forchtenstein. Y aún de allí a la residencia que Erzsébet tenía en la propia Viena. Ésta siempre supo dónde estaba su costurera, pues no olvidaría que fue precisamente esa muchacha quien le indicó el camino.

La chica se llamaba Irina Smorievsky, era hija de campesinos, alta y de buen humor. Desapareció una noche, cuando contaba dieciocho años de edad, unos pocos menos que su Señora. Sencillamente, se esfumó. Sus compañeras dejaron de verla, y esa desaparición fue comentada entre el resto del servicio que Erzsébet tenía permanentemente en Viena. Al cabo del tiempo, y cuando alguien preguntó al respecto, la respuesta que obtuvo fue: «Se fugó.» Una cuestión de amores, dijo cierta persona del entorno cercano a la Condesa. Pero sus compañeras del palacio de Viena no sabían de la existencia de ningún amante, algo que, de ser realidad, difícilmente les hubiera pasado por alto.

En cierto modo era trágicamente cierto. Irina desapareció, y con toda certeza murió supliciada, por una cuestión de amor, el que Erzsébet le profesaba, aun en sus más bajos instintos. Dejó pasar los años y finalmente regresó a Irina, a su tímida y guapa Irina, para terminar el rito que se inició aquel crepúsculo en Kolozsvar. Irina ya no era tan joven como a ella le atraían las chicas, casi recién salidas de la pubertad, pero era la primera, quien le indujo a cruzar la línea que separa toda cordura de las tinieblas.

János Pirgist, redactando sin tregua en su buhardilla, se detiene un momento. Recuerda la frase de San Francisco de Asís, quien más de cuatro siglos antes había dejado escrito: «Lo que buscamos es lo que está mirando.»

En efecto, algunos lo descubren con antelación y pueden obrar en consecuencia, pero otros buscan durante toda su vida y al final, con suerte, descubren que lo que siempre quisieron ver está cerca nuestro, alrededor, en nosotros mismos. Así Erzsébet, la niña Alžbeta, que ya de niña asustaba a las criadas, descubrió en plena juventud que aquello que tanto buscaba estaba escrito en ella misma, en su sangre. Tuvo que verlo, tuvo que leerlo en aquella primera y fortuita gota. Durante unos años, en los que aguardó paciente y procurando no delatarse, vivió con plena conciencia de su hallazgo, que aún seguía siendo un secreto. Como los secretos que tiene, que sigue teniendo el propio János Pirgist, y a los que teme enfrentarse abiertamente.

Ella debió de sentir que era dragón y serpiente, y que su insaciable hambre sólo podía aplacarse de ese modo. Esa gota le señalaba la ruta, y no pensó abandonarla.

Pero también, y quizá sin ser en absoluto consciente del cambio, a través de la contemplación de aquella ínfima porción de líquido rojo y espeso brotado de su sangre, empezó a volar.

Ya era águila.

LEKÁ

Con las primeras luces del nuevo día, luego de echar un poco de leña en el lar a fin de entrar en calor, el reverendo Pirgist recorre con su vista, cada vez más fatigada por la edad y el esfuerzo continuado, los párrafos que dejó escritos ayer cuando dio por finalizada su labor, a altas horas de la noche. Acaba de rellenar el tintero, no ha hecho más que mojar con parsimonia la punta de su plumón y, mientras medita en lo recientemente escrito, desvía la mirada hacia ese plumón que desde hace tantos años le acompaña.

Y lo suelta, sobresaltado, como si quemase. El pensamiento ha ocupado su mente como una exhalación. Acaba de darse cuenta de que el plumón ha adquirido un color negruzco, casi como el del ala del cuervo, cuando antes era gris.

¡No puede ser!, piensa angustiado. Siente cómo su corazón se ha acelerado y una súbita flojera se le instala en las piernas. No puede ser. El instinto le dice que no está solo. Que el espíritu de la mujer sobre la que ahora escribe le espía, precisamente, desde el instrumento con el que va relatando su vida. Pero no. Debe ser fuerte ante ese tipo de trampas de la imaginación. Procura tranquilizarse. Será el paso del tiempo, que lo ha ennegrecido sin que él prestase atención a dicho detalle. O quizá es que se halla en exceso susceptible.

Aunque tiene frío, nota cómo su frente se cubre de sudor. Y es que otro pensamiento sucede con rapidez al anterior. Cree entender con meridiana claridad por qué su mente está tan alterada. No es porque esté librando una dura batalla contra los recuerdos que por momentos parece vayan a reventarle los sentidos. En esos ratos es cuando escribe veloz, enfebrecidamente. Siempre fue un hábil amanuense, y al principio de su carrera eclesiástica ejercía de secretario de su Eminencia Ilustrísima el Arzobispo de Praga. Luego fue trasladado a la diócesis de Baden-Würtemberg, y también allí tuvo que dedicarse más a la escritura que a las labores estrictamente pastorales. Adquirió una gran destreza para la escritura, y desde entonces poco ha menguado su arte cuando se trata de redactar deprisa y con una letra muy pequeña, pero perfectamente legible.

No, no son los recuerdos ahora resucitados tras forzar la memoria como nunca antes hizo, aunque siempre lo pospuso para otra época, y, que, sabe, debe llevar sin más dilación al papel que, hoja tras hoja, va agrandando el considerable montón que ya descansa en el extremo de la mesa de su escritorio.

No son esos recuerdos, sino que, y de ello se ha dado cuenta al releer al azar algunos párrafos escritos horas antes, es el modo de afrontarlos, exprimiéndolos como si de una jugosa y blanda fruta se tratase, lo que consigue asustarle.

Está entrando, o al menos pretendiendo hacerlo, en la cabeza de Ella.

Hasta el momento no ha sido consciente de apenas nada. Ni del estilo de escritura empleado, ni de las presuntas faltas en su sintaxis. Algo desconocido le impulsó desde la primera línea de su relato, casi obligándole a hacerlo de ese modo. Poco a poco, ahora lo ve con sorpresa e incluso con estupor, ha ido metiéndose en lo que pudo pensar, a veces en lo que pudo hacer, o sentir, la Condesa Báthory. ¿Es moralmente lícito ese libre ejercicio de su imaginación?, se pregunta no sin cierta angustia. No hay respuesta coherente para tal dilema. Uno, cuando narra determinada historia, siempre la recrea, pues los hechos reales, tal y como sucedieron con todos sus detalles, se los llevó el tiempo. ¡Y hace ya tanto, tanto tiempo de aquello!

Lo ve con nitidez, y ese sentimiento hace aumentar su frío interior: por momentos se ha puesto en la mente de Erzsébet porque, quedando la mayor parte de sus acciones en la sombra, y en la oscuridad más completa lo que pudieran ser sus pensamientos, él necesita aferrarse a algo para seguir tirando del hilo.

Le resulta humano el hecho de pensar que si tenemos enfrente a un malhechor acusado de un abominable crimen, y disponemos de la oportunidad de hablar con él, le preguntemos por las razones que le llevaron a cometer su crimen. Ése es un acto cristiano, se dice Pirgist. Que todo el mundo, incluso los más perversos, incluso aquellos que van a ser sentenciados o ejecutados en breve, sean oídos para que puedan descargar en alguien su culpa, si la tuvieron. Para comprender la esencia de esos actos, que no es otra cosa que aquello que los provocó. Por eso ha intentado entrar en el universo mental de Erzsébet Báthory. Porque, en justicia, para condenar el Mal y su genealogía, hay que procurar entenderlo antes, en la medida de lo posible.

Es ingente la información que durante más de medio siglo ha acumulado acerca de la Condesa. Revisó actas, documentos. Habló con gentes de toda Hungría, de Valaquia, de Viena y de Praga, de Rumania, de Serbia y de Transilvania. La pirámide de datos fue creciendo y creciendo. Ahora, no obstante, cuando aborda la difícil misión de describirlos, se sabe incapaz de hacerlo de modo oficial, enumerándolos sin más, dando cuenta de ellos como lo haría un alguacil o un funcionario del Estado. No puede. No sabe. No quiere.

Tal vez por ese motivo demoró durante tantos años el momento de escribir lo que ahora tiene entre manos. Y para llevarlo a cabo le es imprescindible situarse mentalmente en el lugar, pero en el lugar físico y a la vez espiritual, en el que acaecieron los hechos. La Condesa se llevó a la tumba su secreto. Por qué lo hacía. Por qué de esa forma tan despiadada y frecuente. De ahí que Pirgist, ya más calmado, convenga para sí mismo que posiblemente no había otra manera de enfrentarse a ese trabajo, moral y técnicamente. Disponiendo de la información elemental necesaria, situarse, siquiera por algunos momentos, en la cabeza y sentimientos de Erzsébet. ¿A qué engañarse, por tanto? Toda su vida ha transcurrido bajo la obsesión de esa mujer y la inacabable férula de sus atrocidades. ¿Cómo ahora no iba a darle la oportunidad de hablar, de sentir, de imaginar, de pensar? Ella ya tiene su condena de antemano, así como la de todo ser racional, no sólo sensible sino con una mínima noción moral de lo correcto y lo indebido, del Bien y del Mal. Entonces, ¿por qué no permitir que ahora, en estas cuartillas, hable, sienta y piense como seguramente debió de hablar, sentir y pensar? Que su memoria siga pudriéndose por toda la eternidad, razona el reverendo Pirgist tomando de nuevo su plumón, aunque ahora con cierto cuidado, como si tocase el cuerpo de un venenoso animal que, pareciéndonos muerto, aún nos hace albergar dudas de si no se revolverá contra nosotros en un último y desesperado movimiento.

Introduce, pues, otra vez la punta del plumón en el tintero, besa el crucifijo de hierro que pende de su pecho y continúa enfrascado en su relato.

El corazón de la niña Alžbeta, la alocada, que creció siendo ya poderosa y temible Erzsébet, una de las nobles más famosas de Hungría, no sólo por sus inmensas riquezas sino también por su belleza, que seguía conservando a pesar de la lacra de la edad, tuvo que latir apasionada, fervorosamente durante aquel episodio con la costurera en Kolozsvar. Es verdad, la Condesa tuvo corazón, qué duda cabe. Pero ¿de qué estaba hecho ese órgano de su cuerpo? ¿De qué, por el amor de Dios, si con apenas veinte o veinticinco años ya había cometido actos que avergonzarían a la condición humana, si éstos pudieran observarse bajo el prisma de la objetividad? ¿De qué sustancia estuvo hecho si, cuando le correspondió resignarse a las leyes de todo lo vivo y razonable, lanzó su furioso desafío, causando tantas desgracias y dolor?

Una de las distracciones que Erzsébet mantuvo durante más tiempo fue la de dar largos paseos en trineo. Como los alrededores de Csejthe eran casi llanos, sólo interrumpidos por suaves colinas, se hacía arrastrar en trineo, sobre todo cuando aparecían las primeras nieves, por un caballo percherón y de gran potencia. Posteriormente también abandonaría esa práctica que de niña, a juzgar por el alborozo y nerviosismo que mostraba cuando iba a salir en trineo, pareció hacerla tan feliz. Cuando era pequeña, en cambio, le fue posible ir con frecuencia en trineo, ya que en los alrededores de Nyírbáthor, su lugar de nacimiento, había escarpadas montañas con pronunciados declives que convertían en algo excitante tal actividad. Trasladándose hasta las cercanías de la villa de Tăsnad, cerca del río Crasna, tuvo oportunidad ya no sólo de pasear en trineo, cosa que podía hacer por los alrededores del castillo familiar, sino de jugar a las carreras con sus primos y primas Báthory de las diferentes ramas de la saga. Su marco predilecto para tales carreras, sin embargo, se hallaba situado hacia el sureste, en las estribaciones de los montes Bukk. Ella y sus familiares acostumbraban a pernoctar en la aldea de Felsözsda, en un enclave situado entre los ríos Hernad y Sajó. Se reunían allí, pues, varios primos y a menudo amigos de éstos, que eran invitados por sus mayores. Para subir los trineos hasta lo alto de alguna montaña eran necesarios varios criados. Después el descenso, realizado en apenas unos minutos hasta alcanzar la explanada de un valle próximo, se consumaba en un abrir y cerrar de ojos. Con lo que de nuevo los criados u otros lugareños, a los que se daban algunas monedas o restos de comida a cambio de su colaboración, volvían a esforzarse lo indecible para subir hasta lo más alto posible aquellos trineos. Cuentan que Erzsébet solía ir montada en el trineo durante tan penosas ascensiones, y aunque su peso sería escaso, mayor era aún el esfuerzo que debían hacer aquellas gentes. Podía haber subido caminando junto al trineo, enfundada en sus polainas de lana y piel, para aliviar así el titánico trajín de sus servidores, pero no. Ella se hacía subir por pendientes que a cualquier otro le hubiesen parecido inexpugnables, y lo hacía como si de una reina se tratase. Además, también en esas carreras juveniles dejó clara huella de su instinto pérfido, pues siendo muy hábil en el manejo del trineo, o más bien habría que decir alocada, ya que no parecía importarle en absoluto la peligrosa cercanía de abismos o estrellarse contra algún árbol o salientes de rocas, adquirió una costumbre por la que fue reprendida con severidad, y que a punto estuvo de costar disgustos en la familia. Solía ser ella quien proponía iniciar con sus primos una carrera en trineo, ladera abajo. Éstos, viéndola menuda y creyendo que por ser chica se comportaría de modo más prudente, si no temeroso, creían que era lógico que quedara algo retrasada al iniciar aquellos descensos vertiginosos entre gritos y risas. Pero no. Al poco su trineo, siguiendo hábilmente el surco dejado por los otros en la nieve, aparecía a sus espaldas. Una vez allí, les embestía de manera continua, hasta hacerles perder el equilibrio y rodar aparatosamente por el hielo. Un par de primas terminaron con heridas de cierta consideración, aunque ella negase que lo hubiese hecho con alevosía. Si era castigada, al poco, con zalamerías y promesas, volvía a las andadas. Todos sus primos, sin excepción, la temían como a la peste. Y aun por las noches, cuando entre ellos comentaban los pormenores de tales juegos con finales a veces accidentados, les mortificaba doblemente sonriéndoles de modo significativo al tiempo que juraba y perjuraba que había sido sin querer. Su sonrisa provocadora la delataba, así como que dichos accidentes se hubiesen repetido con alarmante frecuencia, siendo siempre ella la causante. Ese impulso destructor lo llevaba encima como si de un tatuaje se tratase.

Es como si desde la fecha de su nacimiento en Nyírbáthor, a una década de rebasado el ecuador del siglo, el corazón de la pequeña Erzsébet no hubiese latido nunca. Como si desde aquel funesto día en el que, según cuentan algunas leyendas, se desató una repentina y violenta tempestad sobre la región acompañada de granizo y en la que quedaron inundadas varias aldeas, hubiese carecido de él. Pero es imposible vivir si el corazón no late con sus dos movimientos esenciales, perpetuos: abrirse como un nenúfar sobre las tranquilas aguas de un estanque, contraerse como los pétalos de otras flores, o como los cuernecillos de los caracoles cuando los rozamos con la yema de un dedo, por suave que sea ese contacto.

Sí, tuvo que latir, día a día, hora a hora, minuto a minuto, segundo a segundo. Incluso, según había sabido Pirgist en época reciente porque así se lo explicó un médico al que conociese en Presburgo, haciéndolo a un promedio de un latido por segundo. A veces, en estados de agitación, todavía más deprisa. A él mismo ese galeno le tomó el pulso asegurándole que su corazón latía setenta y dos veces por minuto.

Pero ¿qué podía saber Erzsébet de todo eso? Nada. Ella buscaba otra música en su corazón, al socaire de lo vivo. Y la encontró. Finalmente la encontró, y con bastante probabilidad fue aquella tarde en Kolozsvar, cuando supo de su cadencia exacta, de su melodía predilecta, de su ritmo voraz, de su contrapunto ateo y de su asesina armonía. Ella no quería armonía sino dislocación, cambio abrupto, el acelerado latido que confiere la demencia hecha realidad. Un corazón pesa aproximadamente trescientos diez gramos, según había averiguado Pirgist. En una vida como la suya, que sobrepasaba con creces los sesenta años, un corazón expulsa cerca de doscientos diez millones de litros de sangre, teniendo en cuenta que el cuerpo humano mueve cinco litros de sangre por minuto, y siete mil doscientos al cabo del día. Lo que significaría que una vida de setenta años asiste, ajena a ese fenómeno que en sí mismo resulta difícil de comprender, a más de veinticinco billones de contracciones. Ella no vivió tanto, pero con toda probabilidad superó ampliamente esa cifra, pues su corazón debió de contraerse de emoción con inusitada frecuencia, provocando más latidos, y por lo tanto más contracciones de las normales.

Con el pinchazo de la costurera Irina y lo que ocurrió después, Erzsébet, cuyo corazón habría ido a otra velocidad del que poseen el resto de los humanos, y como preparándose para lo que pronto vendría, conoció su primera sístole. El corazón debió de contraérsele hasta hacerla sentir que se desvanecía. Quizá por eso tardó tanto en reaccionar. Pero, sigue meditando Pirgist, ¿qué pudo saber ella al respecto? ¿Qué sobre las válvulas y arterias, qué sobre el plasma, qué sobre los vasos capilares y las células que deben pasar en estricta hilera por los más intrincados recovecos de ese prodigio de la creación que es nuestro cuerpo? ¿Qué del fluido sanguíneo que recorre, como se ha calculado, los trece kilómetros de finísimos tubos de los riñones, invisibles al ojo humano si no se los observa como un anatomista que estudia un cadáver? Nada. Porque la mayor parte de tan sorprendentes informaciones se habían hecho públicas, y no sin enconados debates entre los expertos, en época muy reciente, sobre todo a raíz del invento de un aparato llamado microscopio y que al parecer era como una gran lente de aumento que permitía contemplar la existencia de los microbios. Partes de un todo, a fin de cuentas. Criaturas de Dios ellas mismas, sin las cuales no podríamos vivir.

Nada de eso pudo saber Erzsébet, y aunque lo hubiese averiguado, nada habría cambiado en su conducta, en su pensamiento. Ella vivía en otra esfera, lejos de las esferas de los mortales, con sus sueños de grandeza y su bendita bondad. Mortales, en suma. Ella, aun siéndolo, no se sentía así, y con terquedad homicida puso todos los elementos para diferenciarse del resto de los humanos.

Pues así como muchas niñas que nacen y se crían en la más penosa penuria sueñan toda su vida con ser normales, pertenecer a una familia que les dé cariño y el alimento seguro, ella lo tuvo incluso desde antes de venir al mundo. Y así como otras, que teniendo ese cariño y ese alimento asegurados, sueñan con ser nobles damas y disponer de riquezas y lujo, ella, teniéndolo en demasía, no se conformó con eso y quiso lo único que no está permitido según ley de vida: vivir por siempre.

Ése fue su gran pecado. Y a ese pecado se entregó incondicionalmente, igual que hembra enamorada a su amado. Pero su amado no fue nunca Ferenc Nádasdy, ni ningún otro varón, ni ninguna de las muchachas a las que tal vez amó, siquiera por breves momentos, antes de asesinarlas. Su amado era ella misma, y su amor, antropófago. Sólo que, malhadadamente, lo canalizó a través de otros seres, todos ellos inocentes, que se vieron arrastrados al abismo, posiblemente, sin entender lo que pasaba.

Y al igual que la joven águila primero emprende altos vuelos para procurarse alimento cuando ya no se lo trae la madre depositándolo en su pico, y luego va ampliando el círculo de su aérea búsqueda en pos de piezas que capturar, así Erzsébet Báthory, ya casi águila de aspecto humano, empezó a trazar vuelos cada vez más lejanos y llenos de riesgos para afirmar su identidad carnívora.

«Csejthe», solían mencionar las gentes a sovoz cuando surgía el tema al que, aun transcurridos muchos años y probados los hechos, algunos no daban crédito, o no en su pavorosa totalidad, aduciendo que se trataba sin duda de exageraciones. Csejthe fue, sí, su madriguera, su nido predilecto y donde más abominaciones cometió, pero su formación en el Mal no se inició ahí, sino en los sitios más alejados y dispares, fuesen castillos pertenecientes a la familia Báthory o a los Nádasdy. Csejthe, supuestamente baluarte que se había construido sobre las ruinas de una fortificación que databa de época inmemorial, era un marco peligroso para sus propósitos mientras vivió su esposo, pues algunos parientes de éste podían sorprenderla con una visita inesperada. Además, Csejthe, y así fue hasta la fecha del 4 de enero del Año de Gracia de 1604, estaba lleno de *haiducos* fieles a su Señor, que podían hablar más de lo deseado. Aunque hasta entonces ya había cometido algunos crímenes en ausencia de Ferenc Nádasdy, siempre procuró obrar con relativa discreción. Para ello le fue necesario recurrir a otros castillos. Sin embargo, esa mole de piedra, con sus altas almenas tras las que se protegía el castillo propiamente dicho, con sus cuatro torreones en pico y su gran capilla anexa, pero sobre todo con una tupida red de pasadizos y sótanos, así como mazmorras, siempre estuvo en el punto de mira de Erzsébet.

Aún no podía volar plena y libremente, aún se veía obligada a reptar.

No sería hasta el año 1276 cuando el castillo vio cómo se efectuaban en él las definitivas reformas para convertirlo en un bastión casi inexpugnable, si no era mediante un largo y costoso asedio de meses, probablemente. Matús Cak, señor de los dominios de Trencin, fue el primero en asentarse en ese castillo. Años después fue Ctibor I de Beckov, otro oligarca de la región, quien vivió allí, aunque Csejthe, por derechos reales, seguía perteneciendo a Segismundo de Hungría. Ctibor y sus descendientes vivieron en el castillo hasta 1434. Dos años después Segismundo lo legó al Palatino Michal Ország. Fue la época de Matías Corvino. Posteriormente pasaría a manos de Ladislav, preboste de Novohvad y de la comarca de Heves Sees, y aún más tarde a su hijo Kristof, que era el juez de la región. Éste murió, sin tener descendientes, en 1567. No sería hasta la fecha del 4 de abril de 1569 cuando Maximiliano I de Habsburgo se lo concedió a Orsolya Kanisky, viuda de Thomas Nádasdy. Ésta, a su vez, hizo entrega del castillo a Ferenc, su hijo, por entonces jefe de las tropas que vigilaban el Danubio, que los turcos pretendían ocupar a toda costa para tener así acceso directo al centro del continente. Ferenc Nádasdy no lo obtuvo en propiedad exclusiva hasta el día 22 de agosto de 1602, según consta en las escrituras, luego de pagar treinta y seis mil monedas de oro. Aun en esos dos años en los que vivió su esposo, Erzsébet procuró no usarlo para sus crímenes, y sí lo hizo, en cambio, como laboratorio de sus juegos y experiencias con la magia negra. Tuvo que ser también por esa época, 1602, cuando János y su madre llegaron a Csejthe. Él era muy chico y nada puede recordar de las exequias que se celebraron con motivo de la muerte de Ferenc Nádasdy. Él y su madre habían llegado cruzando el país desde una pequeña aldea llamada Tárzvna-Licvezini, situada entre las villas de Ileanda y Dej, en los montes Crasnei, y que se levantó a orillas del río Someşul. Por aquel entonces esa zona se hallaba en la conflictiva frontera entre Valaquia y Transilvania. Frecuentemente se producían escaramuzas con los otomanos, dispersos por toda la región, o entre familias cristianas que se disputaban el mecenazgo de tales territorios.

Como era natural en esas ocasiones, cuando un personaje ilustre fallecía, a veces había que aguardar semanas enteras hasta que pudieran llegar sus familiares desde alejadas regiones. Los funerales de Ferenc Nádasdy, pues, se demoraron durante casi un mes. Pero, en pleno invierno del año 1604, Erzsébet ya era la única dueña de Csejthe, y János, por mucho que se lo habían contado, no lograba tener ningún recuerdo de aquel ir y venir de gentes, con todo el esplendor y pompa apropiados para el momento. Sí lo recordaba de bodas posteriores, por ejemplo. También entonces las celebraciones se prolongaban por espacio de muchos días.

Pirgist ni siquiera sabe a ciencia cierta la fecha de su propio nacimiento. Su madre, una campesina sin la menor cultura, no lo bautizó, aunque de ello no cabía culparla, pues bastante tenía con sobrevivir y sacar adelante a su pequeño. Siempre la oyó decir que él nació más o menos con el siglo. Acaso un poco antes, afirmaba dubitativa. Así que durante los años en que la Condesa cometió su enorme lista de crímenes, principalmente en Csejthe, es decir, entre 1607 y 1610, János tendría aproximadamente siete u ocho años. Quizá un poco más.

También recuerda que le llevaban de un sitio a otro, cosa que ocurría cada varios meses. En total estuvo en nueve de los castillos que, bien fuesen heredados de los Báthory o de los Nádasdy, poseía Erzsébet. Hubo otros, hasta dieciséis, pero János no llegó a verlos personalmente.

Para él Csejthe era el mundo, y sus bellos alrededores el único universo conocido. Pocas veces bajaba al pueblo, que tendría unos pocos centenares de habitantes, absolutamente todos al servicio de la Condesa. En Csejthe se crió junto a los otros niños del resto de mujeres que servían a Erzsébet. Nunca vio a una sola niña, aunque de este hecho, la ausencia total y anómala de niñas o chicas jóvenes, fue consciente por vez primera en Sárvár. Pese a todo, tampoco le extrañó especialmente. Fue en Csejthe donde amasó sus secretos, tan ocultos en el fondo de la conciencia que incluso ahora, cuando del castillo otrora amenazador muy poco quedaba en pie, se le antojaba todo nebuloso, intangible.

Porque János Pirgist sabe que de nuevo ha ocultado algo. Se lo ha ocultado a sí mismo, como queriéndolo olvidar, pero ahí está. La imagen vuelve y vuelve, interfiriendo en sus pensamientos. No lo escribió en las cuartillas anteriores por temor a saber de qué o quién, pero lo único cierto es que no lo hizo. ¿Será capaz de explicarlo ahora? ¿Se atreverá a decirlo *todo*? Debe intentarlo. Ya nada ha de temer, eso piensa para darse ánimos.

Fue la madrugada en que miró a través del ventanucho del cuarto en que dormían las lavanderas y pudo ver cómo esas mujeres que constantemente acompañaban a la Condesa, transportaban gruesos sacos en los que él creyó distinguir formas humanas.

Fue la madrugada en que la vida dentro del castillo cambió radicalmente para él. Allí, en el patio, las mujeres transportaban esos sacos. Y allí, Darvulia, la temida y evitada por todos, daba órdenes y azuzaba a los gatos con su cayado.

Antes de apartar el rostro del ventanucho, asustado, János vio algo más, aunque estuviese a cierta distancia de donde se desarrollaba la escena.

Un pie. Eso fue lo que vio, horrorizado: un pie colgando y lleno de sangre, que pronto ocultaron bajo la tela del saco. Ante sí, y a través de aquel pie que se balanceó lánguidamente durante varios segundos, fue cuando en su mente empezó a gestarse el vitral gótico de colores como destellos, de formas fluctuantes y amenazadoras, que no era sino el colofón de una escena de suplicio. Aquel espanto policromo, lleno de negros, grises, azules y rojos, a diferencia de los inertes fragmentos de los vitrales que sus ojos habían podido recorrer con detenimiento en alguna iglesia que visitase con su madre, se movía de manera especial. Creyó que gemía. No es probable que la muchacha estuviera aún moribunda, pero tampoco se podía descartar tan macabra eventualidad.

¿Cómo era posible que él creyese oír un débil gemido, a esa distancia del patio, cuando a su vez se sentía incapacitado para oír, pues así se lo propuso? Quizá fue su imaginación, o la certidumbre de los gemidos, éstos sí, reales, escuchados en la lejanía horas antes. János llegó a poseer una especie de percepción táctil y a distancia, aunque en realidad se trataba de puro instinto de supervivencia, similar al de los seres irracionales.

Incluso él, medio dormido y creyéndose mudo, sordo y loco, contuvo la respiración cuando ante sus ojos apareció aquello que por fuerza tenía que ser un pie. Pero seguía sin estar ciego. Llevado por su intuición del peligro, permaneció inmóvil. Era una piedra más. Luego, lo recuerda perfectamente, entreabrió la boca, como si se ahogase por faltarle el aire. Fue ése el momento en que cerró los ojos mientras lanzaba un alarido hacia adentro. Hubiera querido ser ciego, pero no lo era.

Nadie lo oyó, de eso está seguro. Su grito sólo lo oirían las piedras de aquel muro que iban a dar al patio. Sólo ellas pudieron percibir, de tener capacidad para ello, la contracción de su torso menudo, que de inmediato se apretó contra la pared.

Su mudez le salvó la vida.

No ser ciego se la quitó, de algún modo, pues desde ese preciso instante se sabía condenado. Fuera porque pudo vérsele asomando su cabecita a través del ventanucho, fuese porque lo que terminaba de contemplar iría acompañándole ya durante el resto de su existencia, estaba condenado.

Su serenidad en aquellos momentos críticos le salvaría del desastre inmediato.

No obstante, le sacudió la seguridad de que su esqueleto iba deshaciéndose de temor, igual que un tronco en la chimenea, conforme sus ojos observaban.

Por tal motivo, desde esa madrugada, solía caminar aún más cabizbajo y pegado a las paredes. A veces, incluso, se quedaba estático frente a cualquier muro por espacio de largos minutos. Sencillamente, había oído algún ruido extraño, o circulaban cerca adultos. A su especial y candorosa manera, intentaba no pensar, olvidar. Pero era en vano.

János sabe que desde entonces, cuando miró sin querer y oyó sin pretenderlo, aunque aquel débil gemido fuese sólo producto de su imaginación, no puede decirse que tenga vida. Está acompañado por aquello. Desde entonces cualquier objeto de color rojo consigue producirle ráfagas de estremecimientos. Si cierra los ojos ve una mariposa gigantesca de colores muy vivos en los que predomina el rojo, y esa mariposa, todavía más grande que una águila, se le viene encima de modo violento, abrazándolo. Para devorarlo.

Desde entonces una zona de su cabeza, que él palpa y pellizca de tanto en tanto como si allí tuviese un insecto molestándole, ha sufrido una modificación completa e irreversible, y al contraerse o expandirse, como sucede con el corazón de los seres vivos, le provoca dolor. Pero ya no teme quejarse. Ni un tenue lamento gutural, nada. Únicamente tiene recuerdos. Borrosos, pero a la postre recuerdos.

Por eso, aunque no mudo de nacimiento sí silencioso por decisión propia, se pasó varios años, sobre todo cuando estaba en Csejthe, hablando con el mar que él creía ver en los campos. Necesitaba compartir con alguien ese inútil enfurecimiento, el pánico que día a día lo atenazaba. El vasto océano del campo era su amigo, su único amigo. Siempre estaba ahí y él sabía que no iba a fallarle. Cambiaba de color y también de forma, según fuese la estación del año, pero siempre le contestaba.

A primera hora de la mañana, y también cuando la tarde declina, era el momento en que se le permitía salir de los límites del castillo, aunque por lo general nunca bajase al pueblo, y pasear por los campos y terraplenes de los alrededores. Entonces acostumbraba a sentarse o permanecer tumbado sobre una roca, frente al paisaje abierto. Unas veces se colocaba en posición fetal, ladeado, y dejaba divagar su mente. Otras se cubría la cabeza y el rostro con ambas manos, tal que si quisiera estar más dentro de sí mismo, como protegiéndose de objetos a punto de impactarle.

En el murmullo que llegaba de los campos, él oía un grato y manso oleaje, y aunque no veía flecos de espuma ni estallidos del agua que se requiebra sin tregua, podía percibir allí el eterno y susurrante batido de las olas.

Había personas que al distinguir a aquel niño tumbado sobre la roca en posturas inusuales, o pareciendo dormido en su parsimoniosa contemplación de las nubes, quizá pensaron que estaba trastornado. Sencillamente, le embargaba una gran desazón, que llegó a convertirse en algo crónico y por lo tanto insuperable. Pero lo que le embargaba de verdad no era simple miedo, ni ira, ni tristeza, sino algo que lo trascendía. Y eso carecía de nombre. A lo sumo podría llamársele: vivir. Seguir vivo. Hacerlo con la tranquilidad que confiere saber que al menos los campos, los trigales, las huertas diseminadas aquí y allá, las lejanas alquerías sólo divisables en días muy claros y los diversos tipos de arbustos, pero sobre todo las flores, le escuchan, aunque tampoco ellas puedan hablar.

El pequeño János enmudeció del todo porque hubo algo más, lo que selló su secreto, el primer gran secreto de varios de ellos, que le persiguieron como un enjambre ya durante el resto de sus días. Ocurrió aquella noche, o más exactamente aquella madrugada en la que pudo contemplar el trasiego con los sacos que pretendían alejar furtivamente del castillo.

Duró la fracción de un segundo:

Darvulia miró hacia el ventanucho. Su cara, bajo la capucha, se dirigió hacia esa parte concreta del muro por la que asomaban los ojos, la frente y el cabello, entonces castaño y rizado, de János.

Miró concretamente hacia donde él estaba. Fue entonces cuando se apartó con brusquedad de allí, lleno de pavor. Hasta pasados varios años no llegó a saber que esa vieja repulsiva estaba casi completamente ciega, y que si miró en la dirección en la que János estaba, tuvo que ser más por su intuición que porque en realidad viese a alguien allí.

Pero János sintió dicha mirada como si un afilado cuchillo le atravesara el cráneo de parte a parte. Ya nunca iba a olvidar esa mirada, aunque tampoco él, como es obvio, pudiese distinguir los ojos de Darvulia. Sólo su rostro, dirigiéndose precisamente hacia el lugar en el que se hallaba situado el ventanucho. Y su quietud una vez localizó el citado ventanucho. Fue suficiente.

El corazón de János, que hasta entonces había latido de manera apresurada, de pronto se aceleró de modo alarmante. Al igual que tardó varios años en averiguar que la vieja Darvulia estaba prácticamente ciega, y por ello era imposible que le viese, tardó otro tanto en averiguar que si en el ser humano el corazón late una vez por segundo, el de los pequeños pajarillos que trinan en los arbustos y en el bosque lo hace mil veces por segundo.

Es probable que así latiese, también, el corazón de Erzsébet durante el episodio con la costurera. Pese a que todo en su apariencia externa recordara a una efigie, su corazón acababa de convertirse en el de un pajarillo. Una cría de águila, pese a que se viera obligada a continuar reptando entre las sombras.

La pregunta seguía siendo: ¿Cuándo, dónde y cómo ese corazón alcanzó su compás adecuado? Según pudo colegir János a tenor de los relatos posteriores de Kata, la lavandera, es más que probable que eso ocurriese en el castillo de Leká, situado en una escarpada ladera, entre Dunajská y Kolárovo, no muy lejos del Danubio.

De hecho, el castillo estaba situado algo más al sur, cerca del Komárno, donde las aguas del Vág y del Nytra se juntan en una zona casi inaccesible de torrenteras.

Fue la segunda y definitiva incursión de Erzsébet en la sangre. Todavía era muy joven. Posiblemente estaba recién casada y era la época en la que ella, no deseando tener hijos de momento, aún era libre para moverse a su antojo de aquí para allá. Fue entre los sombríos muros de Leká, adonde había ido acompañada de su habitual cohorte de chicas de servicio. Quizá estaban ya con ella Dorottya Szentes, Dorkó, pero no Jó Ilona, ni tampoco Kata Benieczy. A ésta se lo contarían testigos presenciales de aquel hecho, quienes muchos años después todavía eran incapaces de reprimir hacer el signo de la cruz en la frente cuando lo referían. Pirgist lo había oído en distintas versiones que, pese a no diferir demasiado entre sí, poseían detalles propios. Pero de hecho coincidían en lo esencial.

Lo que empezó siendo una disputa casera se convirtió en algo de mayor envergadura, sobre todo por el significado que aquel episodio ejerció en el futuro comportamiento de Erzsébet.

Había salido a galopar por la campiña circundante, y en ese paseo invirtió prácticamente toda la mañana. En el castillo de Leká ya tenían preparado el baño, pues sabían que en cuanto ella llegara, sudorosa y sucia, lo exigiría de inmediato. La alcoba en la que se alojaba era un constante ir y venir de cubos, tinajas y barreños humeantes. Por fin apareció, y mostraba un evidente mal humor, lo que era habitual tras el esfuerzo. Además, no había conseguido cazar ni una pieza, algo que la enfurecía especialmente. Aún no podía saber que horas después obtendría, y con un estímulo que iba mucho más allá de lo imaginable, esa codiciada presa.

Se bañó y, luego de una ligera comida, se acostó un rato. Hizo que dos de las criadas se quedasen con ella. ¿Qué sucedía en aquellos ratos de intimidad? Es difícil de saber, pues acerca de tales cosas casi nunca llegan a conocerse datos concretos. Pero al mismo tiempo resulta fácil de imaginar. Ella sabía a la perfección qué chicas podían ser proclives, sin necesidad de imponérselo por la fuerza, a sus volubles y caprichosos juegos, en los que las mayores obscenidades se realizaban entre risas.

Por la tarde, cuando ya el día empezaba a languidecer, se hizo peinar la larga melena. Por aquel entonces su pelo era castaño, pero ella se hacía echar tintes constantemente a fin de que pareciese negro. Todas las chicas eran conscientes de que peinarla suponía horas interminables de cepillado. Aún faltaban algunos años para que aparecieran las primeras hebras de plata en su pelo, que ella recibió con la mirada errática, impotente de furor.

Una de aquellas chicas, por distracción o impaciencia, le

dio sin querer un fuerte tirón en el cabello. Una guedeja se le había quedado enredada entre las cerdas metálicas del grueso cepillo. Erzsébet se quejó agriamente, mirándola con inquina. Pero no hizo más, cuando todas sin excepción esperaban sin duda el bofetón de rigor o los golpes de vara sobre la negligente que había dañado a la joven Señora.

En aquellos días, y según parece inducida a ello por una pariente de los Báthory que también se alojaba en Leká, aunque algo mayor que Erzsébet, ésta se hacía contar una y otra vez la leyenda referida a un personaje que viviese un siglo antes. Esta parienta llegaba de Transilvania, en concreto ⋅de cierta villa situada en las faldas de los montes Făgăras, llamada Talmacvil, a orillas del caudaloso Olt. La leyenda ⋅en cuestión describía a un gran guerrero de nombre Vlad Tepes, pero a quien también se conocía como Vlad Drakul. Tenía dos hermanos, Rudu y Mircea, que luchaban junto a él contra los turcos doquiera los hubiese. Su padre, el Vlad más famoso hasta entonces, se enfrentó a Jan Hunyadi, gobernador de Hungría, quien lo derrotó, entronizando a Vladislav I, un *voivoda* aliado. Tanto Vlad como su hermano Rudu fueron capturados por los turcos y llevados en cautiverio a un lugar de Anatolia. Allí, prisionero, vivió varios años, pero al final consiguió que sus captores aceptaran canjearle por un fuerte rescate en oro y joyas. Fue al regresar a Transilvania cuando la sanguinaria personalidad de Vlad Tepes, quien de otro lado era un fanático cristiano que pagaba misas allí adonde fuese, adquirió su triste fama. Se limitó a hacer con los prisioneros que iba capturando, pues en escaso tiempo reunió otro ejército bien adiestrado, ni más ni menos que lo que había visto hacer a los otomanos: empalarlos vivos, con lo que morían, siempre lentamente y luego de horribles sufrimientos. Por eso acabó llamándosele Drakul, *el Empalador*. Fueron miles las víctimas que terminaron sus vidas de este modo cruel. Acompañado en todo momento por su fiel y feroz guardia moldava, así como de un séquito de caballeros que pertenecían a la Orden del Dragón, y que vestían capa negra con forro de terciopelo rojo en su interior, asistía impasible y complacido a tales ejecuciones masivas.

Lo cierto es que asoló pueblos enteros, habitados únicamente por labradores y campesinos, dedicándose a la rapiña y al crimen. La excusa podía ser la que se quisiera: que allí habían dado cobijo o alimento a algún turco, lo que de ser cierto lo habría sido bajo las lógicas coacciones. Eso a él poco le importaba. El escarmiento siempre le pareció útil. Después de estos desmanes, y para probar su fe cristiana, volvía a montar misas con todo boato. De él se decía que había llegado a beber sangre de sus enemigos, pero parece que tal aseveración nunca pudo ser probada por nadie. No era su estilo. Él mataba y diezmaba en el nombre de Cristo, y difícilmente se hubiese mezclado en prácticas sacrílegas. La guerra era la guerra, y la fe, algo muy distinto.

Pero la joven Erzsébet fue cogiendo un dato de aquí, otro de allá, hasta hacerse su propia idea del personaje. Finalmente, y no sin una ostensible decepción, tuvo que oír por enésima vez el relato de cómo Vlad Drakul fue asesinado por uno de los caballeros que hasta esa fecha le eran adictos. Nunca quedaron claras las causas de aquella muerte del *Empalador*. Algo, sin embargo, cautivó la fantasía de Erzsébet. Algo que en aquel relato de torturas y destrucción la habría fascinado sin que ella, posiblemente, tuviera conciencia de eso. Quizá algo que imaginó, o que su imaginación agrandó más allá de lo que oía. El caso es que esa misma tarde se había hecho contar, seguramente en busca de nuevos matices que añadir a sus fabulaciones, la leyenda de Vlad Tepes. Alguien así, pudo pensar, debió de haber sido un Báthory, pues de esa otra familia, los Vlad, que ella supiese, nada había quedado. ¿Qué familia podía ser que permitía su propia desaparición?

Eso poco había de importarle a ella, mucho más cruel que curiosa. ¿Era cruel o mala? Seguramente empezó siendo mala, luego de ser traviesa y, aún despúes, esporádica, ambiguamente perversa. De ciertos hechos hablaban sorprendidos hasta sus propios parientes, como de algo que solía hacer en cuanto le era posible, pero que en cierta ocasión pudo reportar desagradables consecuencias. Y si con los hombres era simplemente mala, sus costumbres en los juegos mantenidos con algunos de sus primos resultaban harto relevantes. Haciéndose la coqueta, mientras estaba en el campo con ellos, cogía con tiento una peonía silvestre de su rama. En la variedad de éstas que se parece a las rosas, tiene espinas a lo largo de su tallo. Erzsébet introducía allí los dedos con diligencia y, al tacto, la arrancaba de la rama. Luego, aparentando timidez, se la entregaba a cualquiera de aquellos patanes que tenía por primos, todos una gavilla de concupiscentes y borrachos prematuros. Ellos la cogían con fuerza, clavándose las espinas. Entonces ella, según fuese la reacción, obraba en consecuencia. Unas veces reía, burlona. Otras pedía perdón, aunque su faz revelaba todo lo contrario. Algunas, quién sabe, quizá hizo ademán de acercar su boca a aquellas heridas. El caso es que a un primo flojo de salud se le infectaron las heridas y a punto estuvo de morir. Fue en Mareszalka, en cierta pequeña fortaleza que tenían allí los Báthory, aunque no llegaba a ser considerada castillo. Se hallaba en la ruta hacia el sur, Budapest, yendo por Nyiregyháza. Quizá en algo así estaba pensando aquella tarde en Leká, quizá.

Fue entonces cuando se produjo el tirón en su cabello. Miró con fiereza a la causante, y es posible que dijese algunas palabras de amenaza. Pero al rato de nuevo parecía haberse hecho la calma. Ella observaba con deleite algunos de sus vestidos recién planchados, deslizando las manos sobre esas preciadas prendas, ajena a lo que ocurría a su alrededor. Y lo que ocurría es que varias de las criadas, que minutos antes jugaban y reían, aunque siempre con recato y en voz baja, pues allí seguía estando la Señora, empezaron a pelearse. Primero entre jadeos y carcajadas débilmente contenidas. Luego, ya más abiertamente. Una amenazó a la otra con un alfiler. Quizá en ese momento Erzsébet, mientras asistía a una escena que habría podido cortar en seco con una simple mirada, llamándolas al orden, recordó el alfilerazo que aquella estúpida le dio en Kolozsvar. Pero las dejó hacer, aparentemente divertida.

Y, para sorpresa general, de pronto se sumó al juego, en el que entrando ella perdía todo viso de posible y seria disputa. Las criadas, alegres, se distendieron. Tal vez hasta pensaron que, siendo casi de su misma edad, también la Señora quería un poco de alegría y diversión. Los alfileres iban y venían, amenazantes. Las risas crecían.

Erzsébet cogió uno de los largos alfileres que se usaban para coser los vestidos. Amenazó a una, luego a otra, y ellas reían, fuera de sí, excitadas.

Lo que a continuación sucedió fue tan súbito como había pasado años antes, en Kolozsvar.

Erzsébet se puso detrás de la criada que un rato atrás le había dado el tirón en el cabello. Se acercó a ella con sigilo, pese a que las otras la avisaban.

Y de repente, sin perder nunca su sonrisa, pues en todo momento dio la sensación de estar jugando y muy a gusto, le clavó el alfiler en el brazo.

La criada profirió un grito de dolor. Cesaron las risas. Se hizo el silencio. Todas se quedaron inmóviles. Ahora entendían que aquello era una venganza de la Señora por el descuido de antes, pues no en vano eligió a la negligente de marras entre varias muchachas.

La sangre, siempre aparatosa, empezó a manar con abundancia del brazo de la criada. Ésta, una vez pasado el susto y dolor iniciales, no sabía qué hacer o decir. Erzsébet se aproximó un poco más a ella y, cuando todas esperaban, en su santa inocencia, que pidiese disculpas, propinó un nuevo y certero alfilerazo en el brazo herido de la chica. Éste, por fortuna, apenas le rozó el codo, pues la chica se apartó instintivamente.

Erzsébet soltó una carcajada que helaría la espalda de todas. Luego se puso seria y dejó el alfiler sobre una mesa. Ordenó que se fueran de allí, excepción hecha de la criada que estaba herida. Una vez a solas con ella, según se cuenta, le pidió disculpas, aunque recriminándole el descuido de antes.

Entonces, acercándose a la chica, la miró a los ojos. De inmediato le susurró algo al oído. La criada, asustada, negó con la cabeza, pero sin atreverse a hablar. Temía nuevos alfilerazos, y debió de pensar que su joven Señora, a la que posiblemente era la primera vez que veía, estaba loca.

Erzsébet, para tranquilizarla, acarició su pelo desmadejado, pues la cofia había rodado por el suelo, hecho de madera de alerce. Volvió a decirle algo en voz baja y con actitud cordial, si no cariñosa.

Finalmente tomó entre sus manos el brazo de la criada. En todo momento la miraba a los ojos. La chica pareció estremecerse cada vez más.

—*Kerem... kerem...* —decía Erzsébet: «Por favor, por favor...»

Mientras, su rostro iba aproximándose a la herida. La criada apartó la mirada sin ofrecer resistencia. Por nada del mundo se le hubiese ocurrido hacerlo. Erzsébet la tenía toda para sí: maltrecha, llena de miedo, aislada. Acercó lentamente su boca a la marca de la que seguía brotando sangre.

—*Kerem...* —se oyó de nuevo, pero ahora lo dijo con los ojos cerrados.

Besó aquella herida. Hizo recorrer su lengua sobre la sangre. Primero una vez, luego otra, y otra. La chica temblaba, llena de confusión por aquello que no entendía.

Así estuvo Erzsébet durante un largo e interminable minuto. Besando, lamiendo, bebiendo de aquel líquido rojo que ahora se había extendido por buena parte del brazo.

Cuando se apartó de la criada, tenía la cara completamente llena de sangre, tal era la fruición con que se había restregado sobre la herida. Luego le ordenó a la chica que se marchase.

Entonces, ya a solas y con el rostro aún ensangrentado, se desplomó en su sillón. Palpó la sangre con los dedos. Los observó atentamente. Su lengua recorrió los labios, buscando las comisuras. Con los ojos cerrados paladeó: el éxtasis parecía tan fácil de obtener.

Se había precipitado en lo más oscuro de sí misma. Ya no resultaría posible el regreso de ese paraje que acababa de visitar. Ya tenía su diástole, la relajación máxima que precede a la contracción. Ya oía el latido en su interior. Además de reptar y volar, también existía esto, y ella lo intuyó siempre.

Ya era loba.

ECSED

Pasó el tiempo y la mujer con espíritu de dragón y movimientos de serpiente, con mirada de águila y hambre de loba, quería más.

Quizá se sintiese heredera de Calígula: ella quería la Luna, el poder maléfico que emana del astro nocturno, aunque ya se sabía mecida en su húmedo regazo. Y, como Calígula, ignominia máxima de la familia Julia-Claudia que tanta gloria diese a Roma con otros de sus vástagos, Erzsébet hizo suya una frase del citado emperador: «Todo y contra todos me es lícito.» Y, como él, posiblemente padeciera epilepsia.

Igual que ese amado cuerpo celeste, quería brillar sólo cuando llegase la noche. Como esa inmensa perla suspendida en el firmamento, la fiera arrogancia de Erzsébet únicamente lucía en todo su esplendor algunas noches, pues ni ella misma habría soportado hacer nada después de ciertas horas dedicada a la lujuria más desatada, al horror más ubicuo, a las pócimas más potentes. Quedaba entonces literalmente postrada, morosos sus movimientos, calcáreo el gesto, envuelta toda ella en una bruma, sintiendo que la asaeteaban invisibles fuegos fatuos que ardían en su interior como pábilos en una sacristía profanada.

Pasaron las estaciones, sí, con la lentitud de bueyes uncidos sobre el campo en agraz que prepara su cosecha. Arribó la canícula estival enloqueciendo a las cigarras que, con sus patas aferradas a los tallos resecos y a crujientes sarmientos, le gritan monótonamente al sol su alborozo de vivir. Cuando el hinojo y la árnica ven dorarse su tono amarillo, y luego se quiebran, cuando los labriegos se tornan torpes y somnolientos, cuando los cañizales lanzan suspiros que recuerdan a vírgenes sollozantes, cuando orzuelos y lobanillos no cicatrizan en los enfermos debido a su continuo sudor, cuando los muros sueltan esquirlas y el tasquil cae de las paredes a causa del calor, y los rostros de los más ancianos se ven surcados de lajas, cuando el musgo se vuelve tierra y los líquenes barro reseco, cuando cesa el gorjeo de chamarices en sus oquedades de piedra y el lugano no imita a ningún pájaro, porque abrasa el aire.

Llegó el momento en que caen las hojas y se suceden las lluvias, dejando de nuevo amarillo lo verde, cuando los bosques se llenan de una alfombra que crepita bajo nuestros pies y la naturaleza toda parece arrodillarse en espera de un frío mayor, que inevitablemente llega. Pero aún antes, manos hábiles habían sabido extraer el jugo acre de las rígidas umbelas de las lechetreznas, que hisopean escarcha con el viento. La vida.

Y llegó la época en que las colinas se visten de blanco y sólo las copas de los árboles muestran con orgullo sus crestas, cuando toda sobrepelliz es poca para que los tímpanos no zumben de frío, cuando la lúnula de las uñas se torna violácea y las yemas se arrugan, cuando zahínas y sorgos, brizas y piornos quedan tan ateridos en su vegetal silencio que más parecen alambres, como los hombres, que caminan encogidos, como las mujeres, que procuran no salir de sus casas.

Pasó ese frío intenso y llegaron de nuevo los luminosos días en que los insectos vuelan atolondrados en su ágape de olores, en su festín de fragancias, cuando las flores se visten de fiesta para ser libadas, cuando los abejorros incrustan sus cabezas entre los pétalos como almohadones de seda multicolor en pos del dulce néctar, su más valiosa prebenda, y el agua emana cristalina por los arroyos como si quisiera escribir así, con tinta transparente y fresca, la otra historia del mundo, la de lo bello inamovible, porque carece de moral y es eterno.

Erzsébet también evolucionó con las estaciones, con los años que se mueven como un péndulo, pero que nos llevan siempre hacia adelante. Había ido poniendo, uno a uno, todos los elementos para recoger una pingüe cosecha. Había conocido el éxtasis, y éste no era precisamente el que se encontraba en la liturgia cristiana.

Incluso con el advenimiento de cada nuevo verano, en la época en la que todavía son soportables los calores, Erzsébet se sentía menos dispuesta a salir para supervisar sus posesiones más cercanas, lo que hasta entonces sí había hecho. Mandaba a alguien a que recogiese los diezmos que le correspondían como Señora de aquellas tierras. Su vida fue tornándose roma hacia cualesquiera de las cosas que conformaban el mundo, y su carácter empezó a tener escoriaciones, aunque éstas estaban astilladas. No le importaban ni la aparición del esforrocino en las vides, ni de los oídios en ciertas especies de hongos comestibles. Ni ver cómo en los lagares se pisaba el vino, ni que los leñadores buscasen urce y brezo para el carbón que ella misma habría de aprovechar con la llegada del crudo invierno, ni que la parva y los montones de mies reposasen en las eras, aguardando a ser llevadas de un sitio a otro en pequeños bastimentos que surcaban las mansas aguas del Vág en ambas direcciones, aprovechando el estiaje del mismo mientras en sus márgenes el ganado cutral que no permanecía en los pastos altos, inservible para tareas duras, echaba espumarajos por el huelgo tras una fatigosa existencia al servicio de los hombres. Pronto serían carne y piel. Así sus víctimas florecían en una temprana primavera que era cercenada casi de raíz antes de que llegase el estío a sus vidas. Fue precisamente la certidumbre de que el otoño de la existencia estaba impregnándole todos y cada uno de los poros lo que, luego de obnubilarle el sentido, la hizo arremeter con salvajismo contra cuanto supusiera juventud y belleza.

De ese modo prosiguió su soterrada labor de zapa, husmeando cual lebrel en torno a los ancestros en los que se cimentaba su nueva fe. Seguía haciéndose contar pasajes de las historias que vivieron sus propios abuelos, como el de la pérdida de Belgrado o el desastre de Mohács, acaecido en 1526. Supo de aquella antigua Hungría que fue saqueada sucesivamente por las tribus celtas, las legiones de Trajano, los escitas, los avaros, las huestes de Arpad y Anulfo, los hunos, los gépidos o los eslovacos. Y ahora, los turcos. Ella misma y los suyos tenían en esos ancestros un fuerte componente oriental del que Erzsébet, que se sepa, nunca renegó. La villa en que nació, Nyírbáthor, se hallaba en el flanco de un triángulo que formaban Debrecen, Satu Mare y Oradea, en el que desde hacía siglos se afincaron los magiares, quienes a su vez eran los descendientes de los pechenegos, raza guerrera llegada más allá del Dniéper, donde se seguían las enseñanzas de Mahoma.

Todo eso debió de revolver sus instintos, acerándolos, y si en su cultura y sus modales Erzsébet mostraba afinidad con lo que se hacía en la Viena de los Habsburgos, si fue educada en la admiración a Matías Corvino u otros príncipes cristianos y su doctrina, también sentía una secreta e inconfesable atracción por lo que de Oriente latía en sus venas. De ese Oriente épico, aunque nunca visto, heredó justo lo que le convenía: una cierta idea de la crueldad, una mística de la venganza y el arte del suplicio. Pero ¿acaso no se mostraron también en extremo crueles, cuando de lo que se trataba era de preservar e imponer la fe, esos mismos príncipes en cuya veneración fue educada? Lo eran. Sólo que la crueldad de los otomanos siempre se le antojó más imaginativa que no necesariamente espectacular, y eso fue lo que ella buscó en todo momento: dejar volar su imaginación. Ser a través de lo destruido. Sentir mediante la devastación. Si hubiese sido hombre habría imitado a Vlad Tepes Drakul, sin duda. Pero como nació mujer se veía obligada a hacer eso mismo no en el campo de batalla sino en la intimidad.

Ella vivía enfrascada en su aprendizaje de las hierbas que algunos llamaban envenenadas y otros milagrosas, el eléboro y la escila, el ricino y la salvia, pero que en realidad le concedían una inusitada fuerza, en los complejos brebajes cuya ingestión la hacían sentirse literalmente transportada a otros niveles de conciencia en medio de esa tediosa realidad de joven esposa solitaria, primero, aburrida madre más tarde, y viuda insatisfecha después. Vivía entre ollas que despedían fuertes y desconocidos aromas, entre frascos con pócimas de colores indescifrables, como lo eran las visiones que provocaban, entre retortas, alambiques y pucheros con sustancias que se improvisaban conforme se iban haciendo y ella exigía ascender un escalón más hacia la cumbre de la locura.

Pero lo principal, aunque ya llevara a cabo la mayor parte de sus actos intentando borrar cualquier huella que pudiese quedar de los mismos, es que por fin había hallado lo que aplacaba su ansiedad: la fórmula según la cual debía disponer su osadía, que a su vez la conducía al método para alcanzar el éxtasis.

Éste le reportaba plenitud. Y la plenitud, que sólo la concebía si era global, absoluta, únicamente se la daría la permanente juventud. Que a su alrededor la gente muriese, luego de haber envejecido lastimosamente o de enfermedades con nombres latinos, no le importaba apenas. Sólo lo tenía en cuenta. Ello significaba que la gente, toda la gente, no supo buscar. Ni siquiera Darvulia. En una fase inicial, su bruja no era partidaria de torturar y matar chicas. O no a tantas, ni tan arbitrariamente. También la vieja Darvulia parecía aletargada, carecía de auténtica voluntad de conocimiento, que según el código de valores de Erzsébet debía ser feroz, no entendiendo la piedad siquiera como concepto abstracto.

Desde el primer instante ella se dio cuenta de que Darvulia temía los castigos físicos y a la muerte. A veces la oyó gritar mientras dormía. Fue así como esa bruja se había delatado: era sabia, pero humana.

Ella, en cambio, no sentía miedo a la muerte porque en su fuero interno no la concebía como un común destino, pese a que tantas veces la vio, pese a que tantas veces la había infligido. La muerte era eso que les sucede a los demás, a los frágiles, pensaría quizá en su delirante cegazón espiritual. Y en cuanto al dolor físico y los castigos, ¿qué podía decir, sino que la excitaban desde que era una chiquilla? Ya entonces, cuando alguna vez fue castigada en estancias cerradas, con la amenaza de que allí iba a quedarse largo tiempo, y que posiblemente acudieron las ratas a comérsela, ella, impasible por fuera pero enardecida por dentro, las esperaba en vano, hora tras hora. ¿Qué se sentiría al ser lentamente devorada por las ratas? Estaba su temor a los espacios cerrados, completamente cerrados, pero allí donde la enviaban siempre solía haber alguna luz, alguna ventana. Es posible que en determinados momentos sintiese algo parecido al miedo, pero ésa era una sensación de mímesis. Imitaba a los demás. Su curiosidad por todo lo referente al sufrimiento era muy superior al miedo, incluso cuando se trataba de ella misma quien podía padecer dolor físico.

Siendo muy niña, luego de cometer alguna imperdonable fechoría, que en su caso solía tratarse de golpear a las criadas, a los palafreneros y menestrales que estaban al servicio de su familia o a sus propios parientes, Erzsébet recibió sendas regañinas acompañadas de bofetadas. Entonces, tras un inmediato sentimiento de vergüenza e impotencia, pues no tenía la suficiente fortaleza para volverse, venía otro de orgullo mancillado y deseo de venganza. Y aun después aparecía uno nuevo: aquellos golpes la habían llenado de luz, como si su efecto hubiera sido el opuesto a la intención con la que fueron dados. Aquellos golpes la despertaban de su ensimismamiento, colmándola de algo que no era la felicidad, pero se le asemejaba.

En cierta ocasión, cuando tendría catorce años, su futura suegra Orsolya la abofeteó por una contestación fuera de tono que Erzsébet le espetó agriamente en público. Hubo testigos y todos dieron muestras de su indignación. Era la primera vez que veían actuar así a aquella buena mujer empeñada en la educación de quien pronto habría de casarse con su primogénito Ferenc. Tras el bofetón, Erzsébet simplemente se la quedó mirando durante varios segundos llenos de tensión. Luego enmarcó una enigmática sonrisa, como si realmente le hubiese gustado recibir aquel golpe que ella misma provocó con su actitud hostil y sus tercos modales. Orsolya Kanisky hizo ademán de golpearla de nuevo, pero se contuvo. Jamás había visto tanta insolencia aunada en una persona. La mandó a sus aposentos diciéndole que permanecería allí dos días por su falta de respeto y su espíritu indócil.

—¡Eres una salvaje! —parece ser que le dijo Orsolya fuera de sí, esperando que con eso Erzsébet diera muestras de arrepentimiento.

Pero, lejos de hacerlo, ésta acentuó el cariz insolente de su sonrisa. La anciana sólo sabía gritar:

—*Men-j-èl... men-j-èl...!* —«Vete... vete...»

Y Erzsébet se fue, altiva y recogiendo un poco las enaguas de su falda, como si quisiera desaparecer de allí sin hacer ruido, igual que una reina que abandona por decisión propia una asamblea en la que ha atendido a sus invitados. Durante esos dos días se le subió alimento, pero permaneció allí todo el tiempo, pese a que la habitación tenía un ventanal desde el que podía divisarse el exterior. Eso amortiguó su temor a estar verdaderamente encerrada. Incluso la criada que le subía la comida tenía prohibido dirigirle la palabra. Cosa que hizo a rajatabla. Tampoco Erzsébet le dirigió comentario alguno. No lo necesitaba. Nadie podía saberlo, quizá ni siquiera ella misma, pero ahí, aislada, enclaustrada, estaba en su mundo.

También esto era una premonición de lo que habría de venir.

El caso es que cumplido el período del castigo, Orsolya Kanisky le lanzó una retahíla de admoniciones a fin de corregir su conducta en el futuro, ante la que ella se limitó a oír, silenciosa, lo que le advertían. Su mente estaba ya en otra parte, muy lejos. Y las advertencias de su suegra, así como las invectivas que al parecer lanzaron sobre ella varias de sus primas Nádasdy, a quienes escandalizaba tal actitud, no consiguieron sino que se mostrase aún más altanera. Cuando aquéllas le preguntaron por su reclusión, añadió, tranquila y sosteniéndoles la mirada, que había pasado los dos días más felices de su vida. Esto llegó a oídos de Orsolya, quien, luego de mover repetidamente la cabeza, rompió a llorar ante la interlocutora que le puso al corriente del hecho. También es probable, pues, que fuesen ciertas las palabras que le dijo Orsolya a su hijo Ferenc poco antes de su boda con Erzsébet.

—Sé que es muy bella y la quieres, pero no olvides nunca que te casas con una fiera...

Aquello debió de divertir a Ferenc, que ejercía de fiera él mismo, y para quien el espíritu dominante y rebelde de su futura esposa no dejaba de ser muestra de que había elegido por mujer a una persona fuerte, de carácter voluble y a ratos agresiva, pero que con él siempre procuró mostrarse agradable y tierna, ya que no del todo obediente.

Y también parece probable que en aquella ocasión, poco antes de sus nupcias, el bravo Ferenc respondiese a tal aviso:

—Es como todos los Báthory, madre...

Pero si en su modo de alcanzar esos estados de éxtasis Erzsébet fue dando un largo y tortuoso rodeo hasta encontrar la forma más directa para obtenerlos, lo cual era difícil en Csejthe y con su marido vivo, aunque estuviese ausente, por lo que tuvo que aguardar pacientemente a que éste no estuviera a fin de obrar con el desmedido salvajismo que la caracterizaría ya hasta el final de sus días, fue en la manera de concebir su cosecha humana donde antes empezó a dejar constancia de quién era.

Con la independencia total que le supuso no estar bajo la tutela de Orsolya Kanisky, y con el poder que asimismo suponía ser la esposa de un Nádasdy y prima del monarca de Polonia, Esteban Báthory, o de los reyes de Transilvania, inició sus incursiones en la senda del Mal dejando aquí y allá pequeños rastros. Csejthe, al igual que Bezkó, eran castillos aislados del mundo pero que, por otra parte, no dejaban de estar en lo que se consideraba la frontera austrohúngara. Buscó, pues, las excusas más dispares para pasar temporadas en sitios como Rágozci, Bittsere o incluso Pozsony, que no quedaba lejos de Presburgo, lo cual era un inconveniente pero no un obstáculo. Allí se hacía acompañar de sus acólitos, que ya por aquel tiempo eran Dorkó, Jó Ilona y el tullido Ficzkó, quienes le garantizaban cierta impunidad. Allí empezaron los secuestros, los engaños, las torturas, los crímenes.

El escudo de los Báthory, que llevaba inscrito en todas y cada una de las células de su sangre, ya había cumplido el ciclo completo, ya se devoraba a sí misma en un estático y caníbal banquete, incluso automutilándose, pero aún necesitaba de la furtividad para saciarse, para instruirse en técnicas depredadoras que iban renovándose conforme conocía más y más. Por ello nada le pareció tan idóneo como el bullicio de una gran urbe que, pese a estar repleta de gentes que vienen y van sin cesar, confiere anonimato. Así Erzsébet, quien en posadas de Praga o Presburgo y Budapest ya se hiciera conseguir doncellas utilizando siempre el ardid de que quería interrogarlas para que entrasen a su servicio, montó en esas grandes villas sus primeras orgías de sexo y sangre. Porque allí ya había sangre, sin duda. Tampoco parecía problemático hacer desaparecer los cuerpos de aquellas chicas que en las noches previas le habían procurado placer, en su especial modo de entenderlo. A diario se sabía de hallazgos macabros que aparecían en las afueras de tales poblaciones. Prostitutas, campesinas. Qué más daba. Infelices que se habían topado con quien no debían y cuando no debían. Eran simplemente carnaza, y cuando el cuerpo de una de esas mujeres era descubierto, solía pensarse que se trataba de alguna prostituta a quien habían asesinado luego de abusar de ella. En cuanto a las que no tenían aspecto de prostitutas por su edad o sus vestimentas, reconociendo todos que sin duda se trataba de campesinas, a saber de dónde provenían y cómo encontrar a algún pariente para notificarle del hecho. Más bien al contrario. Tales hallazgos, por tristes y luctuosos que fueran, constituían, tanto en esa época como en cualquier otra, un auténtico problema para las autoridades en cuestión. Esos hallazgos acababan poniendo en duda su presunta eficacia, y cuanto antes diesen por concluido el asunto, antes volverían las cosas a estar en orden. Las infelices desconocidas eran enterradas en una fosa común, y a menudo ni eso. Se les echaba cal viva luego de cavar una zanja en algún páramo solitario. Allí no había lápida ni responsorios, allí no había familia ni voces de protesta que exigiesen una investigación en toda regla. Era el destino de los pobres.

Fue así, cuando Erzsébet aún no se había decidido a utilizar con absoluta libertad su guarida de Csejthe, como descubrió Viena.

Fue allí, no muy lejos del barrio judío, célebre por la multitud de tienduchas que lo poblaban y en las que podían hallarse las preciadas *gamahés*, piedras marcadas por los astros, así como fósiles y todo tipo de amuletos, donde la Condesa instaló en una primera época su cuartel general. Eligió para ello una posada conocida como El Hombre Salvaje, y no fue vana su elección. Cuando se disponía a alojarse en tal lugar le dejaban libre uno de los pisos superiores. Por las noches, y hasta altas horas de la madrugada, el jolgorio era constante. Casi todo el mundo acababa borracho. Otros personajes de la nobleza que pernoctaron en dicho sitio se habían quejado del ruido que sin tregua les molestaba, impidiéndoles dormir. Así que dejaron de frecuentarlo, lo que constituía una ventaja para los planes de Erzsébet. El marco era ideal para esos fines que tan meticulosamente había trazado.

Al principio tenía por costumbre enviar por delante a uno de sus fieles *haiducos*, cuya misión consistía en vocear que iba a llegar una importante dama dispuesta a dar trabajo a chicas jóvenes y sanas, de las que podría disponer si luego eran llevadas con ella a Csejthe o a cualquiera de sus numerosas posesiones. Aquello causaba honda impresión entre las gentes del barrio. Los comentarios se extendían con rapidez. Para cuando ella llegaba, pues, ya disponía de una larga lista de espera. Tenía donde elegir, y aquellas desdichadas no podían sospechar lo que les deparaba el futuro inmediato. Simultáneamente, Erzsébet había ordenado nuevas obras para acondicionar los ya de por sí inmensos lavaderos de Csejthe, aislándolos aún más, mediante gruesos tabiques, del resto del castillo. Treinta años llevó la construcción de esos lavaderos que, a su vez, conectaban con una intrincada red de pasadizos que iban a dar a los calabozos y a otras frías estancias que se habían utilizado sucesivamente como almacén de grano o depósitos para el material de construcción. En cuanto Erzsébet calculó el potencial de aquella pequeña y subterránea ciudad de sombras que eran los recónditos lavaderos de Csejthe, supo qué hacer, y lo llevó a cabo sin demora. Pero ello iba a llevarle todavía algún tiempo.

Las cosas empezaron a complicarse en la posada. Era costoso sacar de allí los cuerpos de las primeras chicas que sucumbieron en las bacanales que Erzsébet había ideado hasta el detalle. Nunca tuvo en cuenta que la proporción con que se volcaba en tales orgías era mayor que la probabilidad de no dejar ninguna huella, por lo que la tarea de desembarazarse de algunos cuerpos implicaba un cierto riesgo. Tanteó ese riesgo, pero actuando siempre en el filo de la sospecha. Así se lo advirtieron sus fieles secuaces, quienes en todo momento la apoyaron en la consumación de dichas orgías. El problema es que ella seguía considerándose inmune a todo, por insensato e ilegal que esto fuera, y no ponía atención a esa parte del proceso, la más desagradable pero necesaria: borrar vestigios, no dar un paso en falso.

Además, estaba demasiado entusiasmada con las nuevas sugerencias de Darvulia y con un descubrimiento reciente que había podido contemplar con sus propios ojos: se trataba de la denominada «Doncella de Hierro». Era éste un curioso método de tortura, probablemente ideado por los turcos, que ella vio a modo de macabra rareza, pues de ése y no de otro modo se exponía en uno de los palacios de los Habsburgos. Consistía en una especie de ataúd hecho con hierro forjado, que en su interior tenía afiladas puntas, aunque no muy largas. Al introducir un cuerpo allí y cerrarse el artefacto, aquél quedaba de inmediato cosido a pinchazos. Era una forma de suplicio lento, pues las puntas de hierro entraban sólo un poco en la carne, aunque en numerosas partes del cuerpo. Según parece, un mecanismo permitía presionar más o menos la estructura del sarcófago destinado a hacer sufrir y a la muerte, pues de ahí, aunque aún con vida, uno sólo salía desangrándose sin remedio.

El entusiasmo que le produjo tal descubrimiento la tuvo varios días presa de una enorme agitación. Eso podía ser lo que necesitaba para llevar a cabo lo último que la bruja Darvulia le había aconsejado a fin de evitar el envejecimiento de su organismo, que como es lógico era en la piel en lo que se notaba con alarmante rigor. Debía bañarse con sangre de jóvenes, a ser posible vírgenes y de probada salud. Las campesinas, en ese sentido, eran las más indicadas. A toda prisa, y reuniendo a varios herreros de Viena, Erzsébet se hizo construir una réplica de la «Doncella de Hierro» aunque, según parece, no llegó a tener forma de momia sino que aparentaba una jaula, pero en vez de barrotes tenía una malla metálica imposible de rasgar desde dentro. Aquello ya le servía.

No obstante, la posada seguía siendo un sitio susceptible de despertar sospechas. Por mucha algarabía que hubiese en los pisos inferiores, donde se comía y sobre todo se bebía hasta la exageración, los gritos de las chicas podían oírse a bastante distancia.

Entonces se fijó en la antigua Casa Harmish, situada al final de la Augustinergasse, porque quedaba apenas separada por un solar lleno de maleza del convento de los agustinos. Era aquél el barrio en el que solían alojarse los nobles húngaros, y la Casa Harmish parecía en verdad un vetusto palacete deshabitado por el que Erzsébet tuvo que desembolsar una fuerte suma. Para llegar hasta él había que cruzar la puerta Stubenthür, que colindaba con la sede de los dominicos, y subir hasta la Schulerstrasse por una cuesta empinada. Ahí estaba uno de los accesos laterales de la Casa Harmish. Era una callejuela a la que nadie había puesto nombre. Poco tiempo después ya empezaría a conocérsela comúnmente como la Blütgasse, la Calle de la Sangre.

La causa era evidente: desde aquella enorme mansión se vertían muchas mañanas, al despuntar el alba, cubos y más cubos de sangre, tiñendo de rojo el precario adoquinado. Por allí se filtraba la sangre, dejando una pestilencia inconfundible. Alguno preguntó y se le dijo escuetamente que la dueña de esa mansión provenía de una zona muy alejada del país, y por lo tanto tenía sus propias costumbres respecto a hábitos alimenticios. La sangre pertenecía a animales. Terneras, cerdos, ovejas, conejos, ciervos, gallinas.

En un primer momento los vecinos, curiosos y también molestos por aquel insoportable hedor que provenía de la Blütgasse, lo creyeron. Quisieron creerlo. Necesitaban hacerlo. En cualquier caso lo otro, lo que de alguna manera ya había empezado a cobrar forma indefinida en sus conciencias, era inimaginable.

Pero las protestas crecieron. Incluso algunos monjes del convento de los agustinos afirmaron haber oído gritos humanos. Por otra parte, nunca nadie pudo ver que allí fueran transportados animales para las matanzas a las que vagamente, y siempre con malos modos, se aludía ante las lógicas demandas de explicaciones.

Allí, en el interior del caserón de la Blütgasse, Erzsébet se deleitaba en las más crueles y refinadas torturas. Sentada en mullidos almohadones de plumas contemplaba el ritual, dando órdenes escuetas y sin la menor vacilación. «Pincha allá.» «Déjala un momento.» «Corta ahí.» «Quema allá.» Poco a poco iba entrando en la dinámica de los suplicios, que para ella poseían una geometría y una filosofía particular. A veces, nerviosa y hasta desesperada de ver la ineficacia con que operaban Ficzkó, Jó Ilona, Dorkó y Darvulia, ella misma se despojaba de su lujoso vestido, o incluso simplemente se arremangaba y empezaba a torturar como consideraba oportuno.

Hasta entonces, en los castillos perdidos entre valles y abruptas montañas, se había limitado a planchar las plantas de los pies a alguna sirvienta, produciendo horrorosas quemaduras, a azotarlas o a untarles el cuerpo con miel y dejarlas después en pleno bosque, atadas a un árbol. Allí aguardaba a que los animales terminaran la tarea. Su gozo era asistir al sufrimiento de aquellas chicas, por lo cual iba a ver cada varias horas cómo seguían.

Atrás quedaron los bastonazos, los golpes con el látigo, los puntuales alfilerazos, las graduales puñaladas que daba, ella misma o sus acompañantes, en zonas del cuerpo que no supusieran una muerte rápida. Atrás quedó el tiempo en que se conformaba con abofetear o arañar a las chicas. Eso se extravió entre los muros de ignotos castillos, donde tantas y tantas veces había perdido los estribos. Y si alguna de las muchachas se mostraba especialmente rebelde, se la conducía, si era invierno, al yermo helado, sin ropaje que la cubriese. Entonces las hacía atar y, uno tras otro, iban cayéndoles encima cubos de agua que prácticamente cristalizaba antes de rozar la piel de las infelices víctimas. Su perfidia era tal que, si estaba de mejor humor, mandaba que las reanimasen, les procuraba algo de abrigo y calor a la vera de una improvisada hoguera, incluso les daba alimento. En cuanto se habían recuperado, de nuevo se reiniciaba el suplicio. Le encantaba hacer esculturas vivientes, en ese caso agonizantes. Sentía verdadera pasión por ver los espasmos de aquellos muñecos de nieve de forma humana, con largos cabellos que se petrificaban minuto a minuto, con cada cubo de agua. Nunca abandonó esa tendencia a hacer estalactitas que gemían y suplicaban hasta el último soplo de vida que les restase. Y, como sucedió con la chica secuestrada camino de Sárvár, a menudo seguía golpeando aunque ya hubiesen expirado.

Atrás quedaban las sesiones con la vara de tejo y con otra de fresno que ordenó hacer a tal efecto. Castigándolas con saña procuraba dejar marcas a lo largo y ancho de sus cuerpos. Diríase que intentaba dibujar o escribir algo en aquellas pieles llenas de magulladuras y hematomas. Entonces hacía verter vinagre o sal sobre las heridas.

Todo aquello resultaba fatigoso para ella misma, pues debía exponerse muchas horas al frío y las ventiscas. Por más que se abrigaba con pieles de martas cibelinas y armiños, por más que sobre éstas se pusiera su capa de piel de oso, el frío era a veces tan intenso que hasta a ella le parecía incómodo aquel modo de obtener diversión. Empezaba a aburrirse.

Erzsébet quería intervenir, hacerlo de otra manera. Causarles dolor con sus propias manos, y eso implicaba salir a la intemperie exponiéndose a las inclemencias del tiempo.

En el palacio de la Blütgasse, sin embargo, se sentía más a gusto. Ahí era posible mirar o intervenir, según le pluguiese. Al principio a las chicas les amordazaban la boca para impedir que sus chillidos pudieran oírse. Pero de nuevo su instinto de dragón y su hambre de loba la traicionaron. Y por partida doble.

Cada vez eran más las muchachas a las que se torturaba simultáneamente. Primero lo hicieron de una en una. Luego ella exigió que entre las chicas hubiera juegos sexuales o que se desgarrasen unas a otras, aun con las manos libres pero ya desnudas. Luego, que lo hiciesen atadas, con los dientes.

«Salvaré a quien mate a la otra», sugería, lo que nunca fue verdad, pues no quería testigos. Pero aquellas desgraciadas, que ya habían sido torturadas previamente, sabían que no tenían otra oportunidad. Así que se despedazaban mientras Erzsébet a duras penas lograba contener sus carcajadas. Con la superviviente, si la había, empezaban otros suplicios. Lo cierto es que alguna de ellas, en su lucha, se quitó la mordaza de la boca, aunque fuese por pocos instantes. Entonces gritaban. Y eso se oía fuera.

Del mismo modo en que por su perfidia consintió que aquellos lamentos pudieran ser oídos desde el exterior, ya que empezaban a tener demasiadas chicas cautivas en las diversas estancias de la casa y alguna debió de pedir auxilio desde las ventanas, también su sed de mal la llevó a contravenir las indicaciones de sus acompañantes: ella disfrutaba oyendo los gemidos de sus víctimas. Amordazadas, pues, no le servían. Un fraile agustino llamó cierta mañana a las puertas de la siniestra mansión de la Blütgasse. Habían oído gritos toda la noche, se quejó.

Una vez más se le dijo que habían matado a unos cerdos.

Era una burda mentira. Burda porque hasta los más necios son capaces de distinguir, por poco que se lo propongan, los ruidos que emite un cerdo al ser sacrificado y los aullidos de espanto y de dolor que salen de la garganta de chicas que están padeciendo suplicio. Mentira porque hasta a los cerdos y otros animales de granja se les provoca una muerte más rápida e indolora. Doble mentira dentro de la mentira, ya que no sólo infringía las leyes de la moral, sino que atentaba contra toda noción de piedad y de sentido común.

Aquel fraile agustino, probablemente, comentó sus sospechas a algún compañero. Pero también seguro que pasó cierto tiempo hasta que esas quejas y recelos llegaron a oídos de sus superiores. Y también seguro que alguno de éstos, aprovechando la cobertura de cualquier ceremonia, por ejemplo, se lo comentase a un alguacil conocido. Y aun éste habría de dar parte a las más altas instancias. Con lo que iban pasando los días, las semanas, los meses, los años. Si alguien de la autoridad judicial se presentó allí, cosa incierta, la Condesa, como es natural, ya no estaba. Y si por casualidad ese alguacil hubiese insistido en inspeccionar de punta a punta el palacete de la Blütgasse, no habría encontrado más que a un par de viejas sirvientas que nada sabían, pues acababan de ser destinadas allí desde cualquier otro alejado lugar sito entre montañas y frondosos valles. La limpieza de la casa, para borrar huellas de sangre, habría sido realizada con esmero por Kata Bonieczy y un par de lavanderas de su extrema confianza, entre las que, por lo que János llegó a saber, nunca estuvo Vargha Balintné, su madre. Para afirmar eso se basaba en una frase que con frecuencia la oyó decir durante la convalecencia que finalmente la llevaría a la tumba: «¡Cuánto me habría gustado conocer Viena!» Era obvio que si hubiese estado allí en aquel tiempo, jamás esas palabras hubieran salido de su boca.

Cuando Erzsébet se iba con su séquito de desalmados acompañantes y su arsenal de instrumentos de tortura, allí no quedaba nada que no fuesen esos rastros en las piedras de la Blütgasse, que extendiéndose como un arroyo bermellón corría hacia la Dorothergasse en dirección al solar que estaba frente al convento de los agustinos, como si quisiera pedir ayuda. Pero ya era tarde.

Sólo quedaban rumores.

El paso de los meses, o incluso de los años, haría caer todo en el olvido.

Hasta que de nuevo, y por sorpresa, Erzsébet regresaba siempre en plena noche a la Casa Harmish para iniciar el ritual.

Ella, pese a que le habían prevenido al respecto, no pensó siquiera un instante en los delatores surcos de ese arroyo que se veía en la calle. Estaba demasiado enceguecida con el ritmo que le había puesto a los acontecimientos como para prestarles atención. Ella, en las largas horas de silencio que inundaban su carroza, camino de Viena o de regreso de la ciudad, y cuando no se dedicaba a torturar a alguna de las chicas, seguía recitando de carrerilla, casi adormecida de tanto hacerlo, el *Conjuro de las nueve hierbas*. Aunque lo hacía sin mover apenas los labios. Le gustaba, sobre todo, su ritual:

> Si viene un veneno del Este
> o del Norte o del Oeste entre nosotros,
> sólo yo conozco un arroyo que fluye,
> y las nueve víboras que lo saben también.
> Crezcan las hierbas de sus raíces.
> Entonces los mares se dividen y cede el agua salada
> cuando soplo este veneno fuera de ti.

Despertaba sospechas, sí, pero éstas terminaban por diluirse en el éter y la memoria de las gentes con el transcurso del tiempo. Ella se movía constantemente, y esa baza jugaba en su favor. Por el momento.

En realidad muchos sospechaban, en efecto, pero era tal la magnitud de lo que Erzsébet hacía que nadie de entre ellos pudo imaginar de qué se trataba. Se sabía de nobles damas que gustaban de hacerse traer mujeres jóvenes de prostíbulos, lupanares y mancebías de los arrabales, pero todo quedaba ahí: era el vicio que se consentía a las clases altas, sus privilegios de casta.

György Thurzó, el Palatino, se había preguntado con frecuencia por la causa que podría haber para que Erzsébet no viviera junto a su hijo, el pequeño Pál, y eso mismo hizo recelar a Megyery, su tutor, a quien apodaban el Rojo por el color de su cabello. ¿Por qué no vivía con ella su hija Katherine, aún muy joven, por qué nunca sugirió que su hija Anna y su marido, el noble Miklós Zrinyi, hiciesen lo propio? Éste, que temía enormemente a su suegra, aunque sin conocer todavía la razón de tal aversión, ya le había comunicado a Megyery el hallazgo de aquel cuerpo enterrado en las afueras del castillo de Pistyán, camino de Sárvár. Y éste, a su vez, se lo dijo al Palatino. Poca cosa más haría por aquel entonces el Palatino que decírselo a su ayudante György Zavodsky, quien se mostraría igual de perplejo que su superior.

Todos intuían, pero nadie hacía nada. ¿Quién podía atreverse a dar el primer paso, y en base a qué? Su hija Orsolya, llamada así en recuerdo y honor de su difunta suegra, vivía muy lejos de Erzsébet. Y poco o nada le interesaba de cuanto ocurriese en el castillo. En cuanto a Katherine, nunca se llevó bien con su madre. Ésta consiguió casarla con un noble francés llamado Georges Drughet, Señor de Homonna. No molestaban. Con Anna sucedía otro tanto. La invitaba cada mucho tiempo, pues Miklós Zrinyi siempre fue reacio a ir a Csejthe, y sólo acudía allí cuando alguna celebración especial lo requería. Aun así, avisaban con varias semanas de antelación. Daba tiempo a borrar huellas. A adecentar los escenarios de los crímenes.

Erzsébet, mientras vivió su marido, hacía esfuerzos por disimularlo. Así, queda constancia de una misiva que le envió, y que concluía del siguiente modo: «Yo estoy bien, pero me duelen la cabeza y los ojos. Dios te guarde. Te escribo desde Sárvár, en el mes de Santiago de 1596.» Invocaba a Dios, se atrevía a hacerlo cuando en realidad de Sárvár iba a ir a

Viena, o regresaba de allí, tras hartarse de manchar su Sagrado Nombre. Le dolían la cabeza y los ojos. Eso probablemente fuese cierto. Pero era de cuanto había visto y hecho.

El propio clérigo del pueblo de Csejthe, el anciano András Berthoni, septuagenario y enfermo como ahora János, llevaba bastantes años sospechando. Pero era él, precisamente, quien más atemorizado debía de hallarse por lo que estaba pasando, y de lo que su escasa feligresía sin duda iba poniéndole al corriente conforme las desapariciones se sucedían y los rumores cobraban forma.

Al principio era la propia Erzsébet, ella misma en persona, quien irrumpía en plena noche interrumpiendo su sueño para ordenarle que enterrase a varias muchachas. Y así, vez tras vez, Berthoni lo anotaba en su Diario: «Ayer por la noche hube de dar cristiana sepultura a varias chicas, fallecidas en el castillo de la Señora.» Y: «Anoche tuve que salir precipitadamente para bendecir parcelas de campo donde algunas mujeres serían enterradas.» O: «Hoy he vuelto a enterrar a nueve muchachas del castillo, cuyo óbito, según parece, se ha debido a una enfermedad misteriosa.» Todo eso, y seguro que con otras notas más directas y aclaradoras del tamaño de sus sospechas, lo leyó el que sería su sucesor, el pastor János Ponikenus, quien supo que la cripta de Csejthe no admitía nuevos cadáveres, mientras que los campos adyacentes iban llenándose de cuerpos sin vida de habitantes del castillo, que, paradoja donde las hubiese, siempre pertenecían a chicas del servicio. Nunca un hombre. Nunca una mujer mayor. Nunca un niño de la decena que, como János Pirgist, vivían allí y con los que, por ser de edades distintas a la suya, él no soliese jugar con ellos. Los había más pequeños y algo mayores. Ponikenus, que llegó a Csejthe hacia 1608, cuando ya la dinámica de los crímenes había adquirido su mayor intensidad, no tuvo tantas oportunidades como su anciano antecesor para descubrir algo que implicase a la Condesa, pues entonces se deshacían de los cuerpos quemándolos en cualquiera de las enormes chimeneas que había en el castillo, o los enterraban de madrugada en los campos. Y si al pastor Berthoni la Señora le daba entre ocho y diez florines de oro anuales, así como más de cincuenta quintales de trigo y diez toneles de vino, a Ponikenus aún le otorgó más compensaciones. Ella debió de creer que era una forma de tener su boca cerrada, pero se equivocaba, porque Ponikenus ya había leído lo que Berthoni escribió para él en unas notas que, por desgracia, se perdieron para siempre. Estaba al acecho, y Erzsébet lo sabía. Por eso en todo momento procuraba eludir su presencia. A diferencia de Berthoni, al pastor Ponikenus ya nunca le mandaba subir al castillo para oficiar algún responso, ni siquiera en las fechas más señaladas del calendario cristiano. Tampoco ella bajaba, como antaño hiciera, a la pequeña iglesia del pueblo, también en esas fechas significativas. Vivía recluida entre los muros del castillo, y esas reclusiones sólo se rompían con alguna salida inesperada, hecha en la furtividad de la noche.

Así fue cómo, después de una de aquellas estancias en Viena, y seguro que encolerizada por algo que había salido contrario a sus deseos, llegó de improviso a su castillo de Ecsed. Allí se hizo acompañar de sus fieles y de una muchacha de la que, según parece, se encaprichó nada más verla. Robusta, rubia y muy trabajadora. Se llamaba Petra Kolinskáya. Era de corta estatura pero muy bella, y se la había hecho traer en un viaje de casi un mes desde las tierras de más allá del Eger. Primero pensó en ponerla en la lista de espera de las que aguardaban su turno en Csejthe, pero pronto se impacientó. De modo que, en compañía de esa única chica, pero siempre contando con la colaboración de su guardia pretoriana de honor, se dirigió a Ecsed. Una vez allí, perdió definitivamente la paciencia con ella. Ya la noche en que llegaron a Ecsed la hizo subir a su aposento. Mandó que la ataran con correajes, tendida en el suelo. Luego la emprendió a mordiscos y arañazos por todo su cuerpo, mientras ella misma, desnuda, se frotaba lúbricamente contra el de la chica. Mucho debió de gritar la desgraciada, pero ahí no era como en Viena. Ya podía implorar, que nadie la oiría. En un momento dado, Erzsébet se abalanzó de nuevo sobre ella, y, con sus propias manos, empezó a tirar de la boca de la muchacha hacia ambos lados. La otra chillaba cada vez más. Furiosa, Erzsébet le desgarró por completo la comisura de los labios y posteriormente, cuando la tuvo desvanecida de dolor, besó repetidamente aquella boca desfigurada. Extrajo sus ojos con las uñas y recitó frases incomprensibles incluso para sus propios ayudantes, que asistían sorprendidos a la escena, pues aquello era novedoso: la Señora atacando como una loba, precisamente como una loba, a su víctima, hasta descuartizarla con sus propias manos. Ellos debían de temerla más que nadie.

Petra Kolinskáya tuvo que ser enterrada en alguna fosa improvisada por los alrededores del castillo de Ecsed. Al llegar de nuevo a Csejthe, Erzsébet dejó escrito en su cuaderno de notas, que era un breviario de la sevicia: «Petra. Era muy baja.» Tal fue el destino de esa inocente muchacha.

Ahora János Pirgist vuelve a pensar en cierta frase de San Agustín, y que durante todos estos años le sirvió como punto de apoyo en sus dudas e incluso en los remordimientos por no haber sido capaz de enfrentarse a sus recuerdos: «Ya que Dios es el bien supremo, Él no permitiría la existencia de mal alguno en el mundo a menos que su omnipotencia y bondad fueran tales que lograran sacar algo bueno aun del mal.»

¿Tenía razón San Agustín al escribir tan piadosas palabras? Malhadadamente el caso de Erzsébet le quitaba todo crédito a dicha aseveración. Pero ¿y Dios? ¿Por qué había consentido impasible, aun siendo omnipotente, todo aquello, por qué? ¿Qué Dios podía ser ése, que asistió impávido a los suplicios sin fin de tantas criaturas puestas por Él en el mundo, y que nada malo habían hecho, sino todo lo contrario, se limitaron a ser alegres, jóvenes, trabajadoras y a vivir? Esos pensamientos le llevaban al borde de la desesperación. Entonces se aferraba a otro. El buen Dios seguía moviendo sus fichas. Apretaba el cerco sobre el Monstruo, aunque para ello debieran sucumbir otras muchas inocentes. Así sucedería algo que desencadenó lo que al principio no hizo más que acelerar la pulsión sangrienta de la Condesa, pero que a la larga iba a girarse contra ella.

Darvulia, la maldita bruja de los complicados conjuros, la que introdujo a Erzsébet en los enigmas de las plantas, la primera que le recomendó bañarse en sangre de jóvenes para conservar la tersura de su piel, murió una noche en Csejthe. Aquella misma madrugada salió la carroza de la Condesa con el cuerpo de Darvulia. La llevaron a un bosque lejano y allí, en un recóndito paraje, fue enterrada como ella misma deseó, entre maléficas invocaciones que, sin embargo, no servirían para salvar su alma. Erzsébet se quedaba huérfana, aunque esa pérdida en el fondo la alivió, pues ya estaba harta de Darvulia y su bagaje de conocimientos de lo oculto.

Todo a su alrededor se desmoronaba con lentitud. Tan lenta y suavemente como había ascendido.

Ahora era ella la Tigresa. Ella quien debía reaccionar. Ida para siempre su maestra, no pensaba quedarse quieta.

Y no lo hizo.

PARTE SEGUNDA

LLEGÓ LA GOLONDRINA

> Por fin llegó la golondrina, allá arriba,
> a la ranura de la ventana; miró hacia
> adentro entre la luz verde de la habi-
> tación, y no le gustó lo que vio.

VALENTINE PENROSE

PUCHORW

Era la época del cuclillo y las mimosas.

Pasaba el tiempo y Erzsébet cada vez salía con menos frecuencia a dar aquellos largos paseos a caballo que antes la vieran cruzar al galope los campos. *Visar*, en los establos repletos de heno y alfalfa, engordaba y se volvía perezoso. De vez en cuando, si decidía a salir al exterior, lo hacía en su carroza, siempre bajados los cortinajes de terciopelo negro y granate. Negra aún la gran capa de piel, negros los vestidos, ya sin ceñidos corpiños, como cuando aún quería gustar. Negro el sombrero que llevaba alrededor una cadenilla de fino oro y un rubí engarzado en la frente. De ahí pendía, algo torcida, la pluma blanca, como si fuese un presagio de su antigua lozanía, que ya iba marchitándose mientras las estaciones se sucedían unas a otras, plegándose una sobre otra, fundiéndose una en otra. Erzsébet, si aún le quedaba un resquicio de lucidez en sus ojos, si aún, sorprendiéndola en algún momento, era capaz de ver el curso de las cosas racionalmente, aunque esto le acaeciese en proporción justamente inversa a la que en las personas normales sobreviene la fiebre, es decir, cada bastante tiempo y durante unas horas, por fuerza tuvo que darse cuenta de que envejecía sin remedio.

El ala blanca del sombrero era lo único puro que quedaba en ella, porque todo en su entorno era oscuro y descorazonador. El ala de la locura batía con denuedo, asfixiándola. Como ella había asfixiado a tantas muchachas a las que odió, aun comprendiéndolo conforme lo hacía, eso resultaba en vano, por el simple hecho de ser jóvenes. No quiso entender que eran jóvenes de momento, pero que en el futuro también envejecerían. Puede, incluso, que en su absoluta locura llegase a creer que arrancándoles la vida les hacía un favor: privarles del mayor de los castigos, que era envejecer. Puede. Pero a ninguna de ellas le preguntó al respecto. Tan sólo les privó, a su manera salvaje, de lo único que tenían, la existencia.

Llegó así la época del bochorno y la campiña reseca, cuando los estorninos dibujan formas indescifrables en el cielo, que son como augurios de amor alado. Cuando los labradores se toman descansos a la sombra de olmos y álamos. Cuando ella misma, años atrás, detenía durante un rato sus galopadas en las que nadie era capaz de seguirla, para tumbarse sobre la hierba a los pies de una acacia de dulces y embriagadoras flores, en la vasta llanura. Y después volvió de nuevo el frío, cuando ya no cantan los pájaros matutinos, aunque sí el mirlo y la corneja entre las ramas de algún árbol protector.

A Erzsébet le daban igual la abubilla, el verderón, el cuervo, el jilguero o los gorriones. Ya no se hacía poner el cuerpecillo sin vida de uno de esos pájaros en la frente para aliviar sus jaquecas, que iban en aumento. Llevaba la enfermedad dentro, muy dentro, y para esa enfermedad no eran necesarios los médicos ni las manos expertas en acicalar a las mujeres, haciendo que parecieran tener menos años de los que en verdad tenían.

Esa enfermedad era la vida, su propia vida, que remitía lentamente. Podía contemplarla como hacemos ante una flor que se marchita y pudre con rapidez una vez ha cumplido su ciclo. Pero ella se sentía arrancada de su tallo. El ciclo aún no se había cumplido, no el suyo. Y, al sentirse arrancada de su tallo, notó que perdía contacto con la tierra, con su humedad benefactora, sus raíces llenas de esa otra vida que hasta ahora siempre supo encontrar. Pudiendo haber hecho otra cosa, como resignarse o seguir haciendo lo que hacía, dar rienda suelta a sus bestiales apetitos de tanto en tanto con la inútil esperanza de frenar un imparable proceso físico que iba deteriorándola a ojos vista, hizo justo todo lo contrario, aunque esto no dejaba de ser consecuente, siendo quien era y haciendo lo que ya había hecho: enloqueció más aún.

O, para ser exactos, enloqueció del todo. Puso el pie, con firmeza, con desesperación, en el camino del no-retorno, de la huida hacia adelante. Para ello hizo dos cosas que tendrían capital importancia el resto de su vida, y que de algún modo marcarían lo que le quedaba de ésta.

En primer lugar, y luego de un fugaz viaje a Viena realizado con el mayor de los sigilos, pues sabía que allí era acechada tanto por ciertos vecinos de la antigua Casa Harmish como por los frailes agustinos, sacó del lugar su «Doncella de Hierro», haciendo que un relojero vienés se la adecuara según sus consignas. Había que cambiar los clavos que tapizaban el interior, poniéndolos algo más largos y afilados, entre otras cosas. Esperó ansiosa a ver el resultado de este encargo y, una vez lo tuvo ante sí, se mostró satisfecha. Ardía en deseos de utilizarlo, pero aún debía disimular ante el artesano. ¿Habló a alguien el relojero encargado de adecuarle esa versión de uso particular de la «Doncella de Hierro» que había en un palacio de los Habsburgos? Pero, si fue así, nada se llegó a saber. El capricho de una viuda, noble y medio loca. Se equivocaría al juzgarla. Lo hizo de ese modo, tan frívolamente como tantas personas influyentes tuvieron que hacer durante años, permitiéndole, sin saberlo, seguir con sus crímenes, por credulidad.

No era un capricho ornamental sino un instrumento de trabajo, tan necesario para la vida de Erzsébet como el azadón para un campesino o la pica para un albañil.

No era viuda, pues nunca sintió que estuviese realmente casada con el tosco Ferenc Nádasdy, ya que a ella le atraían los cuerpos de su mismo sexo, pues eso era lo que verdadera y únicamente adoraba: su propio cuerpo. Además, siempre había estado convencida de que aquellos bonitos cuerpos que seccionaba y mutilaba eran un mismo cuerpo. Se dividían, ella los dividía en busca de hallar una unidad superior, en comunión con el suyo. Al final de todas las imitaciones aparecía siempre el Maligno pidiéndole más y más.

No era noble. De ninguna manera podía sentirse como una de tantas damas de la nobleza, que no sabían hablar de otra cosa que de joyas, vestidos y fatuidades, cuando no de las proezas bélicas de sus cónyuges. Su mera cercanía la exasperaba, sin más. Ella pertenecía a otra aristocracia, a otra realeza muy distinta a la de los Beckov o esos odiosos Illesházy, que poco antes se habían hecho dueños de la región de Trenĉiansky, y cuyos dominios se extendían hasta Zilina, por el norte, y Bojnice y Velkritis por el este, habiéndola encerrado a ella, que aunaba en su egregia persona el poder de los Báthory y los Nádasdy, dejando atrás las casas más influyentes de Hungría, en aquella inmensa zona boscosa salpicada de planicies que quedaba entre las cuencas del Vág y del Morava. Cerca de Presburgo y de Viena, no excesivamente apartada de Praga y Budapest pero lejos de todas partes, lo cual era en sí mismo mucho mejor para sus fines. Erzsébet, desposada en curiosas nupcias con las fuerzas ocultas, era una aristócrata del Mal, y esa condición nadie se la podía arrebatar.

Tampoco estaba medio loca. Siempre aborreció los términos medios. Siendo aún niña no se limitaba a torturar animalillos que hubiese apresado. No, ella quería matarlos, extinguirlos, aunque fuera lentamente. Así se reafirmaba su sentido de la vida. Destruyendo, llevando el miedo y el dolor doquiera estuviese. Y aun cuando en los ojos de sus sanguinarios colaboradores pudiera ver de tanto en tanto un rictus de temor, el desconcierto que produce lo horroroso inimaginable y sin embargo frecuentemente consumado, aunque en tales miradas leyese: «Está medio loca», ella debió de decirse a sí misma que no era cierto. O que, de estarlo, ella estaba absoluta y lúcidamente loca. Le exaltaba la certidumbre de ese tipo de locura, si es que en sus sentidos lo era, lo cual parece dudoso.

La segunda cosa que hizo, una vez pudo recuperarse de la pérdida de Darvulia, más emblemática que útil para sus perversos menesteres, fue buscar con tesón un punto de apoyo que la ayudara en sus nuevos proyectos. Quería una sustituta, quería a la mejor. Sondeó aquí y allá. Mandó a sus fieles a que preguntaran a las gentes de apartados lugares. Así, durante meses estuvo indagando por las regiones del Tribec y los montes Vértes y Bakony. Aún envió emisarios más lejos, hasta las cadenas montañosas de Făgetului y Căliman, hasta los riscos de Lăpusului y los Făgăras, en los Grandes Cárpatos. Así fueron llegándole informaciones de Ratot, de Aba, de Pók, de la casi inhabitada región de Borsa. Estaba empezando a desesperarse, lo que hacía aumentar su ira y mal humor, que indefectiblemente solía traducirse en accesos de renovada crueldad. Pero si las torturas y los crímenes podía cometerlos ella sola, con la escasa pero eficaz ayuda de sus tres incondicionales servidores, necesitaba ese otro punto de apoyo espiritual que justificase sus acciones. Ella era sacerdotisa, pero aún no maestra. Tal papel por fuerza debía representarlo alguien como Darvulia, avezada en lides ocultas. Y por fin halló. Exultante, nada más verla supo que había dado con lo que buscaba.

Su nombre era Ezra Májorova, aunque las gentes del remoto confín desde el que se la hizo llegar la conocían desde hace mucho como la bruja de Miawa, lugar que paradójicamente no estaba muy lejos de Csejthe, donde acaba el río Nytra, aunque fue hallada en un sitio distante de esa región.

Un diamante en bruto extraído con simbólicas pinzas de los bosques de Miawa, donde apenas entra la luz. Una filósofa de las tinieblas. Parca de palabras y llena de sabiduría.

Fría como el hielo ante la contemplación del dolor ajeno. Visionaria. Una iluminada y prestidigitadora del pánico. Lo que Erzsébet anhelaba.

Mājorova contaba ya una elevada edad, pero no era tan anciana como Darvulia, siempre achacosa y, al parecer, reticente en un principio ante ciertos excesos que estaba presenciando y con los que no contaba. Darvulia caminaba como si se arrastrase, e iba en todo momento cubierta con un capuchón que le cubría el rostro. Mājorova, por el contrario, no utilizaba su larga capa con capucha salvo cuando salía al exterior, aunque fuese por breves momentos. No tenía un rostro agraciado, pero lo lucía con provocadora ostentación, pese a que una desagradable y ancha cicatriz le cruzaba el mentón de lado a lado, lo que a muchos resultaba repulsivo. No a Erzsébet, quien de ese modo hallaba motivos para valorar su propio cutis, pese a todo bien conservado.

Cuentan que una de las primeras preguntas que le hizo la Condesa, en lo que sería más un interrogatorio que un simple intercambio de pareceres, fue por esa cicatriz que, se dice, Mājorova tenía desde su infancia. La escueta contestación de la otra fue:

—Un oso reticente...

Eso debió de cautivar a Erzsébet, porque tenía visos de ser cierto. Aquella mujer, no enjuta ni doblada sobre sí misma como Darvulia, sino alta y llena de energía, se había enfrentado con un oso siendo aún casi una niña. Como la Condesa quisiera saber más de ese episodio, Mājorova le dijo:

—Se mostró indócil, pero al poco tiempo era ya mi fiel animal de compañía.

Aquello era definitivo. Confirmaba la leyenda según la cual a Mājorova se la había visto acompañada de lobos salvajes a los que acabó sometiendo con el solo poder de su mirada. De Darvulia, en cambio, se oyeron cosas parecidas, pero eran únicamente rumores. A Darvulia siempre le fueron afines los gatos negros. Lo cierto es que ahora Erzsébet necesitaba creer cuanto Májorova le contase. Que fuera del todo cierto o no, ¿qué más daba, si lo era en su febril imaginación?

El propio János Pirgist tuvo oportunidad de ver a Májorova varias ocasiones, bajo la lluvia, en el lodazal del patio del castillo, pero iba cubierta con su capucha y por eso no logró distinguir ninguno de sus rasgos. Caminaba con decisión, pese a utilizar un largo cayado con el que, como Darvulia con el suyo, daba órdenes precisas. Ese cayado imponía respeto, pues no en vano debía de tratarse de la única arma con la que se había enfrentado a lobos, osos y otros animales salvajes. Sólo una tarde, correteando por los pasadizos contiguos a los lavaderos, Pirgist vio pasar junto a él a Májorova, que iba sin la capucha puesta. Extremadamente delgada, el pelo cano y recogido en un moño desigual, duros los rasgos del rostro, arqueó ligeramente las cejas al ver a ese niño mientras jugueteaba en el suelo con varias piezas de madera.

Y él, experto en no mirar, en mirar sin ver, la observó unos instantes. Su corazón palpitó con fuerza, pues intuía, ya entonces, que aquella inquietante mujer había llegado al castillo en sustitución de la otra. La que recogió un pie blanco ribeteado de hilillos rojos y lo introdujo dentro del saco que transportaban. De pronto Májorova se detuvo y le preguntó su nombre. El tono era imperativo, pero no amenazador. Seguramente era el primer niño que veía en Csejthe, y eso debió de extrañarla:

—*János nak lívnak...* —repuso él, cabizbajo, mientras con la uña rascaba una de sus piezas de madera. «Me llamo János.» Nada más podía decir, nada más debía decir. A partir de ahí una nebulosa se hizo fuerte en su conciencia. Cree, aunque ése es un recuerdo muy confuso, que la mujer le preguntó cuántos años tenía, ante lo que él se encogió de hombros. Entonces Májorova, mientras se iba, dijo algo en dialecto *tôt*, con el que solía dirigirse a las chicas, al igual que

Darvulia o Jó Ilona, dialecto que la Condesa entendía a la perfección, aunque sólo lo hablaba de tanto en tanto y midiendo mucho sus palabras. Era como si la excitara oírlo, sobre todo mientras se prolongaban las torturas. Dorkó también lo hablaba, aunque poco, y muchas de las jóvenes que habían sido secuestradas entendían o se expresaban en tal dialecto. Aquella tarde János se quedó quieto como una piedra. Sin moverse de donde estaba, un rincón del pasillo, entre varios toneles, permaneció hasta que los pasos se alejaron definitivamente. Fue entonces cuando le sacudió un ligero temblor, al ser consciente del peligro en que había incurrido por estar jugando ahí. Pero resultaba desesperante pasarse todas las horas del día en los dormitorios de los lavaderos, con aquella humedad y frío, siempre en penumbra.

La bruja de Miawa, pues, hizo su aparición en Csejthe como la segunda señora de aquellos dominios. Así lo había ordenado Erzsébet, dejando el asunto sin que quedase el menor género de duda. Cuanto Májorova pidiese o necesitara, debía concedérsele de inmediato, cosa que nadie osaría poner en entredicho ni por un segundo. Además, allí todos juzgaban verdaderos sus poderes.

Como Darvulia, adquirió desde muy joven los secretos de las plantas. Creía en el acónito y el beleño, creía en la mandrágora, la belladona y el extracto de amapola, pero es posible que, luego de hablar un rato con Erzsébet y saber lo que ésta llevaba en mente, ya no tanto la inmortalidad sino algo más prosaico como demorar en lo posible su envejecimiento, evaluase a lo que debía enfrentarse. Quizá ella hubiera domesticado a lobos y osos salvajes, posiblemente dándoles de beber de esas pócimas hechas con hierbas del bosque, apresándolos luego, alimentándolos después y apaleándolos simultáneamente. Así hasta que reducía a nada su fiero instinto y se volvían dóciles perrillos. Quizá. Pero ahora, y por una inesperada jugada del destino, se enfrentaba a la madre de todos ellos, la loba con forma de mujer cuya sed de sangre parecía no tener fin. Y ahí, como también debió de pensar Darvulia al llegar a Csejthe, había un problema de supervivencia. Era necesario ofrecer a Erzsébet lo que ésta demandara. A costa de lo que fuese, había que engañarla. Mediante jarabes o ardides, tanto daba. Mediante conjuros o rituales satánicos que le hiciesen creer que estaba trabajando en su favor. Porque tuvo que comprenderlo nada más conocerla. Esa loba humana se había atrevido a aquello a lo que no se atreven los animales salvajes: atacar gratuita e implacablemente a sus congéneres.

La bruja de Miawa, por tanto, adecuó su táctica a las circunstancias en las que de súbito se vio inmersa, o más bien atrapada. Se enfrentaba a alguien que había roto por completo con el mundo exterior. Era peligroso en extremo pues, exponerla a tales peligros, que en cualquier momento podían desencadenar el desastre. Ella misma la había visto reaccionar ante determinadas noticias que algún visitante al castillo, aunque fuera de paso, le hacía saber de cuanto acontecía en el mundo y que a cualquier otra dama habrían intrigado hasta el punto de hacerle preguntar más detalles sobre temas que interesaban a las gentes nobles.

Ni los acontecimientos más espectaculares que seguían acaeciendo en el continente lograban captar nunca el interés de Erzsébet. Así, tenía diecisiete años cuando se enteró de una noticia que, extendiéndose como la pólvora, vino a conmocionar a todas las cortes de Europa: la ejecución de María Estuardo en Inglaterra. Esta reina, fervorosa católica, era nieta de Margarita Tudor, la hermana mayor de Enrique VIII, y por tal razón la más sólida heredera al trono inglés. Incluso, mientras fue esposa de Francisco II de Francia, se hizo denominar reina de Escocia e Inglaterra. Viuda a los dieciocho años, y de regreso a Escocia, casó con lord Darnley, quien moriría asesinado en su residencia. De esa muerte fue acusado lord Bothwell, aunque nunca pudo probarse tal hecho. La nobleza presbiteriana se indignó contra la reina, a la que hizo encerrar en un castillo obligándola a abdicar en su hijo Jacobo, pero por ser éste de corta edad quedó como regente el Conde de Murray. Al poco María consiguió huir, y buscó refugio en Inglaterra. Pero allí Isabel Tudor, a la sazón reina de ese país, se negó a recibir a María, manteniéndola casi veinte años presa, siempre temiendo que se acogiese a las cortes de España o Francia para desatar la guerra. El Papa de Roma declaró bastarda a Isabel, y las sublevaciones se sucedieron por todas partes. Ni su hijo Jacobo VI de Escocia ni Enrique III de Francia parecían partidarios de acudir en auxilio de María. Sólo Felipe II de España se enfrentó a los ingleses con su terrible armada, pero ésta sufrió un gran descalabro, lo que envalentonó a los partidarios de Isabel, quien nunca dudó en servirse de las argucias de famosos piratas que actuaron a las órdenes de Drake, Howard o Raleigh. Así, siendo considerada Isabel Tudor el gran baluarte de la Reforma protestante y Felipe II el paladín del catolicismo, el caso de María Estuardo se convirtió en una cuestión de política y religión, mezcla que acostumbra a ser letal para que se imponga la cordura. No fue difícil inventar un complot cuyo fin era asesinar a Isabel, y tras el que estaba, supuestamente, lord Babington, afín a la Estuardo. Era la ocasión para condenarla a muerte y ejecutarla, sentencia que Isabel firmó sin que vacilase su pulso en ningún momento. María, a la que también se acusaba de intentar la sublevación de los nobles católicos escoceses y de la deserción de su ejército en Carberry Hill años atrás, fue decapitada en Fotheringhay. El relato de tan lamentable acontecimiento, que habría de influir tanto no sólo en Inglaterra sino también en Europa, emocionó a todas las cortes sin excepción. Se hizo de ella casi una santa, y llegaron a contar que en el momento en que ponía su cuello bajo el hacha del verdugo, una vez su cabeza había sido cortada, todos los presentes se espantaron al ver salir de entre sus enaguas al pequeño perro caniche que la acompañaba habitualmente, y que al parecer había seguido a su dueña hasta el patíbulo sin que nadie se apercibiese de ello. Ver a aquel diminuto can empapado de sangre y profiriendo lastimosos gemidos fue algo que contribuyó a mitificar cuanto rodeó a aquella desgraciada reina. Es muy posible que Erzsébet oyese los detalles referentes a la decapitación de María Estuardo y el episodio de su perrito. De ser así, posiblemente, y al contrario de lo que sin duda ocurriría con otros nobles, se sintiera cautivada por tan macabra anécdota. Ella estaba mucho más allá de lo que aconteciera en la lejana Inglaterra, más allá de los problemas resultantes de la Reforma y de quienes la combatían, más allá de reinas espurias y reinas intrigantes, más allá de perrillos y sangre. Ella vivía cegada por sus propias experiencias, y todo lo venido del exterior se le antojaba insustancial.

Poco o nada pareció importarle a Erzsébet que el Papa de Roma, Urbano VII, hubiese fallecido recientemente, o las interminables disputas entre la casta eclesiástica para hallar un sustituto en la curia vaticana.

Poco o nada le importó que hubiesen quemado en la hoguera a varios sabios, entre ellos uno llamado Giordano Bruno, por cuestionar, siquiera ligeramente, ciertos presupuestos inherentes a la fe en relación al movimiento de los astros.

Poco o nada le interesó el nacimiento del que sería futuro monarca de Francia, Luis XIII, hecho que dio que hablar en todas las cortes de Europa, como tampoco le habían importado las desavenencias que en dicho país sembraron la discordia y la muerte, al enfrentarse las casas de los Anjou, los Guisa y los Valois. Ni le importó en su día la ejecución de María Estuardo, ordenada por Isabel Tudor de Inglaterra, ni siquiera el asesinato del rey Enrique de Francia a manos de un tal Ravaillac. Ni el fin que tuvo ese regicida, desmembrado por varios caballos que acabarían troceando su cuerpo.

Poco o nada le impresionaría que Matías II hubiese accedido al trono de Hungría, algo que tanto debía de afectarla ya que, a diferencia de su inmediato antecesor, Rodolfo de

Habsburgo, este nuevo rey parecía firmemente dispuesto a perseguir a brujas y nigromantes, así como a abolir de una vez por todas las prácticas contrarias a la religión cristiana. Ya no creía en nadie. ¿O acaso el propio Lutero no había llegado a pactos y secretas connivencias con algunos *pachás* turcos con tal de combatir a sus propios hermanos de fe? Vivía entre una saga de cainitas, de ahí su total desapego por todo.

Poco o nada parecía importarle a Erzsébet que falleciese Stefan Illesházy, quien ocupaba el cargo de Gran Palatino, y que su sucesor fuera un pariente de la propia Condesa, György Thurzó, asimismo hombre piadoso y enemigo mortal de la magia negra y sus creyentes. O, si le importó, ya era demasiado tarde.

A ella nada podían afectarle ni esos personajes ni esos acontecimientos. Ella estaba muy por encima de cuanto acaeciese, en su ola de locura y placeres de cariz maligno. A ella seguía preocupándole únicamente lo que a diario veía en el espejo. Una nueva y apenas insinuada arruga, un pliegue de la piel que antes no estaba. Esa carne de brazos, cuello o muslos que se volvía fláccida por momentos. A ella seguía obsesionándole, sobre todo, la sangre, fuente de toda vida y esperanza.

La bruja de Miawa constató que el poder que sobre Erzsébet ejercían los brebajes y pócimas era cada vez más leve. Estaba tan llena de ellos que, con toda certeza, su organismo se había empezado a inmunizar. Májorova, astutamente, sondeó a la Condesa acerca de sus estados de ánimo y sus visiones. También respecto a lo que más le placía y hasta qué extremo se hallaba dispuesta a llegar.

Pero para aquel entonces Erzsébet Báthory hacía ya bastante tiempo que rebasó el límite, incluso su propio límite. Se trataba de, al menos, hacerla creer que no retrocedería en sus progresos en lo alcanzado hasta la fecha. No cesaron ni los ungüentos hechos con vísceras y órganos de animales, ni las pócimas elaboradas a partir de raras plantas, pero se cuenta que la bruja de Miawa decidió retomar un camino que ya Darvulia emprendiese con su pupila, aunque siempre temerosa de cruzar la frontera de la razón. Así, paulatinamente fue consiguiendo que Erzsébet tomase más cantidad de esos pequeños pasteles hechos de extracto resinoso de la planta llamada cáñamo, y cuya ingestión oral ella conoció de algunos magos turcos. Aquello era lo que, según le contó la propia Erzsébet, había logrado ponerla en trances que duraban horas. Era entonces cuando se desataba toda su lascivia, que siempre iba confundida con la cólera. Era entonces, sólo entonces, cuando alcanzaba las más altas cotas y su ser entero se desplegaba como las alas de una águila. Podía ver las cosas desde su interior o salirse del cuerpo, era posible captar los infinitos matices del miedo y del dolor, aunque también del propio placer, hasta apurar la copa de ese sacrílego cáliz.

Ezra Májorova se las ingenió para que Erzsébet, que estaba dispuesta a todo con tal de que no descendiese su vuelo, siempre a la caza de presas, siguiera tomando aquellos pastelillos que olían a musgo y tenían sabor a hierba mojada, pero con un penetrante e inconfundible aroma silvestre que los hacían diferentes a todo.

Y los trances continuaban. Es posible que, en cantidades mucho menores, también Dorkó, Jó Ilona, Ficzkó y la propia Májorova tomasen aquello, pues estar en trance parecía necesario para hacer lo que hacían. Lo que seguro que tomaban era *schnapps*, un poderoso y dulzón aguardiente que los desinhibía del todo. Lo importante, sin embargo, no residía en las visiones. Éstas no eran sino un estado más. El fin, el abrumador corolario de aquella búsqueda incesante y de aquellas sesiones de tortura y muerte, era la sangre.

Pronto Májorova le descubrió otra joya que no estaba relacionada con las gramíneas y las solanáceas: cierto brote que a modo de cizaña sale de las espigas del cornezuelo, y cuyas semillas, trituradas y hervidas, provocaban fuertes alucinaciones. Ya los asirios mencionaban en sus textos lo peligroso de una pústula nociva que nace en la espiga del cornezuelo. También perfeccionó la ingestión de la resina del cáñamo, calentándola, y de la que tres mil años antes de Cristo un libro chino, el *Sheng Nung*, decía: «Tomada en exceso tiende a mostrar monstruos, y si se usa durante mucho tiempo puede comunicar con los espíritus y aligerar el cuerpo.» En efecto, para Erzsébet el tiempo se detenía durante horas o se concentraba portentosamente en una fracción de segundo. Májorova no olvidó hacerla frecuentar los diversos tipos de hongos, tanto los que le propiciase Darvulia a veces como otros que nacían en las defecaciones del ganado vacuno, o entre el estiércol. También probó con la amanita muscaria, de la que llegó a decirse, según versiones paganas, que el propio Jesucristo era jefe de una secta que consumía dicha seta. Erzsébet era anfibia y a todo se acomodaba, todo quería probarlo.

Comprendió la bruja de Miawa que Erzsébet, muy por encima de los productos nacidos de la tierra, estaba completamente obsesionada por el hecho en sí de la sangre, por su milagrosa existencia, incluso sin contar los poderes que ésta podía transmitirle. Hasta que no había sangre de por medio la Condesa no se apaciguaba, además de que su cuerpo parecía una esponja capaz de admitir de todo. Pero en cuanto aquélla aparecía, su semblante se transformaba en el acto. Entonces, siempre dominando a duras penas sus movimientos y diríase que perfectamente consciente de sus deseos, entraba en otro trance. El trance del trance. Entonces, sólo entonces, dejaba libre la bestia que llevaba dentro. Y si primero se conformaba con ver cómo iba manando esa sangre inocente, ordenando incesantemente a fin de que manase más sangre de las heridas, no tardaba mucho en arremangarse o quedar desnuda y entrar ella misma en el sacrificio.

En los instantes iniciales de cada sesión de torturas permanecía sentada en un sillón, o se quedaba de pie, estática y como ausente, limitándose a decir que hiciesen esto o lo otro, pero casi de inmediato, y seguramente pensando que lo hacían incorrectamente, ella, con sus propias manos, se ponía a la labor. Entonces se encarnizaba con sus desvalidas víctimas. Si estaban golpeándolas con correajes, o pinchándolas aquí y allá con afiladas púas de hierro, ella gritaba: «¡Más, más fuerte!», o: «¡Deténte. Clava ahí abajo!» Entonces podía poner los ojos en blanco, cosa que una noche sucedió de repente y sin que nadie supiese qué hacer y cómo continuar. Eran sus momentos de suprema enajenación, cuando el placer que sentía no sólo era anímico sino también sexual. Balbuceaba palabras incoherentes sin apartar del todo la vista de las supliciadas. Había aprendido a lograr el clímax manteniéndose a cierta distancia y sin intervenir directamente, algo que si en principio dejó perplejos a sus ayudantes, con el tiempo acabaría siendo normal.

Algo así, según llegó a saber Pirgist en sus averiguaciones, le sucedió en el castillo de Puchorw, adonde había llevado a tres campesinas recientemente contratadas para entrar a su servicio, y cuyas vidas se truncaron apenas unos días después de haber sido arrancadas de sus hogares y familias. Puchorw era un pequeño *hrad* situado entre colinas, al final de una llanura que iba desde Trnava a Modva. En su éxtasis contemplativo, Erzsébet se desvaneció unos instantes, causando un considerable revuelo entre su lúgubre comitiva. En cuanto la hicieron reaccionar con sal volátil, se reanudaron las torturas. Pero aun así, ella, renqueante, se rebozó en la sangre de aquellas muchachas a punto de expirar, pues se habían desangrado momentos antes. Y por mucho que les introdujeran la cabeza en agua, por más que durante algunos ratos las dejasen en paz, sus cuerpos se hallaban lo suficientemente magullados y debilitados como para no resistir nuevos tormentos. Erzsébet se desesperaba porque ella hubiera querido agonizantes que no murieran del todo. Su furor crecía en tales momentos, siendo ella quien solía darles el golpe, la cuchillada final.

Se había convertido en una experta en anatomía. Sabía qué vena rajar o qué arteria cortar para que de allí brotase un borbotón de sangre que recogía con sus manos restregándosela por el pecho y el rostro. Cuando por fin las chicas morían, tras un último gemido, la Condesa acostumbraba a emprenderla a patadas, arañazos y mordiscos por todo el cuerpo de sus víctimas.

La sangre de una muerta ya no le resultaba tan útil. Era impura. Así que, dominando de nuevo la situación, ordenaba que se deshicieran pronto de ellas, pues su simple vista, paradójicamente, le repugnaba.

Esto tuvo que verlo forzosamente Májorova, pues estaba allí, así como el delirio en que Erzsébet caía al comprobar que lo que en verdad importaba a la Señora era la sangre.

Si el monstruo pedía más, más había que ofrecerle. Ya no podían volver atrás. Pero el problema, ya incluso un problema humano, pues las chicas tenían un número limitado, era que el monstruo nunca terminaba de saciarse. Fue entonces cuando la bruja de Miawa, a ciencia cierta constatando, como antaño pasara con Darvulia, de cuyo talento y sapiencia mucho había oído hablar Májorova, que en uno de aquellos arrebatos de locura era su propia vida la que estaba en peligro, y que la ingestión de cualquier sustancia que la Condesa tomara no hacía sino excitar aún más los ánimos de Erzsébet. Májorova llegó a la conclusión, de funestas consecuencias pero a fin de cuentas un nuevo error en la estrategia destructora de aquellos seres, de que había que modificar sustancialmente lo de los baños de sangre. No tanto economizarlos, pues de hecho iba a ocurrir todo lo contrario, cuanto canalizarlos.

Hasta entonces, y con la salvedad de aquel episodio de su «Doncella de Hierro», Erzsébet no se había bañado, literalmente, en sangre de muchachas. Simplemente se untó con ella, esparciéndola por todo su cuerpo y permaneciendo así largos ratos, en espera de la purificadora acción del líquido vital. Pero eso ya no bastaba. Había que dar un paso más, y de ese modo se lo expuso Májorova a Erzsébet.

Llegaba el momento de tomar auténticos baños de sangre, pues todo lo anterior no había sido más que un simple y tosco acercamiento, inadecuadamente realizado.

Las muchachas debían ser más, y más lozanas, y más jóvenes. De once, doce años. Nunca rebasando la quincena. Chicas que, a ser posible, nunca se hubieran enamorado, pues entonces su corazón estaba ya embrutecido por la pasión, y su sangre era menos pura. Habría incluso que recurrir, se atrevió a decir Májorova, a hijas de *zémans*, campesinos que habían hecho una pequeña fortuna a costa de sus tierras y ganado. Gentes que ya tenían la condición de respetables entre sus conciudadanos. Por aquella época existían muchos de estos incipientes *zémans* a lo largo y ancho de toda Hungría. Y cuanto más importantes fuesen estos *zémans* en el ámbito estricto de sus latifundios, de más calidad sería la sangre de sus hijas. Y si podía conseguirse alguna muchacha noble, mejor.

Erzsébet debió de oírlo todo entre excitada, atónita y desesperada. El ala de la locura batió de nuevo fuertemente en su interior. Aquello era muy difícil y arriesgado, pero le atraía. Si se quedó atónita al oírlo fue porque en realidad ella pensó esto mismo desde siempre. De hecho había fantaseado lo indecible con tal posibilidad. ¿Qué bien podía hacerle a su cada vez más desgastada piel la sangre de simples campesinas, quienes a la postre para ella no eran muy distintas de los animales de sus granjas y cuadras, que en número elevado se extendían allí hasta donde alcanzaba su poder? En cambio, lo otro, *eso*, ya era distinto. Chicas en cuya sangre corría el latido de la nobleza. Sangre azul, se la llamaba. Como la de ella misma. Le parecía enormemente razonable, pues a fin de cuentas todo quedaría entre los de su condición. Sin embargo, y en su fuero interno, seguía considerando a los *zémans* como burda chusma. Hábiles personas que, por un golpe de suerte, lograron amasar una cierta riqueza y que ahora aspiraban a codearse con los nobles de siempre, algo que ya habían empezado a hacer de un tiempo a esa parte por todo el país. Igual sucedía en el resto de Europa. Una nueva clase social se estaba gestando, y Erzsébet, aunque lo veía, aún no quería admitirlo.

No obstante se le antojó excitante, o al menos novedoso, cuanto Májorova le proponía. Tal vez esa bruja tenía razón, y había sido inútil lo hecho hasta ahora. No iba a perder nada por probar. De hecho, una de aquellas tres chicas que fueron supliciadas entre los muros de Puchorw era hija de un *zéman* de Levice, alejada comarca a orillas del río Hron. Al hombre hubo que darle mucho y prometerle más para que dejase partir a su hija.

Pronto iba a cumplirse un siglo desde la promulgación de la ley llamada *tripartitum* y desde entonces, pese a estar aún estipulado, el poder nunca se había planteado beneficiar a la clase campesina, que siempre fue considerada como patrimonio feudal. Con la llegada de Matías II a la corona de Hungría, la realidad había empezado a cambiar. De las primeras cosas que llevó a cabo este rey son de destacar sendos decretos reconociendo a la clase campesina, así como su libertad de culto, con la prohibición expresa de las prácticas denominadas satánicas. Sus antepasados, Rodolfo y Maximiliano, habían sido fervorosos católicos, pero mucho más preocupados por las intrigas palaciegas que por el bienestar de sus súbditos. Incluso Segismundo Báthory, el propio primo de Erzsébet, casado con María Cristina de Austria, había abrazado con entusiasmo el catolicismo, adecuándose a los nuevos tiempos. No era ese Segismundo el de Transilvania, sino otro.

Májorova, por unos motivos, y Erzsébet por otros, minusvaloraron el poder de los *zémans*. Habría de reportarles problemas en el futuro.

De momento ella seguía ensimismada con ciertos detalles en los que hasta ahora no había pensado. Esa chica, la hija de un rico campesino, había sido la última en morir. Tuvo que presenciar el final de sus dos compañeras. Y si al igual que éstas gritó y suplicó, en sus últimos instantes de vida, sabiéndola ya perdida, mostró una encomiable entereza de espíritu. Dicen que se limitó a rezar todo el rato, entre estertores y convulsiones. Aquello había llamado poderosamente la atención de Erzsébet. Su mente enferma unió ese dato a las explicaciones de Májorova, y sacó conclusiones: era cierto que la sangre de chicas más distinguidas que las campesinas, con cierta cultura, les confería no sólo aplomo, sino un ilimitado número de posibilidades.

Por otra parte se sentía desesperada, ya que cada vez resultaba más costoso dar con chicas. La región de Csejthe había sido trillada en sucesivas ocasiones y se llegó a un punto en el que cuando ella y su comitiva se acercaban, las gentes escondían a las muchachas en parajes alejados, en campos y bosques. Eso pudo comprobarlo con preocupante frecuencia en los dos últimos años. Antes no era así. Antes las gentes sencillas salían a recibirla con temor pero también con entusiasmo, pues era su Señora. No costaba excesivamente convencerles para que le ofreciesen a sus hijas o hermanas, ya que aquel destino había de ser una vida más cómoda, mejor.

Pero su instinto de loba le decía al oído que con las campesinas, y cuanto más pobres más facilidades tenía en su búsqueda, las cosas siempre fueron relativamente fáciles. Casi nunca esas familias oponían seria resistencia. A lo sumo se mostraban algo remisas, pero algunas monedas o ropa, o un animal de crianza, bastaban para aplacar su reticencia inicial. Y el instinto, que hasta entonces fue su más leal servidor, seguía diciéndole que con las hijas de esos malditos *zémans*, todo podría complicarse. Las trabas, sin duda, empezarían aquí y allá. Debía mostrarse más cautelosa y disuasoria. Así, atendiendo a los consejos de Májorova y de sus ayudantes, pero también siguiendo su propio criterio respecto a ese tema, varió el rumbo de sus pesquisas en pos de nuevas chicas. Si antes las buscaba en la región de Csejthe, y luego amplió esos círculos de búsqueda por toda la extensión de los Pequeños Cárpatos y los Tatras, los cientos de aldeas que allí habían estado desde siempre, pronto tuvo que ampliar esos círculos que en realidad eran semicírculos, ya que hacia el oeste estaban Praga y Viena. La cuenca del Danubio representaba una simbólica frontera que nunca se atrevió a cruzar. Era su Rubicón. Tenía que ir, pues, hacia el este. Así fue ampliando sus incursiones hasta lugares como Modva, Seneç, Galanta o Korly y Jablonica. Después fue aún más lejos, hasta Bánorve, Topolcany, Vráble y Nytra. Todavía más tarde esos semicírculos rastreando sangre fresca se extendieron hasta Detva, Stiarnica y Lubietová. Llegó incluso hasta Jászbereny en el sur, y los alrededores de Miskolc o Szendrö, junto a los montes Bukk, o Kosive y Presov, en el norte.

Estaba apartándose demasiado de su guarida, y en esa perpetua cacería en la que creía vivir invertía semanas, meses enteros, con toda la incomodidad propia de los viajes. Pero aun así mataba sobre la marcha, en la carroza o en los bosques. Tuvo que sortear grupos de bandidos, las inclemencias del tiempo y, sobre todo, la terquedad de los campesinos, esa sarta de badulaques y gañanes malolientes que no parecían muy conformes con alejar a sus hijas a un lugar tan distante como Csejthe. Aunque aún la salvaba que casi todos habían oído hablar de su inmenso poder y la temían.

De manera que se vio obligada a cometer un nuevo error: como recelase de quedarse sin chicas, hizo acopio de ellas en una nueva batida, y fue repartiéndolas entre sus castillos, pero fundamentalmente en Pistyán, Sárvár y Csejthe, donde tenía ya decenas de ellas, por aquel entonces se dijo incluso que centenares, presas en los calabozos, aunque probablemente no pasaran de unas decenas. Muchas veces se olvidaba por completo de las mismas, y cuando iban en su busca las hallaban muertas, famélicas o tan enfermas que no podía hacerse con ellas sino dejarlas perecer o darles una muerte rápida, estranguladas o degolladas.

Fue ésa la época en que Kata, la lavandera, casi nunca estaba ya en Csejthe, pues la llamaban sin cesar desde lugares diversos. Cuando de tanto en tanto aparecía, la madre de János y las otras lavanderas no hacía falta que preguntasen. Se lo veían cincelado en el rostro. Estaba sucediendo algo terrible, tan terrible que Kata ni siquiera se atrevía a mencionarlo, como sí hiciera antes, aunque fuera para desahogarse. Algo mucho más terrible que lo que ocurriese años atrás. Algo que, según sus entrecortadas palabras, no tenía nada que ver con «esto de ahora», y entonces se santiguaba para caer acto seguido en agudas crisis de llanto. Ella seguía siendo la responsable máxima de borrar huellas.

No acababa de limpiar restos de sangre en un sitio o de quemar y enterrar cuerpos sin vida y ya se la requería a toda prisa en otro, alejado a muchas millas. Por ello Csejthe, pese a ser el sitio en el que se consumaba en mayores proporciones el goteo de aquel holocausto que se había convertido casi en una rutina diaria, era el marco donde Kata prefería estar. Al menos ahí se podía refugiar en el mudo consuelo de sus amigas lavanderas, quejarse en silencio con ellas, que la comprendían aterradas, pero sin saber cómo ayudarla.

Kata, exhausta y demacrada, había perdido bastantes kilos de peso en los últimos meses. Trabajaba desde el atardecer, durante toda la noche y la madrugada, hasta bien entrada la mañana. Para su labor usaba los lavaderos traseros, los más grandes y oscuros, que hasta hacía una década fueron utilizados como cuadras o calabozos, y que conservaban en su estructura piedras transportadas de los roquedales de Suabia varios siglos antes. Lo demás había sido sucesivamente reconstruido. A esa zona de los lavaderos nadie tenía acceso, fuera cual fuera el motivo por el que se pretendiera entrar. En ese trabajo Kata solía reunir a tres o cuatro de las lavanderas, las que llevaban más años en el castillo. Las que sabían. Era como si hubiese querido librar a Vargha Balintné, la madre de János, y otras lavanderas más jóvenes, del horror que significaba todo aquello. Incluso llegaba a enojarse si éstas preguntaban demasiado, mordidas por la curiosidad. Esta frase la oyó frecuentemente János durante su infancia:

—¡No preguntes, estúpida! ¡Limítate a lo tuyo si quieres seguir como estás...!

Kata y sus ayudantes dormían unas pocas horas, entre el mediodía y la tarde. Rara era la noche en la que no se demandaban sus servicios, siempre con urgencia. Lo cual podía significar que la Condesa pretendía controlarse un poco, pero no era capaz de hacerlo varios días seguidos.

El recuerdo de Kata, a la que János Pirgist llegó a querer como si fuese su segunda madre, le ha llenado de lágrimas los ojos. Se los seca con un pañuelo de batista que lleva en el bolsillo de su chaleco. Es entonces cuando se ve obligado a sorberse la nariz, pues oye un ruido en la puerta. Llaman con suaves golpes.

—Adelante... —dice haciendo carraspear su voz.

Es el padre András, que llega a recoger la bandeja con restos de comida.

Le pregunta cómo lleva su trabajo.

—A menudo pienso que aún no he empezado... —murmura él con abatimiento, y apoya su cabeza en una mano.

El joven sacerdote, de pie en mitad de la habitación, deja divagar la mirada sobre los objetos que allí se apelmazan. Pone gesto de preocupación.

—Aquí el aire está enrarecido, padre... Permita que abra un poco esa ventana...

No tiene fuerzas para negarse. Que entre algo de la fresca brisa, a ver si así le vuelven las ideas. Cierra los ojos en señal clara no sólo de agotamiento, sino de que haga lo que quiera. El cura abre un momento los postigos de madera y luego la ventana. Fuera llovizna con mansedumbre, pero pronto se nota el aire en la estancia. Ese joven clérigo ha visto el montón de cuartillas que Pirgist va dejando, perfectamente colocadas, en un extremo de su mesa de escritorio, y exclama:

—¡Pues no lo parecerá, pero esos papeles van creciendo de manera rápida!

Él le mira con atención, intentando leerle el pensamiento. No lo consigue. Al final musita:

—Sólo temo que mi esfuerzo resulte baldío.

El joven cura frunce el ceño y pregunta algo que Pirgist nunca hubiese esperado, y para lo que no tiene respuesta sincera:

—¿Piensa darlo a la publicación algún día?

—No es ése mi propósito —ha dicho él en tono de sentencia.

—Entonces, ¿por qué sumergirse en tan fatigosa tarea?

Pirgist desvía su vista hacia la ventana, por la que asoma un fragmento de cielo. ¿Por qué? Eso es lo que lleva décadas preguntándose, ¿por qué? Y no ha obtenido respuestas, o no convincentes...

—Lo desconozco —empieza a decir de modo cansino—. Ya le comenté que es mi testimonio de una época que desafortunadamente me tocó vivir.

El joven cura sabe, por habérselo oído contar a Pirgist en alguna ocasión, de la existencia de la Condesa Báthory y del castillo de Csejthe. También, así se lo comentó un día, había oído ciertas historias tremendas relacionadas con aquella dama. Entonces le pregunta:

—Padre, ¿era tan cruel como se dice?

Y él, abatido interiormente, no puede sino responderle:

—No hay palabras, hijo, se lo aseguro yo. No hay palabras...

Hasta ahora ha estado intentando ponerle palabras a aquello que no tiene ni palabras ni explicación posible. Pero ¿cómo explicárselo a ese sacerdote veinteañero que apenas nada ha visto de la vida y que cree en la bondad esencial del ser humano? ¿Cómo?

La voz de éste ha vuelto a sacarle de sus recuerdos:

—Si lleva ya tanto escrito, ¿por qué su descontento?

Tampoco está preparado para responder a esa pregunta, aunque sabe que ha de hacerlo, siquiera por elemental cortesía. Toma aliento y dice lo primero que le viene a la cabeza:

—Porque me invade una gran desesperación al pensar que esto —y señala el montón de cuartillas ya redactadas, sobre todas y cada una de las cuales va pasando el cartón secante una vez han sido llenadas— de nada servirá a la gente que entonces sufrió.

—¿Y a los que vendrán, padre, a las generaciones futuras?

—Dudo que a éstas les sirva. Quizá sólo les asuste, o no crean... —se lamenta Pirgist moviendo la cabeza en señal de fatiga y resignación.

—Eso no es usted el más apropiado para afirmarlo, como no lo son, aunque parezca una contradicción, quienes escriben algo para que mañana lo lean otros ojos...

—Sé lo que digo, hijo, y también lo que he escrito...

El joven sacerdote no parece conformarse con esa explicación. Insiste:

—No obstante, y según compruebo, es mucho lo que parece haber avanzado en su labor. Eso debiera animarle...

—Dice con la mejor voluntad, pero desconoce de lo que habla.

—No es suficiente —arguye Pirgist, nervioso por el rumbo que está tomando la conversación.

—¿Por qué, padre? —Esas palabras, por qué, suenan en su cerebro con una penetrante vibración. Se coge la frente con ambas manos y responde:

—No estoy contando todo lo que sé. —Y hunde la cabeza al decirlo.

—¿Carece de valor, padre, eso es?

Medita unos instantes y al cabo del rato Pirgist, que se había sumido en el más absoluto silencio, abre lentamente la boca para responder. Si en ese momento su joven ayudante hubiera preguntado cualquier otra cosa, si le hubiese dicho algo dando por concluido su diálogo, nunca habría salido de él lo que aflora al exterior como una flor que abre sus pétalos en la quietud del estanque. Pero el joven sacerdote sigue callado. Por eso Pirgist, arrastrando casi las palabras, dice:

—Tengo secretos.

Es cierto. Tiene secretos. No uno, sino varios. Y hasta ahora jamás se atrevió a mencionarlos a nadie. Hasta hoy ni tan siquiera se atrevió a reconocerlos como tales, ni a enfrentarse a ellos en toda su crudeza.

—Cuéntelos, padre, cuéntelos. Su espíritu no hallará paz hasta que lo haga —oye al sacerdote con voz sentida.

—Lo intentaré —responde él indicándole que le deje solo con un ademán de su mano—. Lo intentaré...

Instantes después la puerta se cierra a su espalda, sigilosa. Entonces oye su propia voz en un murmullo:

—Pero no sé si voy a ser capaz.

Tose y moja su pluma en el tintero. Le dice al papel:

—¡Dame fuerzas, Señor!

ERDÖD

Secretos.

Esa palabra ha cruzado por su conciencia, a través de la vista, como uno de esos fosfenos que al cerrar los ojos exponiéndolos a una fuerte luz, surcan el campo visual igual que filamentos trazando siempre idéntico recorrido, de derecha a izquierda, o de izquierda a derecha, de abajo arriba o de arriba abajo, en un monótono camino de ida y vuelta que, aun en la más absoluta soledad, hacen que nos sintamos acompañados. Son los pensamientos, los recuerdos que nos son más caros y entrañables. Pero a veces, como en su caso, también pueden significar recuerdos amordazados, prisioneros de la retina y del nervio óptico. Por momentos nota que se amodorra, e incluso que se le empaña la visión, apareciendo ante él borrosas las cuartillas aún por llenar.

Tiene que hacerlo. Cueste lo que le cueste tiene que hacerlo, se dice a sí mismo Pirgist una vez se queda a solas, y agita su cabeza como para darse ánimos.

Se lo debe ya no a sí mismo, como otrora pudo pensar, ni mucho menos a supuestas generaciones futuras que con toda probabilidad ignorarán su relato, si es que algún día decidiese entregar estas cuartillas a los impresores. Para eso debe ponerles un fin, y sabe que sería moralmente ilícito hacerlo ahora, habiéndose guardado aún parte de esos secretos que le acompañaron siempre y que con nadie quiso compartir.

Se lo debe a ellas, a las víctimas, que estarán a buen seguro en el Cielo de los Bienaventurados, pues mucho fue lo que sufrieron en este su triste paso por la terrena vida.

Tiene que hacerlo aunque para ello emplee añagazas y rodeos, aunque, como va dándose perfecta cuenta mientras escribe, sea incapaz, como le dijo al padre András, de enfrentarse cara a cara a la magnitud de tales secretos.

A fin de cuentas, él mismo, a su feligresía, ¿no le había hablado a veces de las penas de los condenados al Infierno? Lo cierto es que tampoco en esto debe llevarse a engaño. Se recuerda abrazando los hábitos desde que era adolescente, se recuerda celebrando el Santo Oficio de la misa desde que era aún un joven alto y barbilampiño. Pero también recuerda que cuando en sus homilías desde el púlpito debía hablarles de algún pasaje relacionado con el Infierno, siempre veía ocasión para hacerlo de pasada, como dándolo ya por sabido. Entonces les hablaba del cielo y de la eterna dicha que allí les aguardaba si cumplían con los preceptos de la fe, sobre todo con la caridad, con el simple hecho de haber consumido esta vida que nos fue dada sin dañar a nadie. Sin herir, sin robar, sin matar. Se recuerda hablando con lágrimas en los ojos de que el cielo es, principalmente, para los que sufren. Lo otro lo eludió, como eludió siempre cuanto se refiriese a ese lugar al que las Sagradas Escrituras, sus profetas y hombres sabios denominan Infierno. Sencillamente, creyó injusto narrar cosas de un supuesto Infierno, que él no duda que exista si así lo afirman los ilustres padres de la Iglesia que le precedieron, pero que a la vez nunca supo cómo describir.

Porque para János Pirgist el Infierno fue Csejthe. Lo que allí oyó, lo que allí olió, lo que allí llegó a ver. No pudo haber Infierno peor que le ilustrase sobre los horrores y penurias del ser humano. Aquello mismo le tiró abajo de un plumazo su posterior idea del Infierno, pues ¿por qué los inocentes debían sufrirlo, en vida, sin la menor posibilidad de defenderse? ¿Por qué? ¿Para ganarse así una vida plena y feliz en el más allá? Seguía pareciéndole descorazonadoramente injusto, y ponía en cuestión todos sus valores al respecto cada vez que pensaba en ello.

A Erzsébet Báthory la llamaron la Alimaña de los Cárpatos y la Tigresa de Csejthe, pero cuando ella ya no estaba. Así la imaginería popular decidió denominar a alguien a quien nunca llegó a ver. Pero es que hasta en eso el pueblo se quedó corto. Las alimañas del bosque, criaturas que se mueven entre la maleza, incluso las que el azar de su nacimiento ha hecho carroñeras, no hacen otra cosa que alimentarse de despojos de otras criaturas ya muertas. Ellas no se ensañan con sus víctimas, ellas no se deleitan prolongando inútilmente su sufrimiento, como tampoco las fieras que cazan a un animal vivo y asustado. Cazan para vivir. Matan para vivir. A su manera, respetan el ciclo sagrado de la vida en lo que les concierne. ¿Por qué entonces el ser humano no lo hace, siendo, como parece, la más elevada de cuantas criaturas existen?

Ella fue siempre una cazadora. Eso iba a marcarla de forma irremediable. De vez en cuando, por lo menos hasta que quedó viuda, mantenía la costumbre de disponerlo todo cada varias semanas para salir de caza. Le entraba el súbito deseo de hacerlo. Y entonces se creaba un gran revuelo a su alrededor. Partía, pues, acompañada de un reducido séquito formado por cualquiera de sus fieles, como Ficzkó y algunos mílites avezados en tales menesteres, buenos conocedores de la región y de las piezas que podían capturarse. Iban dejando atrás aldeas en las que se veían unos pocos labriegos y arrieros con recuas de mulas. Circunvalaban gándaras y pedriscales, ejidos y llanuras a las que difícilmente podían acercarse el zorro, el jabalí o el corzo. Erzsébet no se mostraba sosegada hasta que se adentraba en la tupida floresta de los sotobosques, más allá de los veneros refulgentes de mica y el tremolar de los cañaverales. Era entonces, al aparecer los primeros riscos, cuando podía verse el bejuco y el escaramujo entre la maleza, el momento en el que su rostro sufría una profunda transformación. Había pasado de estar hierático a tenso, porque la caza en sí misma la atraía como falena a la luz. Entonces podía ignorar cualquier peligro, un almez o un roble a punto de derrumbarse, la presencia de algún brete o cepo dejado allí por otros cazadores. Más que nunca se convertía entonces en la lamia de aquellos lares, en la mujer-dragón cuyo único objetivo era cazar cuanto ante sus ojos se moviese. Pudiendo utilizar armas de fuego, como el arcabuz o el mosquete, ella solía optar por las ballestas que lanzaban bodoques y, sobre todo, por el arco, en cuyo manejo era una consumada experta. Una vez había acertado a una pieza, los *haiducos*, provistos de largas picas, la ultimaban con rutinaria habilidad, pero ella ni siquiera mostraba interés por tales piezas. Sólo la excitaba el hecho de cazar, y cuando sus acompañantes le sugerían realizar un pequeño descanso mientras hacían una fogata con sarmientos y támara a la que iban añadiendo pedazos de leña seca, ella parecía por completo ausente. Entonces se dedicaba a pasear por los alrededores abstraída, con una diminuta pero afilada destral en la mano, con la que iba cortando ramas al azar. Cualquier gesto que realizase, pues, era destructivo, y de ello se daban cuenta todos, así que evitaban dirigirle ya no sólo la palabra, sino siquiera la mirada. Esas salidas destinadas a la caza tenían lugar tanto en primavera, cuando los campos rebosan amapolas, violetas y margaritas a las que da vida la lluvia y alimento el viento, como en invierno, cuando todo queda cubierto por un manto blanco y los cimientos del mundo parecen conmoverse con furibundas ventiscas. Mala cosa era regresar de esas cacerías sin que la Señora hubiese obtenido ninguna pieza, ya que entonces su malhumor podía pagarlo con cualquiera. Sabían a la perfección en esas ocasiones en que la fortuna no la había sonreído propiciándole una buena caza, que en cuanto llegasen al falansterio del miedo que era Csejthe, sacaría toda su ira contenida, volviéndola contra las muchachas allí cautivas. De ahí que cuando regresaban con algún animal apiolado por sus ancas todos respirasen aliviados, pues eso constituía una relativa seguridad de que ni esa noche, ni acaso las jornadas siguientes, ella debería aplacar su instinto dedicándose a la otra cacería, la que la práctica totalidad de los habitantes del castillo tenía en mente pero que nunca se atrevía a verbalizar, ni tan siquiera entre ellos, por temor a convertir en fatal desliz lo que, de entrada, había sido una atolondrada indiscreción.

Pirgist había leído libros de Historia. Conocía el terreno. Guerras, rapiña, usura, envidia, una interminable serie de crímenes, muchos de ellos cometidos en nombre de la fe, de cualquier fe. Eso era la Historia. ¿Por qué entonces, siendo el más perfeccionado e inteligente de los seres terrestres, pues poseemos un espíritu que nos hace ser conscientes de la singularidad e importancia de todo lo vivo, ya que en mucho apreciamos nuestra propia vida, somos precisamente nosotros, las personas, quienes llevamos a nuestra espalda el insoportable peso del Mal? Acaso por tener espíritu. Pero y esto, así se lo había preguntado desde muy joven sin obtener respuesta alguna que le satisficiese, ¿por qué lo permite el Creador, por qué?

Él mejor que nadie, porque nadie en absoluto siquiera lo sospechó nunca, sabe que abrazó la fe para dar con respuestas que calmasen tales dudas, pero ahí siguen, cual abiertas llagas por las que supura el pus. Infectadas.

Tiene que realizar un esfuerzo, aún el último, ímprobo, y describir cuanto sabe sin dejar nada a un lado. Incluso eso que le llevó al borde y el vértice de la demencia, pues muchos fueron los momentos en que, asaltado por terribles imágenes, llegó a decirse a sí mismo que no era real, que aquello no podía haber sido real, que fue su imaginación de niño, sumada a lo que oyó aquí y allá con el paso del tiempo, así como a lo que leyó, lo que le hizo suponer todo ello, pero no. Se miente. Sigue mintiéndose aún ahora. El recuerdo de aquellos hechos es nítido como un día de verano con el aire limpio, transparente y puro que nos permite ver incluso el lejano horizonte.

Hasta ahora había creído que con mencionar tan sólo alguno de esos episodios que tuvo la malhadada suerte de presenciar ya sería suficiente. Y sí, el recuerdo de los sacos cruzando el patio de Csejthe le impresionó vivamente. Atenazaba su garganta y oprimía su estómago con sólo evocarlo. Pero ¿eran aquellos sacos, era aquel pie colgando lo que le producía tan hondos padecimientos? No. Fue lo otro. Algo que también oyó, olió y vio, lo que le causaba aún hoy un dolor tan profundo. Fue todo eso lo que logró dejarlo resquebrajado como un muñeco de barro o tierra que hacemos en el campo y al que de pronto deshace la lluvia.

Desde entonces, se da cuenta, evita mirar a las chicas jóvenes. Incluso cuando las ha tenido delante, hablándole, no las ve. Elude su presencia. Le pasa con las niñas, pero no con las mujeres de edad adulta. Sabe que si observase con detenimiento a una muchacha de esa edad en la que todavía no han abandonado del todo la pubertad, en la que todavía no puede decirse que sean mujeres, pues aún deben crecer tanto física como espiritualmente, la mente se le desbocaría como corcel que ha sido alcanzado por una flecha en plena batalla. Si ese impacto no se produce en una zona vital, aún correrá mucho rato, encabritado, hasta desfallecer, arrastrando con él su dolor y, a veces, a su jinete también maltrecho, que se ve impotente para pararlo.

Pirgist sabe que, una a una, volverán las imágenes. Y las teme. Las teme más que a la propia muerte, a la que de hecho aguarda tranquilo desde hace tiempo, y en la que ve no sólo una liberación, sino una insuperable forma de alivio. Un premio en sí mismo. La posibilidad, la única que conoce, de dejar de recordar lo que incesantemente rememora. Y es que esas imágenes, agudizadas por el efecto de los recuerdos y su propia incomprensión de los mismos, le hacen desaparecer todo vestigio de razón, confundida entre sueños y presagios que acaban convirtiéndose en pesadillas, entre temores y simples angustiosas visiones que le abocan a la más completa de las amarguras.

Porque eso fue lo que a partir de entonces le empujó a efectuar largos, casi diarios paseos por los campos mirando las nubes y las flores para no increparle cosas al Creador. Y cuando estando en alguna ciudad o en retiro espiritual no pudo realizar tales paseos, que siempre tuvieron el poder balsámico de aplacar su indignación y reproches, que sin embargo no consideró nunca inconsecuentes ni sacrílegos, pues nacían de la buena fe, sintió su falta como un sarpullido que nadie pudo ver jamás pero él sabía que estaba allí. Por ello miró tantas horas durante tantos días de su vida el perfil tranquilo de los montes y la benigna, serena belleza del campo, que incluso en lo más crudo del invierno nos sorprende con detalles de innata hermosura. Ese tallo que se yergue entre pedruscos y hielo, desafiante, como homenaje a lo vivo que resiste. El súbito vuelo de un pájaro, que se eleva desde el oscuro follaje de la floresta, cuando no creíamos que nada latente hubiese allí. La propia majestuosidad de las blancas, inacabables colinas, como un mar de espuma solidificada, que cuando aparece el sol llega a deslumbrarnos.

Por eso iba al campo con frecuencia. Para gritarle cosas al vacío en silencio, como siempre hizo. Para olvidar así, entre aquellos borbotones de vida que se huele, que se oye, que se mastica, que se ve, esa otra materia de carácter intangible que desde niño se le introdujo, también a él, en la sangre. Era una mezcla, precisamente, de sonido y sabor, pero sobre todo de olor y de color.

Ahora, en la soledad de su escritorio, cuando ya nada tiene que perder, aunque quizá sí temer, debe ser valiente y contarlo.

En cierta ocasión tuvo oportunidad de oír una conversación, o más concretamente frases entrecortadas de lo que era un acalorado diálogo, que le marcó durante mucho tiempo. Él ya había oído fragmentos de esas conversaciones, siempre a sovoz, realizadas por Kata y el resto de lavanderas. Pero siempre quiso olvidarlas. Como es natural, le asustaba demasiado pensar que pudiese ser cierto todo aquello de lo que hablaban en un murmullo con tintes de continuado lamento. Pero en una ocasión las circunstancias eran favorables para que János prestase más atención de la debida y usual en él, que era una diminuta sombra deslizándose por el castillo, y muchas veces su presencia pasaba desapercibida. Así iba de aquí para allá, siempre con el oído en guardia. Siempre dispuesto a escapar atolondradamente si alguien le preguntaba. Siempre con una excusa en la punta de los labios si se daba la casualidad de que le cogían por sorpresa. «He perdido esto o lo otro», les diría. Y luego, como ya sucedió en alguna ocasión, se pondría a berrear pataleando y llamando a su madre o a Kata.

Esa tarde Kata no estaba en Csejthe, pues había partido en compañía de la Condesa y sus dos mujeres de confianza, Dorkó y Jó Ilona. La obligaron a acompañarlas. Aquella tarde, a saber por qué motivo, posiblemente que se hallaba enfermo, el tullido Ficzkó no las acompañaba. Ficzkó, con su cuerpo menudo y contrahecho, siempre estuvo ahí, o al menos desde que János podía recordar. Al parecer un tal Martín Cheytey lo había llevado a Csejthe para que hiciese de bufón, en 1594. Y lo hizo a la fuerza, porque un día se topó con él en un camino y, sin más, lo redujo, maniatándolo a su caballo. Así lo condujo desde la lejana comarca de Roznava, donde Ficzkó vivía con su familia en una aldea situada a orillas del Homád. Nadie le echó de menos, pues era una carga para todos, y con esa deformidad carecía de un futuro que fuese halagüeño. Así que incluso el malvado Ficzkó fue secuestrado y obligado a hacer tonterías para divertir a los Báthory y a los Nádasdy. Luego, el alma corrompida de la Condesa, con chantajes, golpes y amenazas, pero seguro que con alguna contraprestación, lo corrompió todavía más, haciéndolo uno de los suyos.

Pero esta vez Ficzkó, alegando que se encontraba muy enfermo, se quedó en Csejthe. Fue allí donde, mientras deambulaba por un pasillo en busca de su madre, el pequeño János oyó voces que iban subiendo de tono conforme hablaban. Una era la de Ficzkó, que resultaba inconfundible por su timbre agudo, casi afeminado. El otro era un *haiduco* que, al parecer, era de su misma comarca, y a quien conocía desde siempre. Éste apenas contestaba si no era con monosílabos o exclamaciones de incredulidad. János puso más atención, quedándose donde estaba tras unos cortinajes y unos barriles de vino que al día siguiente debían ser bajados con urgencia a las bodegas. Sin duda Ficzkó estaba enfermo. Su tos y sus estornudos eran sintomáticos, así como las gruesas prendas de abrigo con las que se protegía. Pero al margen de lo que hubiese tomado, pues allí no le faltarían recetas para curar lo que parecía un fuerte resfriado, estaba completamente borracho. A János siempre le llamó la atención el modo que tenían de comportarse las personas adultas en estado de ebriedad. Unos se volvían agresivos, otros locuaces, aun otros se sumían en un profundo estupor y silencio, como tocados de nostalgia. Pero Ficzkó reaccionaba, con la toma desmedida de los potentes licores y vinos que circulaban por el castillo, de manera curiosa: parecía reblandecerse todo él, se ponía melancólico y hasta lloroso. Entonces se quejaba, entre eructos e hipidos, de todo y de todos. Él, más que nadie, tenía muchos elementos para quejarse. Así que con ese viejo conocido estaba sincerándose, incluso hasta un extremo peligroso si aquello llegaba a oídos de la Condesa. Pero mucha era la confianza que debía de tener con ese soldado paisano como para hablar del modo en el que estaba haciéndolo. Lo tenía agarrado del brazo, y por suerte hablaban en húngaro, de manera que János pudo entender gran parte de lo que decían.

—Ya no puedo más... no sé cómo voy a aguantar haciendo cosas así... —se oyó a Ficzkó con voz de apesadumbramiento. Su estado etílico sacaba lo que de humano aún había en él. El otro tuvo que decirle algo muy concreto, algo relacionado con una posible huida del castillo y, si era necesario, del país.

Entonces Ficzkó rompió a llorar, enjugándose las lágrimas en la manga del otro:

—¡No puedo, no puedo...!

Como su paisano insistiese en lo de la huida, diciéndole que él mismo no dudaría en hacerlo si le obligasen a realizar esas cosas, Ficzkó lo miró con cara de incomprensión.

—Desconoces de lo que hablas. Me perseguiría hasta el último confín del mundo. Sé que me haría buscar, si fuese necesario, hasta debajo de las piedras...

El otro no cejaba en sus prudentes consejos, pero al poco Ficzkó le interrumpió:

—Imagina lo fácil que es dar con un tipo como yo —dijo señalándose la cabeza, en alusión a su escasa altura y su pronunciada joroba— llegado de Hungría. Además, no conozco otras lenguas ni dispongo de medios como para ir lejos...

Su paisano no se daba por vencido. Le susurró algo que pareció asustar a Ficzkó, con toda probabilidad que robase joyas, cualquier cosa de valor, para costearse esa rápida fuga. El rostro de Ficzkó, hasta entonces colorado a causa del vino, palideció un poco. Soltó el brazo del *haiduco* y movió la cabeza.

—Coger algo de ella... estás... loco... No supones lo que es capaz de hacer cuando cree que alguien ha cogido algo suyo, aunque la mayoría de las veces ni siquiera sea verdad. —Se detuvo unos instantes y al poco continuó—: A una chica que tomó un racimo de uvas para arrancar una y comérsela la azotó hasta que murió. Yo estaba allí. Lo hizo ella misma, mientras le gritaba: «¿Tienes hambre, verdad? Pues come, ¡perra!» Así estuvo casi una hora. La chica iba desangrándose y la Señora seguía golpeando sin parar. Nada podía frenarla, pese a que le sugerimos varias veces que con aquel escarmiento ya era suficiente.

Se quedó unos momentos pensativo, y de nuevo prosiguió con su historia:

—Y a otra, una rubia guapísima y con trenzas, un día la sorprendió tocando unas monedas que había sobre la mesa. A ésa lo que le hizo fue ponerle en la mano una moneda calentada al rojo vivo. ¡Si supieras cómo olía su carne chamuscándose! Pero no contenta con ello, y decidida a que aquella chica no saliese viva de allí para contarlo, repitió lo de la moneda al rojo vivo por diversas partes de su cuerpo. Yo tenía que reanimarla cada varios minutos, o echarle agua en las heridas. Casi me desmayo de asco, créeme. Pero la Señora estaba fuera de sí. Por fin, y estando la chica ya del todo inconsciente a causa del dolor, se puso sobre ella a ancas, como si fuese un caballo, y la estranguló con sus propias manos. Pero aún antes le desgarró el cuello con las uñas, todo ello sin dejar de gritar e insultarla ni un instante. El espectáculo fue muy duro —añadió Ficzkó con aspecto abatido—, mucho, y todo por una moneda que la otra simplemente se había atrevido a tocar. Yo juraría que ni tenía intención de robarla. Quizá sólo pretendía mirarla de cerca, pues nunca habría visto una de ésas.

El *haiduco* tenía abierta la boca de asombro. Habría oído, sin duda, contar muchas vicisitudes respecto al genio de la Condesa, incluso a su crueldad, pero la confesión de aquel testigo presencial le impresionaba vivamente. En verdad parecía que Ficzkó estuviese confesándose de todas sus culpas, aun indirectamente. Le acosaba, quizá, la mala conciencia de quienes, teniendo todavía algo de sentido común, por miedo o intereses, o por ambas cosas juntas, colaboran en lo que acaba convirtiéndose en atrocidad. Por eso no se mostraba dispuesto a callar:

—Con las joyas es igual, Nadie, absolutamente nadie puede

tocarlas. Ha de estar ella presente, y cuando alguna doncella debe ponerle un collar, la Señora no le quita ni un segundo la mirada de encima. Hubo una chica, hace años, que acabó muy mal por eso...

—¿Qué pasó? Cuenta... —El *haiduco* ya no podía reprimir su curiosidad, y acercó un poco más su cuerpo al de Ficzkó.

—Nada, una tontería. Estaban allí, ellas cuatro, *siempre ellas cuatro* —vocalizó Ficzkó con signos de evidente rencor en la voz y aludiendo a la Condesa, Jó Ilona, Dorkó y Darvulia—, y habían hecho subir a varias chicas, creo que tres. Las... las emborracharon. Yo estaba como siempre en un rincón, a la espera de que se requiriese algo de mí. Siempre deseando que se pidiera de mí lo menos posible. Yo también había bebido, como todos allí. El caso es que esas chicas, que habían llegado la noche anterior y nada sabían de lo que les aguardaba, se relajaron con el vino. Una rió y la risa se contagió a las otras. Incluso la Condesa hizo asomar una sonrisa en su boca. Pero era una sonrisa horrible, doy fe de ello. Cuando ella sonríe, malo. Una de las chicas, totalmente mareada por los efluvios del alcohol, empezó a hacer cabriolas, pasos de una danza campesina que decía conocer. Y, mientras, la Señora seguía mirándolo todo con apariencia complacida. De repente esa chica vio sobre la cómoda un bonito collar de perlas perteneciente a la Condesa. Sin dejar de bailar, y con gesto instintivo, lo tomó entre sus manos y se lo puso sobre el pecho. No se lo colocó siquiera, sencillamente se lo puso encima mientras bailaba ante los ojos de todos. Entonces sonó un grito de la Señora. Ordenó que atáramos a las tres con correas. Prestaron resistencia, pero estaban demasiado bebidas como para mantenerse en pie sin perder el equilibrio. Asustadas, se pusieron a llorar, pero ya era tarde. Una vez estuvieron atadas, ella personalmente cogió el atizador del fuego y, luego de tenerlo un rato en la chimenea hasta que se puso candente, lo restregó por varias partes del cuerpo desnudo de aquella chica. ¡Si la hubieras oído lamentarse...! Era difícil de soportar. Las otras parecían haberse quedado mudas, con los ojos saliéndoseles de sus órbitas. Luego mandó que la extendiésemos en el suelo, siempre atada. Se retorcía de dolor por las quemaduras. Entonces vino lo peor. Dejó el atizador y cogió otro instrumento que reposaba junto a los troncos que debían ser echados a la chimenea, en la que cabía de pie una persona. Era la más grande que nunca he llegado a ver. Cogió ese gancho de hierro que se usa para remover los troncos y las brasas. Tenía la empuñadura de madera y en su extremo estaba el gancho. Se dirigió a la chica, que se retorcía en el suelo, y empezó a propinarle fuertes golpes con esa herramienta. A veces el gancho se le incrustaba en la carne, y debía hacer grandes esfuerzos para arrancarlo, con lo que iba desgarrándola poco a poco. Siguió golpeando a la altura de los pies y fue subiendo, dejándola totalmente marcada. Después se ensañó con la cabeza, se la reventó al segundo o tercer golpe. Tras cada golpe el gancho volvía a arrancar partes de la cabeza y del cráneo. Se le desparramó allí mismo el cerebro, te lo prometo. Y ella no dejaba de golpear, acompañando con un grito seco cada nuevo golpe. La chica yacía muerta. La Señora jadeaba como un animal que es perseguido. Hasta las otras tres, incluida la vieja —dijo en referencia a Darvulia—, parecían impresionadas y sin saber qué hacer. La Señora se secó el sudor que cubría su rostro y ordenó que la echaran al fuego, ahí mismo, en la chimenea. Obedecimos, pues entonces sí requirieron mi presencia. El cuerpo de aquella chica estuvo mucho rato ardiendo. Fue muy desagradable, sobre todo el olor que despedía. Luego, con el gancho en ristre, se dirigió a las otras dos chicas, que temblaban como nunca en mi vida vi temblar a nadie. Se lo pasó frente a sus narices, primero a una y luego a otra, y les dijo, de nuevo con su sonrisa en los labios:

»—¿Veis lo que ocurre cuando alguien intenta robarme una joya…?

»Todos sabíamos que aquello no era cierto, pero callábamos —siguió Ficzkó—. ¿Qué otra cosa podíamos hacer? Después, alzando de nuevo la voz, dijo:

»—¡Lleváoslas a los calabozos!

»Así lo hicimos, pero aquellas chicas parecían haber perdido ya la razón. Creo que la imagen de la cara reventada de su compañera las había trastornado por completo.

El *haiduco* preguntó por el destino de esas chicas. Ficzkó repuso:

—Como las demás. Fueron a los calabozos. De ahí, según creo, días después pasaron a otra estancia. Las teníamos almacenadas como si fuesen cabras. Una noche cualquiera, la Señora iba a verlas. Dudaba. Decía: «Esa... ¡No, ésa no! Esa otra.» Y así iba eligiendo. Se les daba poca comida, apenas para sobrevivir. Aquí mismo —dijo refiriéndose a Csejthe—, pero también en otros castillos, la Señora gustaba de tener chicas, como ella decía, «en conserva». Las obligaba a comer carne asada de sus propias compañeras, reduciéndolas por hambre.

El *haiduco* se pasó una mano por la frente y resopló, incrédulo. Al fin se atrevió a preguntar si nunca lo había hecho con hombres.

—Jamás. Yo no sé de hombre alguno, por apuesto y poderoso que fuese, que la atrajese lo más mínimo. Al principio oí que tenía relaciones con alguno, pero viendo lo que he visto después, me atrevo a asegurar que los utilizó para hacerse subir alguna chica. Me han contado —añadió, bajando un poco la voz— que se deleitaba viendo cómo esos hombres hacían el amor con ellas y luego, por sorpresa, la Señora la emprendía a golpes con las chicas. Pero eso fue cuando era muy joven. Desde entonces, y que yo sepa, no yació con hombre alguno, a excepción de su marido, el Conde.

—¿Y ninguna de las chicas se salvó? —preguntó el *haiduco*.

—Ni una. Ni una sola, por lo que yo he visto y oído. No es tan estúpida como para dejar testigos. A lo sumo, y esto se lo vi hacer años atrás, las engañaba haciéndoles creer que se encariñaba con alguna. Entonces provocaba a éstas para que hiciesen juegos lascivos con otras recién llegadas. Pero de súbito les ordenaba pelearse con uñas y dientes. Hasta morir. Les decía que la que quedase victoriosa sería su «favorita». Y así se despedazaban con saña entre ellas. A la Señora nada se le escapa, puedes creerlo, nada. Fíjate que al principio, cuando las cosas aún no se habían puesto tan feas, cuando aún no las mataba, o al menos no las mataba rápidamente y ella misma se dedicaba a juegos sexuales con esas chicas, una noche, mientras aguardábamos a que trajesen varias muchachas, de pronto me dijo:

»—Mi leal Ficzkó… ¿Te has dado cuenta de que eres el único hombre entre tantas mujeres hermosas? —Y al decir esto miró a la vieja y desdentada Darvulia, la bruja. Luego soltó una espantosa carcajada. Siguió—: Debes de tener… deseos… ¿no es verdad?

»Yo contesté como pude. Dije que antes, cuando entré a su servicio, alguna vez sí sentía los lógicos deseos de un hombre ante todas esas chicas desnudas, pero ya no. Insistí en que sólo quería cumplir con mi trabajo, que era servirla a ella. La Condesa exclamó: *Marha jó!* Eso dijo: «Muy bien.» Nada más. Sé que nunca me ha visto como un hombre, pese a que lo soy. Utiliza mi fuerza física, tan sólo eso, porque pese a mi estatura tengo más energía que las otras tres.

El *haiduco* le preguntó entonces si las otras mujeres no se habían quejado nunca de todo aquello.

—Entre ellas cuchichean de tanto en tanto, pero cierta noche en la que se me escapó una queja, aunque sin ser oído por la Señora, que estaba cambiándose de vestido, pues el anterior lo tenía completamente empapado de sangre, una de ellas, Jó Ilona, me cogió del brazo y me advirtió:

»—No seas necio… haz como nosotras y calla, enano imbécil. Estás vivo de milagro, y nada te falta. ¿O es que no imaginas lo que podría pasarnos si no obedecemos?

»Entonces intervino la otra, Dorkó, añadiendo:

»—Algo mucho peor, mucho más lento de lo que les ocurre a esas...

Guardaron unos momentos de silencio, que al pequeño János se le hicieron interminables. De pronto se oyó la voz pastosa de Ficzkó:

—¿Entiendes ahora por qué no puedo huir?

El otro le contestó que todo eso le parecía inconcebible, y que tarde o temprano la ley los castigaría, a Ficzkó incluido, y que él, en su lugar, se escaparía. Si antes de oír todo aquello aún albergaba dudas, dijo, ya no.

—Aquí la única ley es la que dicta la Señora —se lamentó Ficzkó.

Luego salieron al patio. János los vio de espaldas. Hablaron un rato más. Él, procurando no ser visto, dejó el sitio en el que se hallaba escondido y se fue hacia el lavadero. Primero pensó en decírselo a su madre, pero luego estuvo seguro de que ésta le reñiría, y posiblemente le diera unos azotes por haber hecho algo indebido y sumamente peligroso. Así que, una vez más, decidió callar. Por la noche tuvo sueños horribles, y en varias ocasiones se despertó sobresaltado. Pero le habían pedido que fuese mudo y, ya que sordo no podía ser por más que se lo propusiese, al menos seguiría siendo mudo mientras estuviese allí.

Al principio sintió pena de Ficzkó, cuya imagen ya no le resultaba tan odiosa después de haberle oído. En el castillo todo el mundo le esquivaba. Ni siquiera se dignaban mirarle, pues todos sabían. Pero a las pocas semanas János se enteró de que había un cierto revuelo en Csejthe. Al parecer dos *haiducos* se habían escapado en plena noche, robando sendos caballos. Pensó que uno de esos dos hombres sería quien habló con Ficzkó. A éste pudo vérsele muy agitado, yendo de aquí para allá y preguntando si se sabía algo de los fugitivos. Incluso se pasaba largas horas del día subido a las almenas del castillo, como temiendo que en la lejanía aparecieran los dos hombres, cautivos, pues lógicamente la Condesa envió de inmediato a un grupo de soldados en su búsqueda. Eso significaría la instantánea sentencia de muerte para Ficzkó. Pero nunca aparecieron, y el tullido fue calmándose. Probablemente ya nunca más volvería a cometer el error de confesar sus remordimientos a alguien, ya que era su vida la que estaba en juego.

Pero János, que hasta entonces había sentido pena de ese hombrecillo miserable y contrahecho al que nadie hablaba si él no requería algo concreto, y cuya sombra renqueante parecían eludir hasta los perros del castillo, vio cómo en su interior ese sentimiento de piedad se transformaba en otro de enojo y odio. El *haiduco* sí se escapó, aun arriesgándose a ser capturado. Él, al menos, lo intentó, y al parecer con suerte. Ficzkó no. Éste también pudo haber huido, de haberlo intentado. Y se quedó.

Habían pasado siete noches desde aquella jornada en que la Condesa se fuese al castillo de Erdöd sin Ficzkó. A la mañana del octavo día apareció el séquito. El ajetreo en la lavandería fue considerable, pues ya suponían cómo iba a llegar Kata. En efecto, al rato apareció ésta en los lavaderos, demacrada y con signos de haber llorado. Las mujeres, incluida la madre de János, se apiñaron a su alrededor, inquiriéndole pormenores del viaje, aunque no era eso lo que querían saber. Él, como siempre, lo observaba todo desde un rincón, donde fingía juguetear con varios pucheros vacíos. Apenas oyó nada de lo que comentaban, pero sí distinguió la voz de Kata, que les decía moviendo las manos:

—No preguntéis, por favor, no preguntéis...

Le dieron una porción de *szalona* y vino para reanimarla. Ella apuró de un trago el vino, pero apenas pudo probar bocado del tocino ahumado que le ofrecían. Al poco vieron cómo Kata se arrodillaba frente a su lecho y se ponía a orar con los ojos cerrados. Nadie la importunó en aquellos momentos. Eso era lo único que podían hacer. Respetar su tormento, dejar que rezase.

Por aquel entonces, el Conde Ferenc Nádasdy ya había muerto, y Erzsébet perdía paulatinamente las bridas del caballo que la conducía directamente a la locura. Nadie sabía cómo acabar con todo aquello. Se limitaban a esperar, aterrorizados. Como Kata, como su propia madre, como diversas personas del castillo y, es de suponer, también del pueblo y las aldeas limítrofes. Sencillamente, aguardaban a que la Providencia les librase de aquel azote que no creían merecer. Pero la Providencia no llegaba. Había de llegar, sin duda, pero aún no daba muestras de aparecer por ningún lado. Y los días iban pasando de modo desesperante. János se preguntó si aquel *haiduco* contaría a alguien lo oído. Posiblemente así fuese, pese a su temor a hablar. Tarde o temprano sería incapaz de vivir con su secreto y lo contaría. Pero mientras ese momento llegase y alguien se decidiera a tomar las medidas pertinentes, el tiempo iba transcurriendo. Porque en Csejthe todos guardaban secretos.

El propio János, y de eso vuelve a darse cuenta al repasar de una rápida mirada lo anteriormente escrito, sigue teniendo sus secretos. Sus secretos dentro de los secretos. Porque, así debe reconocerlo, aún pudo oír algo más de la conversación entre Ficzkó y el *haiduco* que acabó huyendo. Fueron unas palabras apenas escuchadas con claridad, pues el tullido las dijo cuando estaban vueltos de espaldas a él, mientras se dirigían al patio, donde posteriormente se separaron. Era algo que sucedió en Erdöd, ese castillo del que ahora regresaba la Condesa y su séquito. Al final de ese comentario, Ficzkó dijo que por nada del mundo quería volver a Erdöd, ya que ese sitio le traía recuerdos muy desagradables.

János oyó a medias. Y eso que oyó lo tenía clavado en su conciencia como una espina. Desde entonces, para combatir contra su desazón se dedicaría a aparentar que jugaba y, siempre que le era posible, salir a los campos cercanos. Allí correteaba entre las campanillas y dientes de león, entre los ciclámenes y los juncos. Procuraba distraerse con el vuelo de algunas mariposas o miraba los agujeros que dejaban los topos en la tierra. Intentaba soñar con una vida más tranquila, lejos de aquel lugar, lejos de todo.

Tardaría aún muchos años en pensar que Csejthe era una metáfora de lo que sucedía en los campos, tan llenos de vida. Las chicas eran como las mariposas. Eran la alegría cuando llegaban. Eran el puro cántico en honor de la existencia. Y ellos, los habitantes del castillo, los topos que vivían en el subsuelo de la realidad, ocultándose bajo tierra para no ver y no saber. Siempre escondidos por temor a que la luz del día les fuese funesta.

También tardó mucho en saber de la transformación que estaba produciéndose en el modo de actuar de la Condesa, influida por los consejos de Májorova. A ese respecto sólo cabía resignarse y admitir que la Providencia seguía perdiendo su tenaz pulso con el Maligno, quien de momento le ganaba la partida. Porque la irrupción de la bruja de Miawa en la vida de Erzsébet tuvo unas consecuencias mucho mayores de las que seguramente ni ella misma pensaba.

Estaba claro que Darvulia no era mujer ilustrada. Probablemente no sabía leer, o quizá tuviese unas nociones elementales de ello. Poco podía saber, por tanto, de los baños de sangre que, se cuenta, el emperador Tiberio se hacía dar de vez en cuando, ni de las bacanales que a costa del preciado líquido vital tenían las pitonisas griegas. Seguramente ni Májorova lo sabía, aunque a ésta sí la habían visto trajinar con algún viejo volumen encuadernado en piel. Es muy posible que se tratase de libros con recetas medicinales o de conjuros, de los que en aquella época circulaban muchos por toda Europa. La propia Erzsébet, en los años previos a su viudez e inmediatamente después de producirse ésta, se hacía traer libros de Viena, Praga o Budapest, pues hay que recordar que leía a la perfección el alemán y el latín. También utilizó sus conocimientos de francés y de italiano, algo que sin duda debía agradecer a la educación que le dio Orsolya Kanisky, quien se había empeñado en hacer de ella una dama culta y políglota.

Ésa es otra de las cuestiones que han mortificado a János Pirgist durante años. ¿Leía Erzsébet? Y si era así, ¿cuáles podrían haber sido esos libros? De hecho, en temporadas en las que parecía hallarse algo calmada, porque su sed de sangre ya se había aplacado con varias muchachas, tenía por costumbre encerrarse en sus aposentos. Entonces no podía molestársela bajo ningún concepto. Dorkó y Jó Ilona se daban un respiro, seguramente convencidas, con buen tino, de que en breve volvería a desencadenarse la tormenta, y con renovada furia. Así había sido desde que ellas entraron a servir a la Condesa. Pero entonces, y János recuerda habérselo oído comentar a una sorprendida y aliviada Kata, esas dos mujeres se limitaban a decir: «Está leyendo. Nadie puede importunarla.» Y ésa era una muy seria advertencia.

Pero ¿qué leía exactamente Erzsébet Báthory, qué renglones de qué textos recorrían los ojos de la loba, eventualmente amansada tras el estrépito de una nueva crueldad? He aquí uno de los dilemas que ha ocupado la mente de Pirgist durante decenios de investigación. Con Májorova hablaba frecuentemente del tema de la sangre, y entre ellas, al parecer, mencionaban ciertos nombres que, por supuesto, nadie oyó nunca. ¿Sabría de las tesis del médico Charas, galeno francés que aconsejó untarse con sangre de víboras para sanar ciertas heridas, o que desde tiempos remotos y en diversas culturas se utilizaba la sangre menstrual de las mujeres, mezclada con grasa de cuervo, para prevenir y curar ciertos accesos, herpes y el carbunclo que podían contagiar los animales? ¿Sabría de la figura de Imhotep, que fue el primer médico egipcio especialista en desentrañar los misterios de la sangre? ¿O de Herófilo, el griego pionero en tales secretos, acaso de Erisístrato que, también en la antigua Hélade, dio con importantes hallazgos en lo referido a la sangre? ¿Sabría de los trabajos del árabe Ibn-an-Nabis, o del chino Hwang-ti?

Pudo haber sabido al respecto, pues de ellos se hacían múltiples referencias en grimorios, libelos y todo tipo de libros que sobre el tema podían hallarse sin demasiada dificultad en las ciudades. Incluso, llegó a pensar Pirgist, quien sí había profundizado en el tema para de ese modo acercarse un poco más al mundo anímico de Erzsébet comparando fechas de publicación y llevando gran cuidado a la hora de establecer un calendario de posibles lecturas, ésta pudo haber leído, dado lo mucho que el asunto le incumbía, los tratados más relevantes que por aquel entonces circulaban, unas veces a modo de material prohibido, otras no, a saber: ¿los estudios de Carlo Ruini de Bolonia, los de Fra Paolo Sarpi de Venecia, los de Canano de Ferrara, los de Fabrizio d'Aquapendente, los del gran Andrea Vesalio, verdadera autoridad en la materia, el *De plantis* de Andrea Cesalpino de Pisa, el *De Re Anatomica* de Colombo de Padua? En efecto, pudo haberlos leído porque tales textos existían ya, impresos y divulgados, mientras ella vivió. En cambio, y por pocos años de diferencia, Erzsébet ya no vivía cuando los médicos de la sangre realizaron nuevos y sorprendentes descubrimientos. Así, no pudo conocer los trabajos de Gaspar Aelli, de Adrian Leuwenhoek, de Olaf Rudbeck, o Thomas Barthuli, o de Marcelo Malpighi. Se quedó sin saber, pues, el circuito exacto por donde discurre la sangre, el complicado ensamblaje que la lleva a través de venas, arterias y válvulas.

Tampoco Májorova conocería nada de todo ello. Ésta vivía siempre pendiente de discernir los distintos procesos de maceración de las plantas solanáceas, de extraer su máximo potencial a la *alraum*, conocida como mandrágora, a los acónitos, a la cicuta y la resina del *cannabis* de Anatolia. Además de preocuparse porque su propia vida no peligrase, claro está.

En cuanto a Erzsébet, Pirgist no se la imaginaba leyendo tales libros. Su preocupación era de orden mucho más rutinario. Ella tenía que llenar casi a diario los calabozos de Csejthe, que tardaron casi medio siglo en construirse y en los que murieron cuatrocientos presos turcos, luego de trabajar en ellos durante su cautiverio. Ella veía con preocupación cómo día a día se le estropeaba, como ya ocurriese en la Casa Harmish de Viena, su querida «Doncella de Hierro», ese modelo que imitaba el que pudiese ver en el castillo de Dolna Krupa, perteneciente al duque de Brunswick.

Como era de prever, la sangre había acabado por oxidar ese siniestro mecanismo. Chirriaban los goznes, no encajaban correctamente las puertas. Pero, mientras pudo sacarle partido, lo utilizó de manera constante y tal como Ezra Májorova le había indicado que hiciese, colocándose bajo el artilugio y siendo bañada por la sangre de la sacrificada que estaba en su interior, a la que los clavos dejaban como un acerico de coser. La sangre le caía a borbotones, salpicando su vestido, su piel, su cabello, todo su cuerpo.

Mas era mucha la sangre que se desperdiciaba en esa operación, yendo al suelo o quedando coagulada entre los hierros del aparato. Entonces, mientras le chorreaba el líquido rojo, Erzsébet parecía calmarse un tanto. Miraba al vacío, ausente, impasible ante los gritos de dolor que la máquina provocaba en sus víctimas. Sólo para darse esas duchas de sangre se quitaba la pequeña bolsita de cuero que siempre la acompañó, y que pendía de su cuello. Ella la tocaba a cada instante, como invocando algo en silencio. Allí habría miembros de cualquier animal, que precisamente la bruja de Miawa conjurase tras una ceremonia secreta a la que ni Dorkó, Jó Ilona o Ficzkó pudieron asistir, siquiera en calidad de mudos espectadores.

Erzsébet vivía obsesionada por su interminable lista con nombres de muchachas traídas desde lejanas regiones del país. Pero iba tachando sus nombres con más frecuencia que añadía otros. Y ello, a pesar de que siempre disponía de un buen número de ellas «en conserva» abajo, en los calabozos, la sacaba de quicio. Eso y la certidumbre de que era necesario dar un paso más. Conseguir chicas de sangre lo más pura y noble posible, algo a lo que estaba plenamente dispuesta pero que a la vez le producía un obvio resquemor. Porque Májorova ya la había convencido de que hacía falta más sangre, mucha más. Como su «Doncella de Hierro» estaba prácticamente inservible y había sido olvidada en un rincón de aquellas improvisadas salas dedicadas al suplicio, no bastaba con dejarse mojar por la sangre, sino que era imprescindible bañarse en ella. Bañarse se traducía en muchos más litros de sangre de los que hasta ahora obtenían.

En ello, y no en los libros de médicos, debía de tener Erzsébet puestos sus pensamientos. La posibilidad de bañarse literal e íntegramente en sangre de doncellas, la sacaba al menos de su enfermiza abulia y de la mera cotidianidad de las torturas que en sí mismas empezaban a cansarle. Necesitaba emociones nuevas, fuertes, para así sentir otra vez el clamor de su identidad, que se desvanecía por momentos sumiéndola en una especie de niebla. Además, el aspecto de su piel no mejoraba, más bien al contrario: seguía su proceso de imparable deterioro.

Por mucho que intentase disimular, la desesperación estaba apoderándose de ella. Porque también Erzsébet tendría sus propios secretos, sus dudas, como János Pirgist, quien, mientras prosigue en su ardua tarea de relatar aquellos hechos, va posponiendo ciertas cosas para cuando se sienta con fuerzas. Sólo así llegará a mencionarlas.

Es demasiado lo que seguía impresionándole aquello que pasó como para centrarse en lo que él mismo llegó a saber, por atroz que eso fuese. Le perseguían esas otras imágenes de campos sembrados de anónimas, humildes tumbas, donde yacían tantas pobres vestales sin nombre. Para ellas nunca hubo túmulos ni mausoleos, ni siquiera exequias para honrar sus muertes. Le impresionaba, aún, esa otra imagen de Erzsébet paseando por su habitación tapizada de *askamiet*, un tipo de damasco particular, entre candelabros de bronce permanentemente encendidos y lámparas de plata en las que ardía aceite de jazmín para que se fuese el penetrante olor que en todo momento la acompañaba, pues dicen que la sangre, cuando mana en abundancia, se instala en las fosas nasales como ninguna otra sustancia. Allí sólo se oiría el tintineo intermitente de sus pulseras de esmalte engarzadas de perlas. Allí, limícola, contumaz y perpetua huésped en el lodo de su amoralidad, artesana en el oficio de lacerar, maestra del ludibrio y el tormento, también ella llegaba a su propio límite. Deambulando en el aire enrarecido de esa habitación entre enormes armarios de roble negro, no miraba ya su gaveta llena de alhajas, del mismo modo en que había dejado de interesarle el estado de los viñedos y de los pastos que abarcaban sus tierras. Ella paseaba a lo largo y ancho de aquel lujoso aposento como si lo hiciera por un infame tabuco sin apenas luz, ya casi nunca con sus vestidos de mangas abullonadas y los ceñidos corpiños sobre jubones de color granate, dejada de lado su gorguera o la valona que antes dejase caer sobre su espalda, desde los hombros, con tanta donosura. Aventajada aprendiz de bruja, experta en afrodisíacos, infusiones y tósigos, ya poco tiempo le dedicaba a esas tareas. Ahora, además de matar, sólo pensaba. Pensaba durante horas y horas. Quizá recordase cuando, siendo casi una niña, precisamente en Erdöd, donde algunos Báthory se habían reunido con sus familiares Somlyó para celebrar juntos la Natividad, ella hizo por última vez algo que anteriormente había puesto en práctica, siempre con excitantes resultados. Cogía de debajo de las piedras una escolopendra, gusano de múltiples patas y que llega a tener la extensión de una mano abierta. Sabía cómo cogerlas para que no le picasen, pues esos anélidos poseen una picadura muy venenosa. Las cogía con delicadeza por la cola y la cabeza. En cierta ocasión en que una de sus primas Somlyó estaba despistada, ella se le acercó por detrás y le dijo: «Si quieres que te ponga un bonito collar, cierra los ojos.» La otra, entusiasmada, contestó afirmativamente. «De acuerdo, te lo regalo», añadió la niña Erzsébet sosteniendo entre sus manos aquel repugnante gusano. Y se lo colocó en torno al cuello. La mala fortuna hizo que la escolopendra fuese escote abajo, provocando un ataque de nervios a su prima. Fue duramente castigada por ello pero, como siempre, no le importó. Rosas silvestres con espinas para sus primos, collares agusanados para sus primas. No era ambiguamente perversa. No era decididamente mala. Era cruel, sin fisuras.

Pero ahora Erzsébet se debatía en sí misma, encolerizada por no ver resultados prácticos, negándose a reconocer aún que no podía haber milagros, y menos con ella.

Tal debía de ser su desesperación que, por aquella época, dejó escritas varias plegarias de índole difusa, presumiblemente conjuros que la bruja de Miawa le habría dictado. Pero en esas plegarias, al final, y ello demostraba que su mente había llegado a la escisión máxima, todavía se atrevía a escribir, con su letra pequeña y pulcra, la invocación:

«Santísima Trinidad, protégeme.»

SZÁTHMAR

Ya no quedaban niñas en las alquerías. Ni pastorcillas cuidando de sus rebaños en el sotobosque y los prados.

Todo alrededor de Erzsébet se desmoronaba.

Y lo hacía con mansedumbre, sin apenas estruendo. Sólo los gritos de aquellas chicas, algunas noches, indicaban que en su entorno aún latía la vida. El viejo mundo ya no le servía, y las más intrincadas invocaciones no acudían en su ayuda. Ella, la hija de Jorge y Anna, de los Báthory y los Ecsed, ella, descendiente de los Báthor dacios, ella que en su propio apellido llevaba inscrita la alusión a su feroz valentía, se sentía ahora sola, acorralada.

Había subido hasta lo más alto de un glaciar y allí, en la nieve de sus pensamientos convertidos en polvo de locura, desafió al cielo. Pero bajo sus pies se estaba produciendo el alud, y Erzsébet rodaba cuesta abajo en una caída imparable. Por eso, durante cierto tiempo, redujo sus movimientos a lo esencial. De sus aposentos en el piso superior de Csejthe a los lúgubres sótanos, ruta sólo interrumpida por repentinas decisiones de ir a uno de los castillos que aún poseía, como el de Száthmar, cerca de los Grandes Cárpatos, donde antaño vivieran sus antepasados más ilustres. Nunca olvidaba llevarse, en esas incursiones, su tesoro portátil, su botín humano.

El *hrad* de Száthmar estaba situado en el nordeste, sobre un enorme espolón de piedra gris. De hecho también Erzsébet huía de Csejthe, pues se sentía repentinamente agobiada por la atmósfera opresiva que reinaba en aquel lugar del que ella era única tirana. Allí por donde pasaba o había estado quedaba el inconfundible olor de sangre. Entonces, al igual que necesitaba sangre más pura, también creía necesitar un aire más puro y limpio.

De camino hacia Száthmar pudo observar desde su carruaje a los alfareros con el tabenque, a los campesinos moliendo grano en los umbrales de sus chabolas, y algunos niños vigilando el ganado, y a otros en solitarias granjas. Pero nunca niñas. Maldijo una y cien veces su suerte. ¿Es que ya no nacían niñas en aquellas tierras?

Era parcialmente cierto. Quedaban pocas, y a éstas procuraban esconderlas cuando se enteraban de que por allí se disponía a pasar la Señora. Sólo le quedaba, pues, observar con detenimiento el paisaje y lanzar miradas a la otra carroza, en la que iban provisiones en forma de criadas. Tendría que apurarlas al máximo, ya que de lo contrario pronto se quedaría sin nada. Siempre que salía a cualesquiera de esos castillos construidos en el estilo gótico que idearon los cistercienses, pensaba que iba a quedarse unas semanas o meses. Llevaba consigo unas decenas de muchachas. Así que, si controlaba su hambre, posiblemente podrían durarle todo ese tiempo. Pero al cabo de unos días ya no había muchachas, y su malestar y aburrimiento crecían. Entonces ordenaba un fulminante regreso a Csejthe, donde a fin de cuentas, y pese a que era allí el sitio en el que más rumores corrían sobre ella, se sentía más protegida.

Los recursos pecuniarios estaban agotándose, tributos y gabelas no eran suficientes, y aunque lo deseaba con todo ahínco, no podía suprimir el pago anual que efectuaba a la Iglesia. Pirgist sabe de una carta que en tono sorprendentemente humilde Erzsébet escribió a Ruprecht Ellinsky, consejero áulico del rey Matías, en la que le pedía dinero alegando que las cosechas y el ganado de sus tierras no le daban para vivir como una dama de su alcurnia requería. En términos de tamaña desfachatez estaba redactada aquella epístola al *Spectabili et Magnifico domino Ruperdo ab Ellinsky, Cesar Regio Mattis Consiliario.* Era el año 1605 y la petición no obtuvo respuesta. En efecto, el viejo mundo se venía abajo, perdiendo todo su sentido. ¿Cómo era posible que ni siquiera se dignasen responderle, aun dándole vanas excusas, a ella, una Báthory?

Su instinto le decía que estaba cayendo por el glaciar, y que al final de la caída sólo había agua pantanosa. Al final únicamente estaba la ciénaga. Pero también se equivocó en esto. Ya estaba en la ciénaga, nadando atolondradamente en aguas oscuras, dando inútiles manotazos en el vacío, sorteando a duras penas los remolinos que tiraban de ella hacia el interior de un inmundo lodazal. Era ella quien llevaba la ciénaga en su sangre, cada vez más impura, cada vez más vieja.

Poco quedaba de su pasado que pudiese servirle. Ya no había largas cabalgadas nocturnas en soledad, deteniéndose en el calvero de algún bosque, mirando fijamente una luna que había empezado a no serle favorable. ¿Es que Lilith y su materna sombra ya no la alcanzaban? ¿También su favorita de entre las deidades le daba la espalda?

Ya no se detenía en mitad del campo, a recoger tréboles, camomila o arándanos, ni abrótano, ni borraja, ni áloe para zumos o brígulas para cataplasmas. Ya nada le importaba el azafrán o las peonías, las grosellas, los arraclanes o el tusílago pues no había manjares que degustar ni primos a los que herir, ni que donde ella estuviera ardieran constantemente teas y antorchas o cirios sostenidos en aparatosos candelabros que últimamente eran su única compañía. Ni los masajes con ajos y agua de ternera. Ya no se hacía acompañar a todas partes por su inmenso espejo negro en forma de *bretzel,* pues esa imagen vagamente difuminada le recordaba otro tipo de infinito distinto al que ella aspiró siempre. Ya no se hacía peinar con tanta frecuencia como antes, pues la angustiaban lo indecible la aparición de nuevas canas aquí y allí, al principio sobre las sienes, luego ya por toda la superficie de su cabeza, y que sólo los más poderosos tintes lograban disimular. Lo harían durante una breve temporada. Ya no almohazaba sus cabellos con tanta asiduidad, no le preocupaba el estado de las sisas de sus anchas mangas, ni el desgaste de sus queridos corpiños, ni sus antaño favoritos vestidos de terciopelo. Ahora vestía casi siempre de negro. Empezaba a resignarse. Aunque ella no lo sabía, estaba de luto por sí misma.

Nada le importaba la montería, la equitación o la cetrería, que años atrás practicaba con agrado. Envuelta en gruesas pieles de lince, hundido el rostro entre sus hombros cada vez más enjutos, lo miraba todo con desidia e inquina, dejándose mecer por el vaivén de su carroza. Miraba los pinos y los trigales, miraba los chopos y el ondular acuoso del centeno que mueve la brisa.

Sencillamente un buen día decía con voz ronca:

—*Szrentnek oda menni...* —«Quiero ir allí», en referencia a tal o cual castillo, y todo debía disponerse de modo precipitado para el viaje. Ropa, alimentos, chicas. Luego se cansaba y volvía tan de improviso como decidió partir.

Es posible que en esa época volviesen a ella imágenes de su pasado. Es posible que pensara en sus dos aventuras con hombres, aquellos Jezorlavy Istok y Ladislav Bende, que desaparecieron no dejando rastro alguno, seguramente acosados por el pánico de lo que tan sólo llegaron a entrever: a su Señora mordiendo como una perra desesperada a indefensas criadas a las que había mandado introducir en su lecho, incluso atacándolos a ellos mismos en mitad de sus revueltos apetitos carnales. No fue ella quien los hizo desaparecer, aunque sin ningún género de dudas habría terminado por hacerlo en un plazo muy breve de tiempo. Pero con los hombres nunca acabó de atreverse, y la prueba era ese taimado

Ficzkó, que la acompañaba doquiera fuese. Ella amaba y odiaba a las mujeres, a partes iguales. Por los hombres debía de sentir el respeto secular que le habían inculcado los Báthory. Todo hombre podía ser dos piernas y dos brazos para luchar contra los turcos y eso no lo olvidaba. Pues Erzsébet adoró siempre la fuerza y la violencia, algo consustancial a ellos. En cambio las mujeres, nacidas para seducir y pervertir, no hacían otra cosa que prepararse media vida para gustar a los hombres, pasándose la otra media cuidándolos y soportándolos. A ellos y a los hijos que las obligaban a tener, bien lo sabía. Por eso las aborrecía, aunque la atrajesen, porque poseían la juventud que a ella se le escapaba como agua entre las manos.

Poco a poco había ido distanciándose de cuantas distracciones antaño aún mantuvieron su atención, como la de ir dos o tres veces anualmente a los mercados que con frecuencia se instalaban en el centro de Viena o Budapest. Otrora, en su juventud, siempre solía encontrar cualquier bagatela para sí misma o para regalársela a su marido, como un narguile en el que fumar, o ciertos vinos que contenían sendos bocoyes de madera que el tiempo había corroído. También solía apetecer de determinadas especias que algunas vendedoras guardaban con tiento en cucúrbitas de barro o canastillas de saúco y mimbre. Asimismo, en esas ferias compraba quesos de lejanas regiones, que los pastores llevaban en badanas hechas de piel de cordero, o fajardos elaborados con hojaldre y carne picada. Casi de todo se encontraba en tales mercados, desde colirios diversos para aliviar sus dolencias oculares hasta samovares donde calentarse las piernas en invierno. Con la vista recorría los tenderetes en los que era posible hallar desde bonitos muebles de palisandro o sillas de taracea con fundas de sarga hasta pasamanos con engarces de oro y toquillas de vistosas plumas, que al parecer hacían las delicias en las cortes francesas e italianas, o ferreruelos de terciopelo forrados de tabí. Aquellos lugares, no obstante, la aburrían al poco, pues era grande la fanfarria que organizaba tanta gente impecune, igual que el griterío de espoliques y mozos transmitiéndose dizques y rumores, todos ellos muñidores sin sueldo de historias que habían oído en alguna parte, pero que deformaban conforme iban contándolas de nuevo. Allí podía ver a ancianas seborreicas y rostros con la huella de la erisipela, a mendigos que la acosaban mostrándole sus bacinas huecas en demanda de limosna, y jóvenes que se ofrecían para realizar sinecuras a cambio del sustento. Los talabarteros, voceando desde los adrales de sus carromatos todo tipo de mercancías, eran observados por multitud de gañanes de corta edad que poco más hacían que morderse padrastros, despiojarse como podían o perder las horas. Ella solía buscar cosas determinadas, mújoles del Mediterráneo y sábalos del Atlántico, conservados en salmuera o ahumados. Asimismo tenía la costumbre de comprar todo tipo de emulsivos de farmacia, almíbar de culantrillo o ruibarbo con el que purgar indigestiones. Aquel continuo borbollar de la vida la ponía nerviosa al escaso rato de estar allí, así que, acedo el gesto y con imperiosos monosílabos, ordenaba regresar de nuevo, lo que contrariaba sobremanera a sus acompañantes, para quienes tales salidas constituían un divertimento único en medio del asfixiante encierro de los castillos, con su vida oscura y monótona, pero ella era incapaz de aguantar mucho tiempo a tantas personas de aspecto clorótico y desaseado. De manera que habría que aguardar a que se sintiese nuevamente en extremo aburrida para hacerse con pescado de Terranova, mantenido con hielo, o el salado que llegaba de Holanda, y otro tanto podría decirse de pavos, perdices o alimentos como el arroz, el regaliz, la miel, el azafrán o el pimentón. De hecho, al espaciar cada vez más esas visitas a los mercados, que al final eran casi incursiones realizadas con suma rapidez y a desgana, se separaba más y más de la vida y todo cuanto guardase relación con ella.

János Pirgist siente dolor en la espalda. Son varios los días que lleva con su escrito, y tantas horas reclinado sobre las cuartillas le resultan algo muy fatigoso. Apoya su cabeza en el respaldo del sillón y se lleva una mano a la nuca. Luego, con la otra mano, se palpa la parte superior de la nariz, entre los ojos. Es mucho lo que está forzando la mirada del recuerdo para no caer en el desánimo. Pero no debe distraerse. Cuando uno inicia un trabajo es contraproducente darse ciertos respiros, pues entonces la indolencia y la pereza pueden apoderarse de nosotros, sugiriéndonos que ya proseguiremos con esa labor mañana, cuando estemos más frescos y descansados. Eso no es válido para el trabajo que él lleva adelante. Sabe que si cede ahora todo quedará inconcluso, no sólo la propia descripción de los hechos, sino también ese otro reducto de su memoria que se ha destapado un poco. Es consciente de que, si flaquea ahora, ya nunca encontrará ocasión para revelar lo que aún tiene pendiente, aunque no sea a un sacerdote y mediante el sacramento de la confesión, sino al papel.

No obstante, es tanto lo que durante toda su vida logró averiguar acerca de la Condesa Báthory que las múltiples dudas surgidas sobre la marcha le acosan como una manada de hambrientos lebreles al zorro o la liebre. Conociendo que Erzsébet fue una mujer de cultura, y que casi hasta el final no pudo evitar el hecho de asistir a fiestas que tenían lugar en diversos lugares, donde se contaban toda suerte de rumores e historias, Pirgist se pregunta si también ella supo en vida de la existencia, siglo y medio antes, de su homónimo en cuanto a crímenes y su forma de realizarlos se refería, el tristemente famoso caballero Gilles de Rais, mariscal de Francia y compañero de armas de la célebre Juana de Arco, con quien combatió codo con codo en la toma de Orleans o en el fallido intento de conquistar París, por aquel entonces en poder de los borgoñones, que jugaban a ser aliados de los ingleses según les conviniera o no tal tesitura. Porque Gilles de Rais, hijo de Guy de Laval y Marie de Craon, Señora de La Suze, una vez hubo librado sus batallas con las armas demostrando siempre un arrojo intachable, se dedicó, como ella misma, a las lecturas nocivas. Según parece, cayeron en sus manos los escritos de Suetonio y de Plutarco, en los cuales se daba cuenta de ciertos crímenes cometidos por emperadores de funesto recuerdo, como Heliogábalo, Cómodo, Nerón o Diocleciano.

Aquello excitó sobremanera su imaginación.

Y eran muchas, por no decir demasiadas, las concomitancias que hubo entre los casos de Gilles de Rais y el de Erzsébet Báthory. Gilles, al igual que Erzsébet, dispuso de varios castillos en los que consumar sus fechorías, pero fue sobre todo en los de Champtocé, Pornic, Tiffauges y Machecoul donde dejaría sanguinaria impronta de su paso por la vida. Al igual que Erzsébet, tres fueron los ayudantes que le asistieron en esos crímenes: Gilles de Sillé, Poitou y Henriet, que eran sus criados. Y, lo mismo que Erzsébet, necesitó siempre de un asesor espiritual que justificase sus actividades. Esto lo encontró en la persona de cierto clérigo italiano residente en la Bretaña, llamado Francesco Prelati, que no era brujo como Darvulia o Májorova, pero también estaba en comunicación con las fuerzas del más allá.

De idéntica manera a como Erzsébet y sus brujas invocaban a los poderes del Maligno y pasaban sus días y noches elaborando conjuros y entre anafres y frascos con líquidos misteriosos, Gilles hacía lo propio. También él eligió como víctimas a los de su propio sexo. Jóvenes mendigos a los que engañaba diciendo que podrían pasar a formar parte de su coro. Pajes sin trabajo o simples campesinos. De ese modo se iniciaron sus matanzas. Y si en el caso de Erzsébet lo que la estimulaba era su pingüe crestomatía de plantas, en el de Gilles de Rais fue, al parecer, un poderoso vino de aquella zona del país, conocido como *hypogras*. Entre ceremonias satánicas y orgías fue dando cruel muerte a cuantos jóvenes caían en su poder, siempre inducido por el pérfido Prelati, tan vicioso o más que su patrón. Aunque posteriores pesquisas redujeron su cifra de víctimas a cuatrocientas, se dice que en el momento de su juicio Gilles reconoció, en un cálculo aproximado, haber asesinado a cerca de ochocientos muchachos, algunos de los cuales, eso fue cierto, cantaron durante varias semanas en su coro, pues el mariscal de Francia, y éste sí era un dato desconcertante, era hombre de probada fe. De ahí lo absurdo de su contradicción mental, pues si con esos jóvenes cometía todo tipo de aberraciones, luego, siempre arrepentido, entraba en agudas crisis, encerrándose para rezar o darse golpes de fusta hasta hacerse heridas. Realmente debía de estar arrepentido de lo que acababa de hacer, y luchaba por no repetirlo. Pero al poco, y de nuevo borracho como una cuba a costa de ese *hypogras* que consumía por litros diarios, volvía a sus sesiones de sodomía, de tortura y muerte.

A diferencia de Erzsébet, quien nunca dio muestras de duda o aflicción por lo que había hecho, se sabe que Gilles de Rais, sobre todo, violaba los cadáveres de sus víctimas llenándolos de oprobio, así, incluso después de muertos. En su juicio explicó con detalle que una de las perversiones que más gozo le proporcionaba era sodomizar a uno de aquellos muchachos maniatados y, bien fuese él mismo o cualquiera de sus ayudantes, decapitarlos justo en el instante próximo a alcanzar su clímax sexual. Entonces, en un gesto rápido, le ofrecían la cabeza del muchacho, ya separada de su cuerpo, y él lo besaba en la boca con pasión. Quería, o decía querer tanto a aquellos jóvenes, que guardaba en salmuera sus más bellas cabezas. Semanas después seguía cometiendo abusos demencialmente deshonestos con aquellas cabezas y rostros que todavía conservaban un rictus de espanto en sus rasgos. Y de nuevo el encierro, la penitencia y la oración. De nuevo el arrepentimiento, para volver en breve a las orgías y los asesinatos.

En el juicio que se le hizo, tanto a él como a sus cómplices, Gilles aceptó lo monstruoso de sus actos, y hasta parecía desear el justo castigo que sabía le aguardaba. Henriet, uno de los criados, reconoció que siempre fueron muchachos las víctimas, excepto en una ocasión en que, no habiendo ningún joven a mano, tuvo que provocarse placer con una muchacha aún adolescente, a la que secuestraron en un camino.

También a diferencia de Erzsébet Báthory, fue el propio Gilles de Rais quien propició su captura. Como si en el fondo deseara que ésta se consumase pronto, para así poner fin a la hecatombe de sangre y duelo que estaba provocando. Al ser apresado intentó en vano acogerse a sagrado, introduciéndose en una iglesia, pero de nada iba a servirle tan cobarde argucia. Su suerte estaba echada porque, al igual que Erzsébet, había empezado a asesinar a hijos de campesinos con cierto prestigio en sus tierras. De hecho, cuando Jean Labbé, que era pariente suyo, se disponía a apresarlo acompañado de una guardia fuertemente armada, Gilles exclamó, cayendo de rodillas. «¡Buen primo, llegó el momento de acceder a Dios!», pues debía de estar plenamente convencido de que sus actos serían perdonados si se arrepentía de ellos. Jean de Châteaugiron, obispo de Nantes, y Pierre de l'Hôpital, gran senescal de Bretaña, llevaban algún tiempo tras sus talones, y por fin lo capturaron.

En su juicio Gilles de Rais dio muestras en todo instante de gran serenidad y aplomo, e incluso, en algunos momentos, derramó lágrimas por sus inocentes víctimas, a las que, insistió, él nunca quiso hacer daño alguno. Fueron el vino y las creencias satánicas, de las que ahora abominaba, los que lo impulsaron a ello. Pidió repetidas veces perdón a las familias de esas víctimas, muchas de las cuales se hallaban presentes en la sala, y clemencia al Topoderoso para que le otorgara su perdón en el cielo. Fue tal la impresión de arrepentimiento y, se cuenta, casi de beatitud, que mostró Gilles en aquella trágica hora, que cuando era conducido en una carreta al sitio en el que debían tener lugar las ejecuciones, primero las de sus cómplices y finalmente la suya propia, algunos aldeanos rompieron en llanto, pidiendo a gritos su perdón, o, al menos, su salvación eterna. La comitiva entonó el *De profundis*, luego un *Requiem*. Los ánimos estaban muy caldeados y ya había gente que se enfrentaba a los guardias que protegían a los reos. Tal puede ser la necedad del pueblo llano, a veces, quien confunde la misericordia con el engaño. Uno tras otro fueron ajusticiados sus colaboradores. Él, hombre de guerra y que tantas veces estuvo en peligro de perder la vida, y a quien tantas heridas causaron armas de toda laya, confesó a sus atónitos jueces que sentía un miedo inconmensurable hacia el dolor físico. ¡Él, que lo había provocado hasta la arcada! Les suplicó que, dado su rango y nombre, le librasen de ese padecimiento en la medida de lo posible. Tan bien y tan devotamente expuso sus razones y su aprensión ante el suplicio, indicándoles con exactitud lo que deseaba, que le concedieron esa gracia. La sentencia convenía en que se le quemase vivo en la hoguera, pero en realidad todos vieron una horca situada justo encima del enorme amasijo de leña preparado para quemarle. Además, presumido hasta el final, rogó que su cuerpo no sufriese en demasía el contacto con las llamas, pues así podría recibir cristiana sepultura en mejores condiciones. Con tanto fervor pidió estas cosas que le fueron asimismo concedidas. A fin de cuentas no dejaba de ser un noble emparentado con la realeza de Francia, además de que había dado muestras de un vivísimo arrepentimiento, lo cual constituyó todo un éxito para el prestigio de sus jueces. Poco antes de ser ajusticiado dijo con calma a sus allegados que morir no significaba más que un poco de dolor, pero él, cobarde e impío, había suplicado como una parturienta temerosa y aprensiva que le librasen de ese poco dolor. Así se hizo.

Cuando las primeras llamas le rozaban ya los pies, su cuerpo colgó bruscamente de la horca. Y con rapidez lo sacaron de allí, apenas unos momentos después, sólo ligeramente chamuscado. En el instante crucial de la ejecución se entonó un *Dies Irae* que a muchos logró emocionar. En realidad, aquello se tradujo en un triunfo de la fe, pero Pirgist pensaba, aun sin dudar del supuesto arrepentimiento de Gilles de Rais, que todo aquello fue más teatro, cobardía y embuste que otra cosa.

Fuesen cuatrocientas las víctimas, como se coligió tras un exhaustivo recuento, u ochocientas, como él mismo se ufanó en recordar con toda naturalidad, daba igual. Es muy posible que los restos de muchas de ellas nunca fueran encontrados, o que procediesen de lejanos lugares. La cantidad, quizá, debió de aproximarse a quinientas. Lo cierto es que a los cuatro años de quedar viuda, Erzsébet Báthory ya había alcanzado y superado esa pavorosa cifra.

Gilles de Rais también se echaba por encima sangre de algunas de sus víctimas, porque Prelati le aconsejaba hacerlo para así entrar antes en el reino de las tinieblas. No obstante, ese discurrir paralelo en el modo de cometer salvajadas entre Gilles y Erzsébet, fue sólo similar en sus efectos, pero no en las intenciones con las que fueron realizadas, pues mientras que Gilles de Rais buscaba sobre todo el goce sexual más burdo y directo, y nunca mataba si antes no había violado a sus víctimas, de las que con frecuencia abusaban también sus cómplices, Erzsébet raramente dio muestras de hallarse en estado de verdadera excitación sexual, lo que la convertía en una torturadora más fría. Si pudo gozar con alguna de las criadas que de joven se hacía subir a sus aposentos para pasar la noche con ellas, eso es algo que nunca se sabrá. De lo único que queda constancia es de que ella se recreaba en el dolor de sus víctimas, y cuanto más intenso fuese éste, mejor. En tal aspecto diferían sustancialmente ambos casos. Además de ello, Erzsébet, en la última parte de su vida en la que de modo paulatino, como Gilles en sus castillos, iba sintiéndose acorralada, todavía no había dado nunca la menor señal de arrepentimiento. Todo lo contrario. Cuanto más mataba y hacía sufrir, más se vanagloriaba de su propia crueldad. Tampoco parece que a Gilles le preocupase en absoluto darse auténticos baños de sangre y, pese a su probada coquetería, tampoco se sabe que temiese el envejecimiento. Gilles halló en el placer físico una ruta que lo condujo directamente al crimen, lo cual, pensaba Pirgist, no justificaba tan execrables actos pero sí les daba una pátina humana. Su perversión era de índole mucho más terrenal que lo que movía a Erzsébet, quien pronto pareció dejar a un lado los presuntos placeres del cuerpo para dedicarse con rabiosa tenacidad a la causa del dolor, al culto de la sangre. Él mataba y torturaba en caliente, como prueban los testimonios de sus cómplices y el suyo propio durante el juicio en el que se le condenó a la pena capital. Erzsébet, por el contrario, pareció complacida de actuar casi siempre en frío. Tanto crimen y tanta tortura ya la hastiaban. Y por eso decidió tomar la senda más inaudita de cuantas pudieran ser imaginables. Asistió inconmovible a las torturas, interviniendo en ellas de manera cada vez más espaciada y selectiva desde un sillón que, situado en un punto concreto de los antiguos lavaderos de Csejthe, le permitía dar órdenes y observarlo todo con detenimiento. Y, en mitad de aquellos interminables suplicios, sólo ladeaba ligeramente la cabeza o parpadeaba como si terminase de ver algo insólito, hundida en sus propias alucinaciones. Tampoco se sabe que ninguna de sus ayudantes, ni muchísimo menos el enano Ficzkó, abusaran en alguna ocasión de cualquiera de aquellas muchachas. Era el dolor por el dolor, la muerte por la muerte. Pero al final seguía estando presente un único objetivo: la sangre.

János aún puede recordar vagamente la llegada desde Száthmar de la Condesa, apenas dos semanas después de que partiese. Teniendo en cuenta los días que duraba el viaje de ida y el de regreso, su estancia allí no pudo durar ni una semana. Y es que, en efecto, tres chicas eran escaso botín para demorarse por más tiempo.

Sólo años después Pirgist lograría enterarse de lo que, presumiblemente, ocurrió en esa breve incursión hasta Száthmar. Esto lo supo de una de las lavanderas amigas de Kata, y a la que ésta se lo contó un tiempo después. Era más de lo mismo, pero siempre con ligeras y macabras variaciones.

Erzsébet había hecho desnudar y atar aquellas chicas. Primero fueron los azotes, luego las quemaduras propiciadas casi al azar en diversas partes de sus cuerpos. Luego se desplegó el reducido pero eficaz arsenal de tortura que llevaba consigo allí donde se trasladara. Les clavaron alfileres por piernas y brazos. También en el rostro. Posteriormente ordenó que se usaran unas pequeñas tenazas para ir arrancándoles los pezones, que les hacían tragarse. Así, aquellas muchachas fueron obligadas a irse comiendo parte de sus propios cuerpos. Y, de nuevo con las tenazas, les arrancaban porciones de piel a tiras, de carne que, una vez recuperadas ligeramente de los desmayos en que caían, les hacían comer por la fuerza.

El atizador al rojo iba y venía a la chimenea encendida con tanta frecuencia como se les echaban por encima barreños de agua para reanimarlas, proseguir la sesión y, con ésta, su inacabable agonía. Las tenazas desgarraban los labios y sus genitales, que asimismo intentaban que se los tragasen. Como esto resultase difícil, dado el estado lamentable de las muchachas, ella decidió entrar en acción.

—¡Dejadme a mí, atajo de inútiles! —parece ser que les había gritado a sus ayudantes, soliviantada porque las cosas no estaban marchando tal y como ella pretendía.

»¿Queréis que grite? ¿Acaso pensáis que ya está muerta? —preguntaba amenazante y mirando alrededor suyo—. Ahora os enseñaré yo cómo vuelve a lamentarse, la maldita embustera…

Entonces cogía un cirio ardiendo o el atizador candente

y se lo introducía por la vagina. Una sacudida o un estertor le hacía sonreír en señal de victoria. La chica, en efecto, aún no estaba muerta del todo. Todavía debían seguir arrancándole carne o piel de aquí y de allá con las tenazas, cuya punta ella misma ponía al rojo aproximándola un poco al fuego del lar. Así hasta que se le morían, cuando un cirio introducido hasta el vientre, desgarrando las entrañas de aquellas infortunadas, no provocaba el menor movimiento. Era entonces cuando Erzsébet podía ponerse realmente furiosa. Acababa de perder a su presa en mitad de la cacería, o así lo creería ella. Era entonces cuando sobrevenían amenazas a todos los presentes y el ya inútil ensañamiento con los cuerpos quemados y mutilados. Había llegado a golpear, en tales momentos de frenesí y decepción, a alguna de sus ayudantes, pero nunca a la bruja de Miawa, que una vez más asistía indecisa a la escena. Con ella no se atrevía, como nunca se atrevió a golpear, siquiera ligeramente, a la vieja Darvulia. Temía hacerlo por motivos obvios: creía en el poder de sus conjuros y maldiciones.

—¡Ezra, ven conmigo! —había exclamado aquella noche en el castillo de Száthmar luego de haber acabado, una tras otra, con las tres chicas.

Erzsébet jadeaba y tenía la mirada vidriosa a causa de la cólera. Era el momento en que Májorova, siempre en una estancia apartada de donde estuviesen Ficzkó, Jó Ilona y Dorkó, debía aplacar la ira de la Señora, pues ésta podía volverse contra todos si no se cortaba a tiempo. Y allí Májorova procuraba darle alguna nueva pócima que la tranquilizase, la suficiente ración de resina de cáñamo como para dejarla aturdida por espacio de varias horas, tiempo durante el cual Erzsébet, tumbada en el lecho, babeaba y murmuraba frases ininteligibles presa, sin duda, de formidables visiones que era incapaz de traducir a palabras comunes, por más que Májorova procuraba hablarle, pidiéndole que le describiese aquello que veía.

Sencillamente, ella estaba en otro mundo, un mundo compuesto por miles y miles de imágenes por minuto que se sucedían en su mente sin darle tiempo a centrarse en una sola, y mucho menos a verbalizarla. Después solía caer en un estupor que se convertía en sueño profundo, asimismo plagado de vertiginosas imágenes, pues ese sueño era acompañado de frecuentes convulsiones: seguía *viendo*.

Salía Májorova de la estancia con actitud preocupada, y daba órdenes de cómo debían deshacerse pronto de aquellos cuerpos. Pero en su voz y sus gestos los otros tres sólo deseaban leer lo que tanto esperaban, un signo que indicase: «Estamos salvados. Por hoy estamos salvados.»

Bajo ningún concepto Erzsébet debía ver, al despertar, esos cuerpos sin vida, porque ello le recordaría algo que deseaba olvidar: su último y frustrado intento de alcanzar la plenitud torturando. Así que se deshacían de ellas como buenamente podían, presurosos e intercambiando las menos palabras posibles.

Kata no asistió a esas torturas llevadas a cabo en Száthmar. Ella aguardaba en el piso de abajo, rezando o haciendo cualquier cosa con tal de distraerse, pese a que los gritos primero y luego el repentino silencio le indicasen qué había sucedido. Pero también ella debía ayudar en la penosa tarea de hacer desaparecer los cuerpos. De entrada se trataba de dar rápida y anónima sepultura a las chicas, después de limpiar a fondo la habitación en la que habían muerto, casi siempre llena de sangre y extremidades seccionadas o chamuscadas: un dedo, el lóbulo de una oreja, algo que podía ser un labio y que sólo era ya un gurruño violáceo. Lo hacía conteniendo los vómitos, pensando que limpiaba otra cosa. Así una y otra vez, recitando una oración para sí misma.

Y, de vuelta a Csejthe, se repetía la lánguida monotonía de la ida. Apenas se hablaban entre sí, porque nada tenían que decirse. Si no había chicas, como en esa ocasión, en una carroza iban Erzsébet y Májorova, y en la otra Kata con aquellos tres seres miserables pero en el fondo llenos de pavor. No hablaban porque los cuatro sabían que era preferible obviar todo comentario respecto a lo sucedido en el lugar de donde regresaban, y que de alguna manera todos querían olvidar pronto. Sólo Ficzkó hacía de tanto en tanto un comentario insustancial o bromeaba con cualquier fruslería, sobre el estado del tiempo, o si tenía hambre, o si dejaba de tenerla. Dorkó y Jó Ilona nunca comentaban nada. Miraban todo el rato hacia el exterior, hundidas, quién sabe, en sus propios miedos y remordimientos. Imaginando, es posible, cómo zafarse de la situación en la que estaban implicadas de modo tan irreversible.

Dorkó tenía un aspecto lardáceo, un tanto atocinado, como si en vez de cara tuviera una enorme nuez, dos ojos y una boca. Hasta su modo de hablar, con un ronroneo característico, tenía un tono ulceroso. Jó Ilona poseía mejor aspecto, quizá por su obesidad y el color sonrosado de sus mejillas, que parecían siempre encendidas. Se mordía los labios constantemente, y un lunar en el rubicundo mentón la afeaba de forma considerable. En cuanto a Ficzkó, todo en él parecía dengoso y desmejorado. De ojos turbios, con un ligero bizqueo que llamaba la atención por lo mucho que parpadeaba, solía emitir cada poco rato su risilla sardónica, que en realidad recordaba a una contracción más de su boca y su faz, diríase que atacadas por un movimiento compulsivo, sobre todo al hablar.

En el exterior, y tras los cortinajes, iba pasando el paisaje ya conocido. Espacios yermos y campos a medio segar. Montones de mies apiñados en conos, el forraje para el ganado. Aquí, entre tierras de labranza, un rodil de estructura más o menos cuadrangular, allá las jaras siempre verdes expeliendo ládano, y más allá matorrales de adelfas y ligustros. De tanto en tanto, cuando se aproximaban a una aldea, se veían perros casi en los huesos tratando de sacarse las niguas y pulgas inútilmente. Y postigos y cancelas que iban cerrándose con discreción conforme pasaban ellos. Todo un síntoma. Aquí una mujer embarazada y mugrienta desplumando una gallina, allí un hombre con la camisa sudada colocando en clavos ristras de mazorcas para que resecasen. Todos, sin excepción, procurando apartar la mirada a su paso, y si no podían hacerlo porque las carrozas pasaban justo al lado de donde se encontraban, siempre idéntico gesto: las mujeres, una pronunciada reverencia, los hombres quitándose sus gorros y llevándoselos al pecho mientras inclinaban ligeramente la cabeza en dirección al suelo. Poco más que eso le quedaba a Erzsébet, la otrora munífica esposa del Conde Nádasdy, de lo que fueron sus dominios: pobreza y recelo.

Pero ni rastro de niñas.

Aun así, la Condesa, a la que nuevamente debían de estar despertándosele los sentidos luego de un letargo de horas, les obligó a efectuar un trayecto distinto al usual. Decidió que, a costa de perder por lo menos una jornada, se desviasen hacia la zona de Bánovce y Oslany, siguiendo el curso del Nytra por el sur. Desde allí se dirigirían hacia Trnava, donde conocían una fonda en la que pernoctar antes de tomar el camino recto hacia Csejthe. Ella, en su carroza, parecía un cruce de meretriz romana y odalisca turca tras una noche de desatados furores y sicalípticas aventuras.

Era imposible saber de qué hablaban Erzsébet y Májorova en las largas horas de viaje en soledad. Los palafreneros nada sabían o podían oír y en aquella ocasión, por la premura con que se decidió la marcha, ni siquiera habían tomado la precaución de hacerse acompañar por algunos *haiducos*, máxime teniendo en cuenta que por esos lares no podía descartarse la súbita aparición de bandidos que se refugiaban en espeluncas y cuevas de las cercanas montañas. La Condesa ya no se fiaba de los *haiducos*, sobre todo después de la huida de aquellos dos, y que János recordaba como un hito. Cada vez más aislada. Cada vez confiando más en su propio poder.

En cierta ocasión en la que, como ahora, viajaban en dirección a Bicsé sin la guardia de rigor, les asaltaron varios bandidos. Eran cinco fuertemente armados, y Erzsébet, dado el pánico de su servidumbre, se enfrentó a ellos sin otros argumentos que los de su propia persona. Asomó la cabeza por la ventanilla de su carroza y, tras apoyarse solemne en el pescante, salió de ella plantándose firme ante el que parecía el jefe de aquella cuadrilla y le dijo:

—Infeliz. Llevo aquí, en mi cintura, una daga que ha cortado más cuellos que los años que tú puedas tener, y muchísimos más de los que aún te quedan de vida, créeme... —Le hablaba sin parpadear, traspasándolo con la mirada. Luego siguió—: Si osas dar un paso al frente, uno solo, ten por seguro que también tu cuello vendrá a engrosar la lista de mi daga...

El hombre pareció dudar, aunque con una risa forzada en los labios. No esperaba fanfarronadas de una dama. Aquello le desconcertaba. Pero viendo que de allí podían sacar joyas y pieles, hizo el gesto de encararse con Erzsébet.

—¡Quieto donde estás! —gritó ella, y sacó su daga en apenas un segundo—. ¿Es que no imaginas con quién te enfrentas? ¿Es que tan difícil te resulta suponer qué te pasará, a ti y a los tuyos, os escondáis donde os escondáis, si te atreves a rozar mi ropa?

Después le dijo su nombre, pero incluyó el del Conde Ferenc Nádasdy, como si estuviese aún vivo. Constatando que el otro miraba indeciso a sus compinches, siguió hablándole, ahora en tono seguro pero a la vez vagamente coloquial, como se hacía con un can para recriminarle algo:

—Quien me mira a los ojos más de un minuto, y tú ya lo has hecho con creces, perece sin remedio. Debes saberlo. A pesar de ello, y teniendo en cuenta la vida triste que sin duda lleváis, consiento en daros unas monedas. Id por vuestro camino y olvidad esto. —Y luego, sin dejarle tiempo para reaccionar—: En lo sucesivo, estúpidos, procurad elegir mejor a aquellos a quienes pretendéis abordar...

Y le tiró con desdén unas monedas de plata sobre la hierba. Ya había enfundado de nuevo su flamante daga, convencida de la reacción que iba a provocar. La había leído en sus atemorizados ojos. El hombre se apresuró a recoger aquellas monedas que como limosna le ofrecían, y acto seguido incluso hizo una inclinación con su tronco, en señal de gratitud.

—¡Largo de aquí, que apestas! —bramó ella agitando su mano.

En unos momentos los bandidos desaparecieron tan pronto como habían surgido de la nada. Pero tampoco en esta ocasión Erzsébet cumplió su palabra. No hizo más que llegar a Csejthe, que llamó al jefe de la guardia de los *haiducos*. Le relató lo sucedido con muestras de suma agitación y, cuando aquél se atrevió a insinuar la imprudencia que había supuesto salir sin escolta, ella a punto estuvo de golpearle con su vara de fresno. Se contuvo por poco.

—Quiero que sin más dilación salga un grupo de veinte hombres en busca de esos canallas que ni mi carroza reconocen. Quiero sus cabezas aquí antes de una semana. ¿Lo has comprendido? Sus cinco asquerosas cabezas, en sacos. Yo misma las miraré, por si intentas engañarme. Recuerdo sus rostros como si estuviera viéndolos en lugar del tuyo. —En realidad estaba amenazándolo con correr idéntica suerte si fracasaba en su búsqueda, y el otro pareció entenderlo—. No lo olvides. Una semana y las cinco cabezas. Si lo haces, tendrás tu recompensa. De lo contrario... —Y lo observó de arriba abajo con detenimiento, como cuando estamos frente a alguien que no logramos recordar aún, pese a que algo en él nos resulta familiar.

—Tendréis lo que pedís, Señora —dijo escuetamente el jefe de la guardia haciendo una reverencia. Previamente Erzsébet ya se los había descrito con detalle, así como la zona en la que fue abordada y el lugar por el que presumiblemente se movían los bandidos.

De ese modo se comportaba, amenazando a todos, sin distinción de edad o sexo.

Pero en el fondo se sentía asediada pues, como ella misma había reconocido, era un ultraje que ni su propia carroza reconociesen unos vulgares bandidos. También el viejo mundo se venía abajo ante sus ojos sin que ella pudiese hacer nada por evitarlo.

Ebria de rechazo al pensar en los desaires que creía sufrir, como la nula respuesta en petición de dinero, amasaba nuevos rencores que acabarían pagando las chicas que estaban en los calabozos aguardando su turno.

Hasta aquel momento su rastro en pos de nuevas muchachas que llevar a Csejthe había ido siempre en expansión. Era como los círculos que se dibujan en el agua mansa de un lago cuando tiramos una piedra allí. Impacta en la superficie, es tragada por el agua y de repente aparecen círculos y más círculos que van alejándose. Así, ella era la piedra y las chicas esos círculos que se desvanecían en la superficie del agua, alejándose. Al poco el agua volvía a estar tranquila, como si nada hubiese ocurrido. Imposible hallar restos de esas ondas que momentos antes se movieron ante nuestra mirada.

Pero el cerco se estrechaba, como fue estrechándose el que acabó con los desmanes de Gilles de Rais, y de cuya existencia, se preguntaba János Pirgist, también resultaba imposible averiguar si Erzsébet supo alguna vez. De ser así, ¿lo consideraría su hermano de sangre? Es posible. Pero Francia le quedaba muy lejos. Y si llegó a tener aunque fuese vaga noción de los crímenes cometidos por aquel a quien pronto denominaron *Barbazul*, le parecerían vulgares en extremo, pues a él sólo le movía el sexo, la maldita inclinación al sexo de los hombres, que copulan igual que animales y luego parecen plenamente satisfechos, durmiéndose sin más. Lo suyo era muy distinto, y ella lo sabía.

Pero simultáneamente también era consciente de la amarga evidencia de no ver ni una chica en toda la comarca. Eso significaba algo, por fuerza. Pero no podía enviar impunemente a sus *haiducos*, que en Csejthe se acercaban al medio centenar, para que secuestrasen a las muchachas de los sitios en los que sin duda las escondían. Entre otras cosas porque muchos de allí serían sus padres o hermanos, o al menos provendrían de tales aldeas. No, estaba limitada a un reducido radio de acción. Tuvo que ser a la vuelta de ese viaje a Száthmar cuando se convenció del todo de que estaba quedándose sola, y de que en soledad debía solventar cuantos inconvenientes fueran surgiendo, como el bochornoso episodio con aquellos bandidos, cuyas cabezas, en efecto, le mostraron en sacos justo cuando se cumplía el plazo de la semana que dio al jefe de su guardia para que se las mostrase. No se privó de hacerlo. Y ése fue un día feliz para la Señora. Ordenó primero que clavasen esas cinco cabezas en sendas picas, en las almenas del castillo. Pero luego se desdijo y mandó que, sin más, las tiraran por el foso de los desperdicios, que iba a dar a un profundo y pestilente acantilado, siempre lleno de aves de rapiña.

—No son dignos de mirar, siquiera muertos, este bello paisaje... —añadió satisfecha en alusión a su primera orden.

Antes había escupido en la cara inerte, entreabiertos y acuosos los ojos, del hombre que se enfrentó a ella. Era su triunfo personal. Pero si daba tales muestras de crueldad, piensa Pirgist, ello no se debía más que a que se sentía cada vez más vulnerable y acechada.

Se sentía acechada, sobre todo, y más que nunca, por ese odioso Palatino György Thurzó Betlemfalvy y su mastín de presa, un tal Zavodsky, por Megyery el Rojo y su ayudante, así como por Mosés Czivaky, noble de Viena que estaba en tratos frecuentes con su yerno Miklós Zrinyi. A éste no le temía, pues ya había podido comprobar su talante pusilánime cuantas veces lo tuvo enfrente. En cambio, seguía temiendo a su cuñada Kata, con la que en breve habría de verse en la boda de Judith, hija de Thurzó, que iba a celebrarse con toda pompa en Bicsé, y a la que ella, si no deseaba despertar sospechas, debía asistir como si nada ocurriese.

Ineludible parecía tal compromiso, al que asistiría la nobleza en pleno y muchos ojos la observarían buscando en ella una palabra, un gesto, un desliz que viniera a confirmar los rumores que tal vez habían llegado a sus oídos. A la boda de Judith Thurzó con András Januchic, Señor de Vrsatiec y Preskac, en la Alta Hungría, acudirían cientos de ilustres invitados y la celebración, así estaba previsto, podía durar hasta un mes. Le habían comentado que habría más de tres mil criados, entre hombres y mujeres. De pronto algo se iluminó en su interior. Quizá fuese una inmejorable ocasión que el destino le ponía en bandeja para otear nuevas chicas. Algo que naturalmente no haría ella en persona sino sus cómplices, preguntando con disimulo aquí y allá, dando unas monedas si era necesario. Entre tres mil criados, y teniendo en cuenta que la mayor parte se trataría de muchachas jóvenes, ¿por qué no habría de extraer algún provecho? ¿Es que tan en su contra se había vuelto el mundo? No lo creía, aún se negaba a creerlo.

Una semana y media estuvo Erzsébet en Bicsé con motivo de aquella boda. En efecto, no se equivocaba: Jó Ilona y Dorkó apalabraron una buena cantidad de chicas que, procedentes de lejanas regiones, nada sabían respecto a dónde iban a ir. La confusión era enorme y, pese a todo, pese a sus notables esfuerzos por aparentar normalidad y hasta alegría, varios pares de ojos la observaron con sigilo. A ella y a sus tres fieles ayudantes. El cerco se estrechaba pero ella, aun intuyéndolo, se obstinaba en no dar crédito a su instinto.

¿Qué hace una loba herida? Primero retirarse a un lugar apartado del bosque para restañarse sus heridas. Luego, cuando vuelve a acosarla el hambre, regresará con renovado furor allá donde le fueron causadas las heridas. En la cercanía del ser humano, que es donde aguardan los animales inocentes. Así ella seguía comportándose. Incapaz de dominar su hambre y su sed de sangre, estaba dispuesta a reincidir una y otra vez, exponiéndose a inciertos peligros. Tenía la mirada cubierta por el velo rojo de la sangre ya derramada. Y, fundamentalmente, por la que aún habría de derramar. De modo que su olfato estaba casi atrofiado. Ya no olía el riesgo. Y, si lo hacía, lo desafiaba, como siempre hizo por cuanto deseó. Pero algo sucedió en aquella boda de Judith Thurzó. Algo nimio que, simultáneamente, no dejaba de ser una señal de lo que debería ocurrir: Erzsébet perdió el ala blanca que adornaba desde varios años atrás su inconfundible sombrero negro, del que siempre iba acompañada en sus salidas. Se dice que la extravió mientras bailaba y que el ala fue pisada, yendo después a un rincón desde el que, tras cogerla, la tiraron a la basura. Lo único cierto es que la perdió, y, con ella, todo signo de pureza.

El águila empezaba a perder su plumaje.

Ahora todo en ella era negro.

POLODIÉ

La Condesa leía.

En sus horas muertas, en esos períodos de lisis que precedían a la fiebre destructora, mientras aguardaba el momento de administrar de nuevo el dolor, arbitraria, enloquecidamente, leía.

O, por lo menos, tenía libros en su poder. Ciertos libros.

Kata pudo verla así en alguna ocasión, y tan enfrascada parecía estar la Señora en sus lecturas, que ni movió un músculo para ordenarle algo, lo cual era su costumbre.

János Pirgist eleva unos segundos la vista del papel, dejándola vagar inquieta por el escritorio. Luego, instintivamente, contrae los dedos de su mano izquierda, cerrando el puño: por fin lo ha escrito. Ése era uno de sus secretos. No el mayor, pero sí uno de ellos, y para él de suma importancia. Aunque, en la práctica, todos estos años de arduas pesquisas no le hayan servido de mucho al respecto. Porque, como en su momento se verá, cuanto había en el castillo de Csejthe desapareció como por arte de magia. De magia negra. No podía ser de otro modo.

Los bienes que allí hubiese, en teoría, fueron repartidos entre los herederos de Erzsébet, y tenía cuatro hijos. Algunas de sus pertenencias, claro es, se esparcieron como los vilanos en el campo al soplarlos. Y más de cincuenta años después de los sucesos resultaba imposible averiguar qué se había hecho de cierto tipo de pertenencias como, por ejemplo, aquellos libros.

Porque se trataba, de eso no le cabe duda alguna, de libros relativos a la magia. Libros de brujería.

János logró saberlo gracias a cierto clérigo que en su día se relacionó con el pastor Ponikenus, quien, tras haber sido obligado a abandonar Csejthe por mandato real junto a las dos centenas escasas de habitantes que aún quedaban en el pueblo, así se lo dio a conocer. Posiblemente fue destinado a la parroquia de Kolárovo, y de ahí a Presburgo, donde falleció. Fue ahí donde tomó como auxiliar a un joven sacerdote llamado Theodor Hausmann, nacido en Baviera, a quien a su vez János logró localizar, siendo aquél un hombre de bastante edad, en la villa de Mürzzuschlag, localidad situada en un valle alpino, entre los montes Wechsel y Schnecberg, al sur de Viena.

Hausmann fue quien le explicó que el pastor Ponikenus tuvo oportunidad, durante una jornada, de entrar en los aposentos en los que Erzsébet pasaba la mayor parte del tiempo, cuando no se dedicaba por entero a su ocupación favorita. Y allí vio libros, esos libros. Gruesos, impecablemente encuadernados y con señales claras de haber sido leídos. Párrafos marcados, renglones subrayados. Parecían, dijo Ponikenus, libros de estudio.

¿Se dedicaría a ello Erzsébet? Es muy probable. Pero Ponikenus, excepto uno, no mencionó de qué libros en concreto se trataba. Simplemente lo dejó escrito en sus notas, que Hausmann había conservado durante muchos años hasta que en un pequeño incendio producido en la sacristía en la que se hallaba ese legajo de notas, se perdieron para siempre. Pero Hausmann insistió en que allí no se explicitaba de qué libros se trataba. Además, con el paso del siglo los tiempos habían ido cambiando, y desde la época de la muerte de la Condesa las autoridades eclesiásticas endurecieron considerablemente los castigos a quienes tuvieran esa suerte de materiales prohibidos.

El único libro del que sí quedaba constancia era uno en dos tomos, conteniendo las obras completas de Aristóteles:

Operum Aristotelis. Librorum qui non Extans Fragmenta quaedam.
Estaba impreso a doble columna de texto, en griego y latín,
en Aurealiae Allobrogum, la actual Ginebra, por el impresor
Petrum de la Roviere. El año de su impresión, 1606. ¿Qué
pudo hacer Erzsébet leyendo al estagirita, si es que realmente lo leyó? ¿Quizá buscaba algo relativo al alma? Imposible
saberlo. Pero el libro estaba allí.

Eran malos tiempos para la brujería y, por consiguiente,
para quienes creyesen en encanterios y hechizos. Incluso en
las bárbaras tierras de Hungría.

Eran malos tiempos para quienes creían en demonios y
maleficios, y quienes pensaban en los demonios como entes
formados por una consecución de vapores condensados. En
realidad, desde hacía ya varios siglos en Europa se perseguía
a los practicantes de tales ritos. Sectas como la de *Bogomiles*,
que tenían su principal asentamiento en Bulgaria, junto al
mar Negro, y a los que atacó duramente el bizantino Miguel
Psellos, o los *Euchetes*, que vivían en Tracia y Macedonia, pero
que provenían de la antiquísima Mesopotamia, tuvieron que
huir precipitadamente a Bohemia, juntándose con los *sta-
dingios* alemanes. También los albigenses y los cátaros fueron
perseguidos, refugiándose en la región del Languedoc, sobre
todo en la ciudad de Toulouse. Allí serían diezmados, o al
menos lo fueron sus cabecillas. Pero consta que nunca pudo
acabarse con ellos del todo.

En efecto, no podían ser peores los tiempos para la brujería. La bula papal *Sumis desideratus affectibus*, de Inocencio VIII,
era una diatriba frontal contra esos ritos. A ello se unían los
tratados *De Lamiïs et Pythonicis mulieribus* de Ulrich Molitor, el
Policratius de Jean de Salisbury, obispo de Reims, o el *Forni-
carius*, de Johannes Nieder. No, no era el tiempo ideal para
especular sobre el reino de las sombras, el *Sheol* de los hebreos, ni sobre los diferentes nombres con que éstos desig-
naban a Satán: Samäel, Belial, Semiazas o Satomaïl. Ni para
invocar a las *noticulas*, que devoraban niños y vírgenes en

aquelarres, o al dios etrusco Tehulcha, todos ellos descendientes de su amada Lilith.

El recuento de textos que por aquella época, finales del siglo XVI e inicios del XVII, circulaban por toda Europa, era extenso y, en su totalidad, condenatorios de las prácticas satánicas. El tema se remontaba ya al propio Séneca, quien en sus *Hyppolytus* sugería que los niños pueden ser, y de hecho son, sumamente perversos, pues en ellos se da la esencial inocencia para que el Mal arraigue y eche ahí sus raíces. El propio Tomás de Aquino dedicó su estudio *Quaestiones quodlibetales* a analizar la perfidia de los demonios-hembra.

De todas partes llegaban duros golpes a la brujería. El célebre obispo Lance o Benedict Carpzow, quien se jactaba de haber leído la Biblia medio centenar de veces, enviaron a la hoguera a más de veinte mil personas. Y las admoniciones en forma de doctos tratados seguían apareciendo por doquier: los *Discursos* de Henry Boquet basados en la ley *Excipiuntur*, la cual aconsejaba castigar a los niños en exceso imaginativos, el *Tractatus* de Peter Binsfeld, obispo de Tréveris, la *Daemonolatriae libri III*, del militar alsaciano Nicolás Remy, el *Strigi* de Lambert Deneau, el *Compendium Maleficarum* de Francesco Maria Guzzgo, la *Disquisitionum magicarum* del jesuita español Martín del Río, que se basaba en otro texto anónimo y de amplia difusión, el *Malleus Maleficarum*, publicado anónimamente en Lovaina, los trabajos de Johannes Weyer sobre brujas y demonios, cuyo número exacto cifraba en 44435556, divididos a su vez en 6 666 legiones, cada una de ellas con 666 demonios, mandados respectivamente por 66 príncipes infernales, o la *Demoniomania* de Jean Bodin, que aseveraba que las niñas, a partir de los seis años de edad, ya eran susceptibles de los más severos castigos, lo cual incluía la hoguera. A todo ello se unió la tenacidad del obispo von Aschauzen, o de los también obispos Fuchs Von Dornhein o Sebastián Michaëlis en su persecución sin tregua de todo lo que hiciese alusión a la brujería.

Sin embargo, no era fácil acabar con ella. El franciscano Samuel de Cassini había publicado un libro, en el año 1505, en el que se aconsejaba no ser demasiado violentos durante los interrogatorios a posibles brujas, así como no recurrir a la hoguera salvo cuando se tratase de casos flagrantes. Apenas tuvo repercusión esa idea. Más bien sucedió todo lo opuesto. Pero estaban muy extendidas las sectas por el continente, y sus integrantes daban señales de vida en los lugares más inesperados. Los Aldonisteos en el norte de Italia, los Speronisteos y los Concarrezensienos en Lombardía, los Fraticelli, los Pauliciani y los Patarini en los Alpes, los Tartarinos en Francia y los Begardos, con numerosos adeptos, en Alemania, los Picardos y los Adamitas, quienes eran nudistas y de tal modo practicaban sus ceremonias, los Flagelantes, que a finales del siglo XV ascendían a medio millón esparcidos por varios países europeos, o los Lollardos, cuya sede estaba en las tierras de Flandes. Toda la represión de la Iglesia no había podido terminar con los aquelarres y *sabbats* que se producían sin cesar, como los de la región de Laboud, en el suroeste francés. Allí, al parecer, se buscaban éxtasis sexuales colectivos, y para ello se ayudaban de las plantas solanáceas, como en el caso de Erzsébet, aunque también de las escrofulariáceas, cuya cocción y semillas provocaban alucinaciones. Incluso varios sacerdotes, como el tristemente célebre padre Guibourg, participaron de esas indignas ceremonias, en las que no dejarían de estar implicadas ciertas damas de la nobleza, tales como la condesa de Soissons, la duquesa de Bouillon, Madame de Montespan, La Voisin, la marquesa de Brinvilliers, La Vigoreux o el propio mariscal de Luxemburgo. Pero en su mayor parte se trataba de nobles damas, algunas de las cuales terminaron sus días en la hoguera.

Muchos creían que sólo el fuego podía acabar con aquella locura. Pirgist no pensaba lo mismo. Él, que conocía el poder de ciertas plantas por haberlas probado, así como la fantástica credulidad de gentes de toda guisa, desde el pueblo llano a la aristocracia, y también de sus ancestrales miedos y supersticiones, seguía pensando que la tortura y la muerte nunca debían producirla las autoridades ni la ley, siquiera en el nombre de Dios. Nunca en el nombre de Dios. Para eso, para quemar, torturar y matar, ya habían nacido seres como Gilles de Rais o Erzsébet Báthory. Antes la reclusión, el destierro o el adiestramiento paciente en la piedad. Antes darles nuevas oportunidades de regenerarse que acabar con ellos mediante la violencia, que a fin de cuentas no era sino una forma de fanatismo, tanto o más despiadada que la de los propios fanáticos.

Así que, en esos períodos de relativa calma, en espera de que le sobreviniese una nueva crisis, Erzsébet leía, enclaustrada en sus aposentos del piso superior de Csejthe. Si pudo o no leer alguno de dichos libros referidos a la brujería, eso es algo que János se resignó hace mucho tiempo a desconocer. Pero deducía que por fuerza tuvo que saber de su existencia, si no sumergirse en su lectura. Aunque, y de ello está completamente convencido, si los leyó sólo contribuirían a enardecer más aún sus ya de por sí exaltadas fantasías.

No era joven, pero seguía siendo muy bella, pese a que su hermosura, envidiada por otras nobles de menor edad que ella, apenas le sirviese. Se movía por el castillo con la flexibilidad y armonía de los gatos. Y, en los acontecimientos públicos a los que debía asistir por su condición de viuda del Conde Nádasdy, siempre hizo gala de su innata elegancia. Pero ya casi no paseaba por lugares del castillo que no fuesen su estancia o los siniestros calabozos que desde hacía años no se usaban como lavaderos. Se había convertido en lucífuga, y su medio natural eran las sombras. Huía de la luz, acaso por no comprobar, ni en sí misma ni en la observación de los otros, los devastadores efectos del paso del tiempo.

Y János, muy niño todavía, no dejaba de observar y oír, pese a su firme voluntad de no hacerlo más. Era imposible evitar aquello porque, si en una ciudad casi todo termina sabiéndose, y lo mismo sucede en una pequeña villa o una aldea, también en el castillo de Csejthe se sabía todo y todos sabían, aunque se negasen a admitirlo. El clima de tragedia podía respirarse en el ambiente, y quienes por allí pululaban lo hacían con la vista agachada y premura en el andar, para no tener complicaciones. Por eso él, más que nunca, se escapaba en cuanto le era posible, dejando atrás rincones oscuros y pasillos sin fin, en busca del aire libre. Pero hasta allí, en pleno campo, le resultaba difícil olvidar.

Entonces fijaba toda su atención en los nomeolvides, precisamente en esas flores que mezcladas entre el orégano y la lavándula formaban una alfombra multicolor salpicando la exuberante hierba. O se sentía absorto, siquiera por momentos, observando el vuelo de los pinzones y las cornejas o las abubillas. Contemplaba sin pestañear las lucubraciones aéreas de las vistosas cetoínas, de los moscardones de color verde metálico, de los saltamontes de torso ocre y movimientos inesperados, de las libélulas que se suspendían en el aire, imponentes y azuladas, o de las avispas como minúsculos tigres voladores de dudoso humor, y a las que por esa misma razón era conveniente no molestar. Y cuando le acosaban malos pensamientos, cogía endrinas y se las comía, pese a su amargo sabor.

Todo menos permanecer bajo las erosionadas bóvedas de Csejthe, donde en cualquier instante podía producirse un desagradable sobresalto. Allí la espantosa rutina no modificaba en absoluto su calendario. Allí seguían los rastros de serrín y ceniza por todos lados, y las carreras apresuradas en plena noche, y aquellos gritos ahogados que se prolongaban hasta la madrugada, y a los que, aunque parezca mentira, los habitantes del castillo se habían acostumbrado.

Allí seguían trabajando sin descanso las tenacillas de plata, las tijeras de acero, los punzones, las agujas de diverso tamaño y grosor.

Erzsébet, a la vuelta de Száthmar, estaba animada porque

había logrado apresar a varias chicas, conseguidas a última hora, y meses después, tras la boda de Judith Thurzó con András Januchic, también llegaron algunas muchachas al castillo. Su despensa volvía a estar repleta.

Y de nuevo se montaba la cruel pantomima. Primero transcurrían unos días en los que nada ocurría. Así las jóvenes cogían confianza y, caso de que hubiesen oído algún rumor, ya en el castillo pronto lo olvidaban, no dando crédito a esas habladurías, o no queriendo dárselo. Incluso sonaba música en tales ocasiones. Las melodías surgidas de los laúdes, las zanfonias, los *kobozs* y de los *taragatós* aplacaban ciertos recelos. Sencillamente, llegaban a pensar, la Condesa era muy estricta en sus deseos, y a veces sufría accesos de cólera, pero poco más. Para ellas bastaba con cumplir lo ordenado y pasar lo más desapercibidas posible.

No obstante, cierta noche, una criada de las nuevas hizo daño a la Señora al quitarle la redecilla de perlas que llevaba a modo de cofia. Empezó recibiendo un bofetón. Todos sabían lo que iba a suceder después. Hubo carreras, golpes, patadas y arañazos. Se oyeron los primeros gritos de súplica demandando perdón.

Erzsébet quería contenerse, aunque fuese por alargar un poco aquel suculento botín del que ahora disponía, pero era superior a sus fuerzas.

Empezó la selección de chicas, que iban de una estancia a otra, y de ahí a los calabozos. Transcurría así largo rato, decidiendo quiénes sí y quiénes no, para angustia suprema de todas. Dorkó, que siempre se dirigía a ellas en dialecto *tôt*, lo entendiesen o no, les recriminaba su negligencia, excitada también ella no sólo por el *schnapps* ingerido sino por lo que iba a venir y en lo que casi nunca se equivocaba. Y se iniciaba la sesión.

Erzsébet mandaba, como era habitual, tenerlas maniatadas y sujetas a fuertes correajes. Golpes de fusta, de nuevo el atizador de la chimenea. Entonces les cortaban la piel entre los dedos de las manos o de los pies, cercenaban orejas y labios. Eso lo hacían dividiéndolas en grupos reducidos, mientras el resto permanecía algo alejado. A pesar de ello oirían los alaridos de sus compañeras. Con alguna de las elegidas se iniciaba un juego sexual por parte de Erzsébet, pero pronto se cansaba y volvía a exigir que les cortasen con una afilada navaja de afeitar en ésa o en esa otra parte de sus cuerpos. «Aquí.» «No, corta ahí debajo», y así hasta que volvían a desmayarse. Otra vez la rutina de espabilarlas un poco, porque a la Condesa le enfurecía, sobre todo, trabajar en cuerpos inertes. Ella seguía queriendo oír los gritos.

Después llegaban los pinzamientos, fuese con agujas o pequeñas cuchillas que a tal efecto tenían dispuestas. Y chorreaba abundante la sangre. Sabía qué venas y qué arterias cortar para que esa sangre manase de tal o cual modo. Toda la sangre era recogida mediante un canalillo que iba a desembocar en sendos cubos que, a su vez, eran calentados de modo constante con un escalfador de barro. De ahí se vertía en la bañera que Erzsébet se había hecho instalar en un lugar de los antiguos lavaderos, junto al sillón desde el que presenciaba las torturas. Se reservaba para el final, cuando veía que las chicas estaban ya inconscientes, el momento de cortarles las venas de los brazos y las que pasan por el cuello. Entonces los borbotones eran más copiosos. Finalmente se desnudaba y, tranquila, pues los gritos habían cesado, se introducía con lentitud en la bañera repleta de sangre, que también tenía un escalfador con brasas debajo, a fin de mantenerla siempre a una temperatura elevada. Así podía permanecer por espacio de una hora, quizá dos, tal y como Májorova le había indicado.

Sin apenas moverse, con su cuerpo hundido en sangre hasta la barbilla, entornaba los ojos y hasta llegaba a adormilarse. Para ese instante, cuando decidía salir de la bañera, ya debían haberse llevado a otra parte los cadáveres de las muchachas. Pero tanta sangre acumulada sólo le servía durante unos pocos baños. Dos, tres a lo sumo, ya que se empezaba a deteriorar rápidamente. La utilizaba la noche siguiente, nunca más de ese tiempo, pero en esa segunda noche, a sabiendas de que la sangre debería ser desechada de inmediato, procuraba permanecer más rato en la bañera, en un intento de apurar en lo posible el tesoro robado a sus víctimas.

Era consciente de que no todas las noches podía llevarse a cabo el ritual de la bañera, pues en los calabozos el número de chicas empezaba a menguar de forma ostensible. Así, iba alternando puntuales torturas con lo otro, de manera que siempre estuviera ocupada. Seguía poniendo en práctica un ardid que casi nunca le fallaba: hacer que las muchachas se peleasen entre sí, prometiendo el perdón a las vencedoras. En otras ocasiones las obligaba a realizar actos obscenos entre ellas, que miraba con atención pero sin alterarse. Hasta que, harta de la actitud de las jóvenes, a quienes el pavor podía más que su capacidad teatral para fingir un deseo y una lascivia que no sentían, volvía a los golpes y los suplicios.

Sus inclinaciones se habían ido modificando ligeramente con los años. Si antes le gustaba azotar, quemar o mutilar sin más, ahora, y mientras no se tratase de extraer la mayor cantidad posible de sangre de las chicas, prefería cortar y coser, ordenando en todo momento la manera precisa con que deseaba que lo realizasen sus cómplices. Uno de sus mayores placeres consistía en prolongar determinado tormento de modo que las jóvenes tuviesen que gritar incesantemente. Entonces ella, con mirada de batracio, helada el alma, pedía:

—¡Selladle la boca!

Sencillamente eso. Era el momento en que entre Dorkó, Jó Ilona, Ficzkó y Májorova emprendían la tarea de coser con hilo o alambre las bocas de las desgraciadas que, por lo general, y presas del dolor, deshacían una y otra vez aquellos crueles zurcidos en su carne y en su piel, desgarrándose de nuevo, con lo que era necesario volver a empezar. Y la marea de gritos y sacudidas no cesaba hasta que una de ellas perdía la vida. Entonces iban a por otra, y así sucesivamente. También a éstas las desangraban con pulcritud y paciencia, pues nada de sangre debía perderse. Durante un par de días Erzsébet podría tomar sus queridos baños.

Todo aquello, que llevaba ya bastante tiempo sabiéndose en el interior del castillo, aunque sin detalles, circulaba por el pueblo de Csejthe en forma de sólido rumor. El pastor Ponikenus, alarmado, dio un paso adelante, algo que hasta la fecha nadie se atrevió a hacer. Durante varias semanas estuvo tentado de escribir una carta a Elías Lanyi, superintendente de Bicsé, a quien conocía por haber permanecido él en dicha parroquia varios años. Pero temió que le tomasen por loco o que la misiva nunca llegara a su destino. Así que, haciendo acopio de valor, decidió ir él mismo hasta Presburgo para elevar una queja formal de sus terribles sospechas.

Mas, si él acechaba a la loba, la loba también le acechaba a él. Ponikenus fue interceptado en la localidad de Trnava por los *haiducos* más fieles de Erzsébet, y devuelto a Csejthe de inmediato. Ponikenus negó rotundamente ante la Condesa lo que en realidad se proponía hacer, pero ella ya no se dejaba engañar. No podía tocar a ese miserable, pues le protegía la Iglesia, pero tampoco iba a permitirle que se moviese del límite territorial de Csejthe o la comarca. Dio órdenes precisas al respecto. Posiblemente le amenazó de muerte, con lo que Ponikenus se vio en la obligación de permanecer quieto y a la espera de una nueva oportunidad, que tarde o temprano habría de llegar, pues el Todopoderoso no podía estar demorando tanto ese momento. Así que, como todos en aquel lugar, callaba y rezaba. Al menos a él, como sucediese con su antecesor, el anciano y temeroso padre Berthoni, no le pedían ya que enterrase cuerpos en sitios diversos de los campos. Él había visto con sus propios ojos, y por casualidad, restos de varias decenas de cadáveres enterrados en cal viva junto a la cripta que en el castillo tenía el noble Országh, antepasado de los Nádasdy. Llevaban ahí varios años, pero los vio. Y calló.

Si allí todos callaron durante tanto tiempo ante aquella situación, ¿por qué no había de hacer lo propio János? ¿Por qué?

Sigue debatiéndose aún ahora entre contar lo que verdaderamente sabe o guardárselo para sí, como hizo a lo largo de más de medio siglo.

Pero no, se dice en un arrebato de indignación, ya pasó el momento de callar. Y, tras respirar hondo, se dispone a dar testimonio de otro hecho que le afectó directamente y que, desde entonces, ni siquiera a Kata o a su madre se atrevió a comunicar.

Sería el otoño de 1609. Él estaba cierta tarde jugando con un perrillo que alguien dejó en Csejthe, maltrecho porque un carro le había aplastado una pata. Pese a su cojera, el animal se movía con increíble soltura, y János le cogió pronto cariño. Aquella tarde el perrillo se le escapó, yendo por pasillos que él nunca había pisado. Estaban en una parte de Csejthe a la que nadie debía acceder, so pena de un tremendo castigo. En su candor, y por completo desorientado, János siguió al perro, que una y otra vez se le escapaba cuando ya casi lo tenía agarrado. Fue así como llegó hasta un lugar en el que oyó gemidos. Provenían de detrás de una puerta que estaba mal cerrada. Sólo tuvo que escuchar atentamente y, pese a su miedo, impelido por la sorpresa y la lógica curiosidad, empujar un poco la puerta.

Allí había tres chicas amordazadas y cubiertas tan sólo por unas gasas. Era lo que quedaba de sus vestidos desgarrados. Medio muertas de frío e inconscientes, dos de ellas estaban sentadas en el suelo, con las cabezas caídas. János vio que tenían algo en la boca. La tercera, sin embargo, había logrado expulsar aquello que le introdujesen hasta taponarle la garganta: estopa. Era ella la que gemía con un hilillo de voz. Elevó su rostro hacia János y, por un momento, esbozó una sonrisa. Él le preguntó si le habían hecho daño.

—Eso no importa ahora —le contestó la muchacha, que tenía una larga y desmañada melena rubia cayéndole sobre los hombros.

János hizo ademán de huir de allí a toda prisa, pero la chica le detuvo diciéndole en un susurro:

—¡No, espera, por favor… no te vayas…!

La débil luz de una antorcha permitía ver a duras penas aquella estancia. János se asomó al pasillo. No había nadie. Todo estaba en silencio. Entonces la chica le pidió algo:

—Pequeño, mi nombre es Mirta… —Fue a decir algo más, pero movió la cabeza como si acabase de pensar en lo inútil que era explicarle todo aquello a un niño asustado. Al poco continuó—: Me llaman así, Mirta, desde que tenía tu edad… y quiero pedirte un favor.

—Pero me harán daño, como a ti… —le dijo János.

—No, tranquilízate. Nadie va a hacerte nada.

Volvió a encogerse de dolor.

—¿Y cómo lo sé? —preguntó él, angustiado pero queriendo ayudarla.

La chica dudó un momento y luego, de nuevo sonriéndole, dijo:

—Porque lo que te pido no es para que lo hagas ahora, sino más adelante, cuando seas un poco mayor y ya no estés aquí.

Él asintió. Pese a su miedo, estaba dispuesto a escuchar.

—Recuerda esto. Mirta —balbuceó la chica—. Soy de una aldea llamada Szintrámehrá… a ver, repítelo conmigo: Szintrámehrá…

—Szintrámehrá —cacareó él en un murmullo.

—Muy bien. Lo que te pido es que algún día, cuando te hayas hecho grande y fuerte, vayas a esa aldea y busques a mis padres y mis hermanos, que aún vivirán allí.

János volvió a mover su cabecita, indicando que entendía lo que estaba oyendo.

—Entonces, cuando los encuentres, les dirás que Mirta se enamoró de un joven, en Csejthe, y una noche se escapó lejos con él. Muy lejos, ¿lo comprendes?

—¿Dónde de lejos? —preguntó János, serio y dispuesto a cumplir lo que le pedía.

—Donde tú quieras. Viena, Italia... Diles que, oyesen lo que oyesen de cuanto aquí sucedió, su querida Mirta logró huir en compañía de ese apuesto joven. Diles que está bien, aunque difícilmente podré volver a verlos, porque me hallaré lejos, muy lejos... —Al decir esto último se le empañaron los ojos de lágrimas.

—Lejos —repitió János mordiéndose los labios.

—Así, eres un niño muy listo —repuso la muchacha. Luego, tras suspirar hondamente, añadió—: Es para que no vivan preocupados. Yo sé que tú entiendes lo que quiero decir... ¿verdad?

János movió su cabeza en sentido afirmativo. La chica siguió:

—Esa aldea está muy cerca de Zvolen, junto al Hron, y es muy linda, créeme... Repítelo para que yo lo oiga.

—Zvolen, al lado del río Hron... —dijo János con aire satisfecho, pues se daba cuenta de que, pese al peligro, estaba haciendo algo bueno.

—Eres un amor, criatura, y sé que algún día Dios te premiará por esto... —dijo la joven dando súbitas muestras de dolor, que no obstante pareció disimular contrayendo sus mandíbulas.

Luego le rogó que, por última vez, repitiese cuanto ella le había pedido.

—Mirta, de Szintrámehrá, cerca de Zvolen...

—¿Junto a qué bonito río?

János vaciló unos instantes. Al fin dijo:

—Al Hron —Y luego, sin que ella se lo solicitase, siguió—: Estás con tu esposo, lejos, en Italia.

A la muchacha se le escaparon sendas lágrimas.

—Mucho mejor de lo que yo creía... —añadió con emoción.

Entonces a János se le ocurrió decir:

—Y también les diré que eres muy feliz, y que tienes hijos y vives en un sitio precioso. Que siempre los llevas en tu pensamiento y que los quieres...

La muchacha rompió en llanto, incapaz de dominar sus sentimientos. La cabeza le cayó sobre el pecho, sin fuerza. János también notó que gruesos lagrimones caían por sus mejillas. Se los secó. Al poco, y cuando logró reaccionar, la chica le dijo:

—Ahora vete, y procura que no te vean... ya me entiendes. No le cuentes esto a nadie, ni a tu mamá. Sé que algún día cumplirás tu promesa. ¿Lo harás, no es cierto?

—Te lo prometo —dijo János volviendo a secarse las lágrimas con su manga.

La cabeza de la joven pareció a punto de desplomarse de nuevo. Aún hizo un último esfuerzo para rogarle:

—¡Venga, vete ya...!

—Adiós, Mirta —silabeó János antes de cerrar la puerta dejándola tal y como él la había encontrado. Aún pudo oír, en un tenue murmullo, la voz de aquella chica a la que ya no veía:

—Que Dios te guíe...

János, deslizándose entre las sombras, recorrió varios pasillos hasta llegar a un sitio que conocía. Se había olvidado por completo de su perrillo, que apareció en el lavadero horas después, contento y agitando el rabo, como dando a entender que había hecho una travesura pero que tampoco era para tanto. János se pasó mucho tiempo acariciándolo, aunque su mente seguía puesta en esa chica, Mirta, de Szintrámehrá, cerca de Zvolen, junto al río Hron. Lo repitió en voz queda varias veces. Pensó en apuntarlo, pero algo le dijo que no debía hacerlo. Tenía que memorizarlo como fuese. Tanto rato y durante tantos días estuvo haciéndolo, que hasta soñaba con Mirta y su bonita aldea. Hasta llegó a creer, porque necesitaba hacerlo, que era verdad cuanto ella le había dicho. Ya la imaginaba con su guapo amante y con hijos, viviendo en un lugar de Italia. Pero en su fuero interno sabía que todo aquello era una burda mentira, y que Mirta, a tenor de su estado, iba a ser de las que gritarían en las noches siguientes. Con sus nueve años, János era capaz de comprender todo eso y más, aunque hubiese construido su propio mundo para preservarse del miedo.

Aproximadamente una semana después de aquella conversación volvieron a oírse gritos esporádicos que surcaban la noche de Csejthe. Parecieron llegar de la lejanía, pero estaban siendo proferidos allí cerca, tras los muros. Su madre dormía con apariencia plácida. Kata no estaba en el jergón. Y él, con los ojos muy abiertos, repitió por enésima vez:

—Mirta de Szintrámehrá...

Luego cerró los ojos intentando no oír, pensar en otras cosas. En avispas y petirrojos, en libélulas o en su perrillo, que seguía cojeando y cada día era más travieso. Al final se durmió, pero soñó con Mirta.

János no supo entonces que la joven Mirta, como al parecer había sucedido ya alguna vez con otras chicas, apareció cierta mañana colgada de una viga. Es posible que lograse deshacerse de sus ataduras y, con lo que restaba de ellas y su vestido, o quizá el de sus compañeras, hacer una improvisada cuerda.

Colgada de esa viga, balanceándose con suavidad en la penumbra, la encontraron al ir a buscarla, pues ya le tocaba el turno. Entre Jó Ilona y Ficzkó la hicieron descender y la enterraron a saber dónde. Pero aquel suceso, infrecuente aunque no el único, tuvo que impresionar vivamente a Jó Ilona, quien a su vez hizo algún comentario a Kata. Ésta, por su parte, lo contó a sus íntimas en el lavadero. János, que había aprendido a oír sin dar muestras de prestar atención, cazó al vuelo unas palabras pronunciadas por Kata con signos de pesadumbre:

—Dicen que parecía un ángel.

Aquella noche, las lavanderas que sabían rezar oraron por esa muchacha que valientemente decidió poner fin a su vida antes de que se la arrancasen.

Durante toda la existencia su recuerdo acompañaría a János, quien nunca pudo saber si la chica que apareció colgada de una viga era o no Mirta. Él sabía que sí. Lo intuía, y en ese tipo de cosas la intuición jamás le fallaba.

Mirta, su ángel.

Casi quince años después logró János ir a la aldea de Szintrámehrá, y tras preguntar a unos campesinos encontró a la familia de Mirta. Necesitó de mucho aplomo para no derrumbarse mientras les contaba una fabulosa historia. Todos parecieron enormemente aliviados y contentos, pues tanto tiempo después, y sabiendo que su querida Mirta había sido llevada a Csejthe, ya la daban por muerta. La madre se le abrazó con grandes muestras de agradecimiento, mientras que el padre le aseguraba que ahora ya podían estar tranquilos y morir en paz, pues conociendo el carácter de su amada niña, así se lo dijeron, sin duda sería muy dichosa allí donde estuviera, aunque fuese en alejadas tierras de allende los mares.

Viendo la emoción de aquellos seres a los que las privaciones y penurias no habían podido doblegar, cien veces más nobles que los nobles de noble rango y mullidas cunas, János, que ya entonces era sacerdote, se vio haciendo algo que nunca antes y nunca después volvería a hacer: agrandó su mentira. El buen Dios sabría perdonarle por ello. Así que les dijo que, según había podido oír de cierto vendedor de telas años atrás, Mirta estaba a punto de partir para latitudes que, en efecto, se hallaban al otro lado de los mares, con su propia familia, que ya era numerosa. Estaba prácticamente seguro, afirmó con el mayor de los convencimientos, de que, a tenor de las descripciones que dicho vendedor ambulante le había dado, así como por las preguntas y explicaciones que él mismo dio de Mirta, por fuerza debía de tratarse de ella. Una joven de origen húngaro, de pelo rubio, casada con un muchacho también proveniente de Hungría. Coincidían las fechas, coincidían las descripciones.

De nuevo le dieron muestras de agradecimiento y de su afecto, hasta donde su educación les permitía. Además, les impresionó mucho que János fuese sacerdote. Esto, por si aún quedaba un resquicio para la duda, confirió a su relato una total credibilidad. Antes de irse les pidió que rezasen juntos por la nueva vida que Mirta había emprendido en un sitio lejano. Lo hicieron, y ahí estuvo János otra vez a punto de delatarse, pues la amargura, mezclada con la felicidad de ver a aquellos seres tan emocionados, le impedían casi declamar su oración.

No le dejaron irse sin darle algo de queso y un poco de vino, que sacaron de su pobre despensa. Él intentó rechazar el obsequio, pero pronto se dio cuenta de que debía aceptarlo como muestra de gratitud y para no herir sus sentimientos. Cogió el queso y el vino pues, y partió de aquel lugar.

Fue a los pocos minutos de haber perdido de vista la aldea cuando se sintió desfallecer. Descendió de su caballo a duras penas y se postró de rodillas en el camino. Intentó rezar, pero no pudo. Empezó a llorar como un niño al que pegan o castigan por algo de lo que no se cree culpable. Se desplomó tan alto era sobre la hierba, y allí estuvo, entre hipidos y llorando, un buen rato. Cuando por fin se hubo calmado, reemprendió el viaje.

Mirta, su ángel, se merecía esto. Entonces, ya sí, pudo rezar en silencio por ella y por su alma, que estaría allende los mares, en el cielo.

Y pensó de nuevo en aquella aciaga época, cuando la Condesa aún vivía.

Como décadas antes ocurriese con la trágica muerte de María Estuardo, tampoco el asesinato de Enrique IV de Francia pareció conmover lo más mínimo a Erzsébet, quien cuando sucedió el magnicidio, en 1610, se hallaba inmersa en su diaria bacanal de sangre. Pese a que cuantos llegaban del exterior le hablaban de ese tremendo suceso, ella se mostró indiferente, provocando la sorpresa entre quienes se lo mencionaban. Y el hecho era de capital importancia, por las repercusiones políticas y también religiosas que lo habían precedido y por las que después habrían de seguir. Este rey, descendiente de los Valois y de los Capetos, fue el primero de la dinastía de los Borbones, y era de carácter frívolo, a menudo disoluto, pero se hizo querer en la medida de lo posible por su pueblo, que estaba dividido a causa de los litigios religiosos que afectaban a toda Europa. Se hizo proclamar soberano en el campo de Saint-Cloud, y con la ayuda de Inglaterra venció al Duque de Mayenne en las batallas de Ivry y Arques. Puso sitio a París, pero la ciudad se le resistió tenazmente, aguantando el cerco hasta la llegada de las tropas españolas, bajo el mando de Alejandro Farnesio, quien acudía en ayuda de los parisinos. Felipe II pretendía el trono de Francia para su hija Isabel Clara Eugenia. En el año 1593 Enrique IV hizo solemne abjuración del calvinismo que hasta entonces profesaba. Fue en la basílica de Saint-Denis, y pudo entrar triunfante en París. Cuando concluía el siglo se firmó la Paz de Vervins y, para acabar de una vez por todas con los enfrentamientos religiosos, el rey promulgó el llamado Edicto de Nantes, que garantizaba la libertad religiosa y la igualdad de derechos civiles para todos sus súbditos. Ayudado por el Duque de Sully, dio un gran impulso a la nación, pero lo cierto es que, en cuanto le fue posible, atacó los intereses españoles en Holanda e Italia, así como a los Austrias de Centroeuropa, favoreciendo a los protestantes alemanes frente a la política del emperador hispano. Su asesinato a manos de un exaltado en la primavera de 1610 hizo temer por la ya más que precaria estabilidad de Europa, y en efecto, años después ésta quedaría destrozada en una sangrienta contienda que iba a durar décadas. En el entorno de los Habsburgos se vivieron con expectación los acontecimientos que rodearon el magnicidio, que por la cercanía física les importaba más que la ejecución de María Estuardo. De hecho Hungría, tras la destrucción de su reino en la batalla de Mohács luchando bajo las órdenes de Jan Hunyadi y su hijo Matías Corvino, era el adversario con el que una y otra vez se topaban los turcos en sus intentos de expansión por el valle del Danubio, habiendo estado aquéllos, ya en 1521, a punto de tomar Viena. Las circunstancias habían obligado a Hungría a unirse a Bohemia, pero Mohács dio al traste con esa alianza. Sólo tiempo después, y siempre bajo el temor de un nuevo y definitivo ataque otomano, Hungría optó por aliarse con Bohemia y Austria bajo la dinastía Habsburgo. Francia, en esa estrategia, era fundamental. De ahí que la esquiva política de Enrique IV ante la amenaza turca fuese un constante problema, pues con su enemistad con la Casa de Austria privaba a la Cristiandad de un gran aliado. Lo cual no consiguió, siquiera cuando se supo del magnicidio, que Erzsébet se preocupase lo más mínimo, ya que ella misma, algo más allá de Csejthe, en la parte oriental del Vág, había tenido que soportar incursiones turcas, que por fortuna eran esporádicas y poco consistentes. Un rey de más o de menos en Europa, aunque fuese asesinado en el país que tenía visos de convertirse en el más importante del continente, tampoco iba a ser motivo de sus cuitas o cábalas. En cualquier caso, su nula reacción ante la noticia del crimen perpetrado en la persona del carismático rey francés no hizo sino despertar el desconcierto, cuando no el recelo, entre quienes se lo comentaron. Realmente, muy loca debía de estar, o muy insensata debía de ser, para no dar muestras de preocupación.

Hacia mitad del año 1610 las cosas se habían precipitado en Csejthe. Erzsébet se hallaba en estado de suma alteración ante el anuncio de la visita que algunos de sus parientes pensaban hacerle por Navidades. Si se negaba a ello despertaría más sospechas, y si aceptaba de buen grado, se vería obligada a un trasiego de chicas que en nada la complacía.

De ese modo los meses finales del verano y del otoño de dicho año hubo que trasladar a decenas de esas muchachas, algunas heridas, otras desnutridas, y las más definitivamente aterradas a lejanos castillos, hasta que pasase el peligro. Pero ello, como ya había podido constatar con preocupación, suponía incurrir en nuevos riesgos, pues eran los *haiducos* quienes debían trasladar las carretas con aquellas jóvenes.

Otra vez se sintió en lo alto del glaciar que lentamente se desplomaba sobre ella en forma de alud. Intentó urdir una estratagema que la librase de esas visitas que por nada del mundo deseaba, pero empezaba a ser ya tarde para todo.

Sus relaciones con el pastor Ponikenus eran inexistentes, y por esa misma razón fuente de todo tipo de habladurías que en absoluto la beneficiaban. La tensión subió a su nivel máximo cuando éste se negó a acudir al castillo para dar la Extremaunción a una vieja criada que trabajó siempre en los lavaderos, con Kata. Que fuese bajada al pueblo y allí le darían cristiana sepultura, dijo Ponikenus. Aquello encolerizó a Erzsébet, aunque también, y pensándolo mejor, era conveniente que el odiado Ponikenus no pusiese sus pies en el castillo.

La vieja lavandera fue enterrada en el pequeño cementerio de Csejthe, pero el hecho, como era de prever, disparó los rumores. El enfrentamiento entre el pastor y la Señora parecía ya abierto y sin tregua. En el fondo era una lucha a muerte, a ver quién daba antes un paso en falso.

Simultáneamente, Kata mostraba un enorme nerviosismo. Había oído lo de las visitas que se esperaban para la Navidad, y aunque faltaban algunos meses para esas fechas, ella tenía el convencimiento de que algo habría de ocurrir en tal evento. Era imposible que personas ilustres visitasen Csejthe y siguieran no queriendo darse por enteradas de cuanto sucedía allí. Mientras, Erzsébet hablaba de ir a un castillo o a otro, pese a que se desdecía casi de inmediato de su anterior decisión. Realmente no sabía cómo obrar para que las cosas continuaran pareciendo normales. No lo eran.

Entonces el destino intervino en los acontecimientos y con efectos de gran importancia para el desarrollo de los mismos. Una decena de esas chicas entre las que por negligencia o por precipitación estaban algunas muy mal heridas, pues las sesiones de sus torturas se vieron repentinamente interrumpidas, habían sido enviadas una semana atrás al castillo de Polodié. Pero por ese enclave, y en las mismas fechas, un noble pernoctó una noche, pues uno de sus acompañantes se hallaba gravemente enfermo. Iba camino de Presburgo. ¿Es posible que ese noble viese algo que le hizo sospechar, y que, llegado a Presburgo, lo comentase a alguien? Lo es. La cuestión era que con tal coincidencia no contaba Erzsébet, que tuvo que ver, quizá asustada por vez primera en toda su vida, cómo lo que en principio debía ser una visita por parte de algunos de sus familiares se convertía en otra cosa muy distinta. ¿Intervino en este punto Megyery, el tutor de su hijo Pál, quizá Miklós Zrinyi, su yerno, o el propio Palatino? No se sabe. El caso es que a su nerviosismo inicial por aquellas visitas que ni esperaba ni deseaba, se añadió una noticia, comunicada por un jinete, que iba a sumirle en la mudez absoluta. Todas las fuerzas adversas parecían haberse aliado contra ella. Una carambola del destino hizo que, sin entender en absoluto los motivos, tuviese la confirmación, atestiguada por el sello de la Casa de Habsburgo, de algo que ni en sus peores pesadillas podría haber llegado a imaginar: para la próxima Navidad iba a tener el honor de recibir no sólo a sus parientes Báthory y Nádasdy, con lo que ya contaba, y a lo más selecto de la nobleza húngara aparte de su familia, entre los que contaba a los Beckov, a los cada día más poderosos Esterházy o a los Illiasky, sino incluso al Palatino György Thurzó y al mismísimo rey Matías. Éste, en un gesto de probada magnanimidad, también pensaba honrarla con su presencia.

¡Honrarla! ¡Con lo que ella hubiese dado porque todos desaparecieran de la faz de la tierra a un simple conjuro! Sin duda, pensó, era el destino que la ponía a prueba. Pero estaba decidida a superarlo.

Lo sucedido en Polodié, y que ella siempre ignoró, puede que jugase un papel relevante en el decurso de los hechos, y no cabe descartar la posibilidad de que tanto Thurzó como Megyery, quien desde las exequias en honor de Ferenc Nádasdy, acaecidas hacía ya más de un lustro, no había vuelto nunca a Csejthe, decidieran aprovechar para comprobar qué tenía de cierto cuanto de Erzsébet se decía.

Lo cierto es que el trasiego de chicas continuó a un ritmo frenético, incesante como los goteos de sangre que, cada vez más enfurecida y salvaje, ella propiciaba noche tras noche en los sótanos de Csejthe. Era como si quisiera aprovechar al máximo sus cada día más recortadas cotas de poder, ya que ahora las circunstancias se le presentaban desfavorables. Pero una vez más el orgullo de su casta la engañó, haciéndola vivir en un neutro espejismo. «No se atreverán. Nunca se atreverán conmigo», se decía ininterrumpidamente cuando esas preocupaciones la asaltaban. Ella aún vivía en el viejo mundo, no obstante los bandidos de los campos, los *zémans* de futuro incipiente y toda la ralea de intrigantes que en su contra tenía entre las clases nobles. En este mundo nadie osaría levantarle la mano ni perjudicarla.

Quizá, bien pensado, fuese un buen momento para jugar a las fiestas palaciegas, para recuperar las más finas de entre sus mangas abullonadas y sus estrechos corpiños que tanto la rejuvenecían. Volvía a ser el momento de las perlas, de las que disponía a centenares. Siempre soñó con emular a aquella María de Médicis de la que, se cuenta, llegó a llevar en su vestido treinta mil perlas y tres mil diamantes. Ella no llegaba a tanto, pero la superaba en belleza. Un poco de esplendor no le vendría mal. Volvería a bailar, o a ver cómo otros bailaban la insinuante siciliana, la majestuosa zarabanda, la pastoral muzeta o las divertidas y frívolas gigas o chaconas. Si había que mostrar opulencia, la mostraría. Si era necesario ofrecer refinamiento, lo ofrecería. Si había que permanecer largas horas tumbada en triclinios oyendo nimiedades, estaba dispuesta a hacerlo. Si era menester almidonar a toda prisa las gorgueras, tiznándolas con polvos azules procedentes de Holanda, lo haría. Si había que sacar de los cajones golillas y escarapelas, lo haría. Si había que colocar marquesinas en los patios para desde allí contemplar tilos y acacias, las colocaría, aunque por suerte para ella era poco propicio el inclemente tiempo para admirar la belleza de los árboles. Si había que llenar los jarrones de prímulas y zinias, de cilantro y aquileas, de verdolagas y agrimonias, los llenaría. Si tocaba oír a vates y bardos, a trovadores y rapsodas, los oiría, fingiendo poner atención. Si había que alegrarse con los funámbulos, con los acróbatas y con los antipodistas, se alegraría, pero su pensamiento seguiría estando en lo que tenía en Polodié y los otros castillos. Si no podía desayunar, comer ni merendar, cenaría.

Ella era la honorable viuda del Ilustrísimo Conde Ferenc Nádasdy, azote de turcos y paladín de la Cristiandad. ¿Cómo iban a arremeter contra ella cual jabalíes? No, eso no ocurriría.

Quizá pensase entonces que en lo sucesivo sería conveniente recatarse en sus desmanes. Ya hallaría una fórmula, un lugar donde llevarlos a cabo. Ser una Báthory la había abocado a verse como se veía, más apurada de lo que nunca estuvo, y ser una de ellos la cegó ante el inminente peligro que sobre ella se cernía.

Sí, estaba decidida a ser digna de sus fieros antepasados. Hasta el final.

Y entonces, malhadadamente, se sintió más Báthory que nunca.

SOMLYÓ

La loba, a la espera de acontecimientos, ya no salía de su madriguera. Pero estaba herida.

Y era tan grande el rastro de sangre dejado tras de sí, que casi por inercia se invirtieron los términos del juego, porque aquello se trataba de un juego con la vida y con la muerte: los cazadores, confiados en no perder ese rastro, se acercaban poco a poco a su escondite.

Allí, en el profundo seno de su guarida, Erzsébet, en vez de no perder la calma tomando con habilidad y cautela medidas que hubieran podido depararle un cambio de situación, enloquecía por momentos.

Faltaba bastante para la Navidad y su detestable compromiso, pero aún proyectaba sendos viajes a los castillos de Somlyó, de Ilava y de Bezkó. Sentía una especial predilección por el de Somlyó, que perteneció a sus antepasados, los Ecsed. Aunque finalmente nunca llegaría a realizar tales viajes. Se limitó a trasladar de aquí para allá grupos de chicas, en la mayor parte de los casos para hacerlas regresar casi de inmediato. Ni el peligro le quitaba el hambre. Al contrario, como buena depredadora que era, se lo aumentaba.

Seguía sin comprender que se enfrentaba a personas que no eran como esas chicas campesinas que rodeaban Nytra, y que con tanta facilidad logró capturar cuando bastaba con unas promesas, unas pocas monedas o prendas. Cuando bastaba con su sola presencia.

Ahora los círculos de su rastreo, esos infernales semicírculos trazados con geométrica precisión hacia el este, y que se habían desarrollado armoniosa y macabramente como las ondas sobre la superficie del agua estancada, llevaban ya un tiempo gestándose en sentido inverso. Para ser más exactos, en sentido directamente proporcional a como ella misma había perdido el sentido.

Como esos terrenos de mielga en los que no llega a sembrarse nunca, creándose así un barrizal irrecuperable, todo a su alrededor se echaba a perder.

Sí, ahora todo en su entorno tendía a contraerse igual que sucede con ciertos materiales que entran en contacto con las llamas del fuego. János había comprobado que eso es lo que ocurre con algunas prendas al ser tiradas a las brasas. Se encogen sobre sí mismas hasta desaparecer finalmente en una agonía inmaterial que puede ser silenciosa o crepitante, pero que las destruye en poco tiempo.

Demasiado tarde ya para ir a la posada de la Weihburggasse de Viena, o a la Casa Harmish, donde se la conocía como *die Blütgrafin*, la Condesa Sangrienta. Demasiado tarde para todo lo que no fuera recogerse en su propia soledad y seguir empecinada en ser consecuente con aquello que siempre fue. Era arriscada, pero no suicida.

Quizá, en esos días de inquietud y espera, llegase a pensar que si como loba que era podían pretender darle caza, caso de que así ocurriese no lo lograrían de ningún modo, pues su estirpe pertenecía a los hijos de la Luna, y con ella, ¿quién iba a atreverse?

Y si los meses anteriores los pasó Erzsébet dedicándose, es posible, a sus lecturas prohibidas entre orgía y orgía siempre sangrientas para hacer honor a su apodo, jamás estrictamente sexuales, ese otoño se dedicó a hablar largas horas con Májorova. Según comentó Kata un tiempo después, aunque no dejó claro si fue ella misma quien llegó a oír fragmentos de esas conversaciones o si se lo oyó decir a Jó Ilona, con quien se sinceraba de tanto en tanto, pues parecía que Ilona vivía todo aquello mucho peor que la aborrecible y feral Dorkó, siempre huraña, la Condesa y Ezra Májorova seguían discutiendo acerca de cómo conseguir muchachas que, siendo hijas de *zémans*, aceptaran ir a Csejthe en calidad de doncellas de compañía de la famosa Señora. Habría que ir a buscarlas bastante lejos, cosa que por otra parte ya se estaba llevando a cabo desde muchos meses antes.

Pero, además, al parecer, también hablaban de otro tema que le resultaba muy interesante a Erzsébet, como no podía ser menos: las leyendas que sobre vampiros recorrían el país entero, y que habían llegado incluso a ser motivo de acaloradas discusiones en algunas cortes extranjeras.

Ya de niña, cuando sus parientes nacidos en el este la llamaban aún Alžbeta en lugar de Erzsébet, que era la traducción húngara tradicional de su nombre, aunque ella gustase de firmar con frecuencia *Elisabetha*, en latín, oyó hablar de tales historias. Para ella eran casi familiares esos *vroucolacas* de los que escuchó sutiles o directas referencias desde que empezó a razonar. Se comentaba que el término provenía de una deidad de los Balcanes, *Varcolac*, quien cuando se enfurecía engullía el sol y la luna, provocando los eclipses. De hecho, se trataba de los *vrykolakas* grecomacedónicos que antaño asolaron, según las leyendas, las tierras de Melenik y Kathaphygi. A su vez, los *vrukolakiazci* eran los muertos que se convertían en vampiros al ser mordidos por éstos, creando una cadena que era imposible frenar.

A todo ello había que añadir nuevas leyendas que hablaban de *vlŭkodlakŭ*, hombres-lobo que tenían su parangón en Alemania, desde hacía varios siglos, con los temidos *beserks*. Bucardo, obispo de Worms, escribió un célebre *Decretum* en el que ordenaba su empalamiento, clavándoles una estaca en pleno corazón en cuanto fuesen descubiertos. Se decía que los vampiros también eran hijos de Lilith, la diosa tan cara a Erzsébet. Ya Ovidio, Lucano, Petronio o Plauto hicieron puntuales referencias a esa terrible diosa Lilith o a sus herederas, las *empusas* o *lamias*, quienes, valiéndose de la lascivia propia de los hombres, acababan por succionarles toda su fuerza vital a través del semen o la sangre.

Más hacia el oeste, los serbocroatas mencionaban con temor a los *nekrstenci*, los no-bautizados muertos que se convertían en voraces pájaros nocturnos. En Rumania llamaban a las mujeres-vampiro *strigoicas*, aunque el término «vampiro» como tal se remonta por primera vez en su forma escrita a San Libencio, obispo de Bremen, y data de una fecha aproximada al cambio de milenio. Por su parte, en la zona del norte, hacia Polonia y Rusia, se les llamaba *upierz*. Y, como en el caso de la brujería, muchos empezaban a ser los tratados que al respecto se publicaban, aunque su acceso fuese un tanto restringido. Pirgist sabía de los más comentados, y que bien pudo haber conocido Erzsébet, cosa que se hubiera sabido de especificarse cuáles eran aquellos libros que estaban en su biblioteca. A los vampiros se les citaba en *Die Emeis* de Johannes Geiler Keisersberg, en *Prieras* de Silvestre Mazzolini, en la *Tipographia Hibernica* de Giraldus de Barri, arzobispo de Breeknock, en *De nugis* de Walter Map, en los tratados sobre vampiros y hombres-lobo que legó el abad Bliscarret, en la *Gesta Regun Anglorum* de William Malmesbury, pero, sobre todo en los tres textos fundamentales para estudiar dicho tema, que para muchos resultaba fantástico e irreal y para otros no tanto: el *Malleus maleficarum*, los *Comentarius de praecipuis divinationum generibus* de Kaspar Peucer, y el *De Lycantrophie transformatione*, debido a la pluma e ingenio de Jean de Nynauld. Todo ese caldo de cultivo se vio avivado por el ajusticiamiento público de un ciudadano llamado Peter Stubbe, al que se acusó de licántropo, y halló su fin en la localidad de Bedburg, no lejos de Colonia, en el año 1590. Todo ello se inscribía en el marco de escándalo y conmoción popular que provocó la muerte de casi mil mujeres acusadas tanto de brujería como de vampirismo, entre ellas incluso algunas niñas de cuatro y cinco años de edad. Se mataba a porfía, y siempre en nombre de la fe.

Realmente Europa estaba convulsionándose, pues si de una parte los miembros más intransigentes de la Iglesia se empeñaban en borrar de la vida todo signo de pagana credulidad entre las gentes, de otro éstas seguían mostrando una innata predilección por hechos propios de la antigüedad y las costumbres más bárbaras. Así, dieron mucho que hablar las peleas entre osos de Berlín, o los combates que entre tigres y leones contra toros tenían lugar en Innsbruck. Las ferias estaban llenas de seres deformes por cuya visión la muchedumbre pagaba haciendo largas colas. También fueron célebres casos como los de una joven llamada Apolonia Schreier, que se mantuvo, dicen, cinco años subsistiendo tan sólo con jugo de determinadas flores, o Eva Vliege, de la que se cuenta permaneció diecisiete años haciendo lo propio. Las supersticiones se hallaban demasiado arraigadas como para extirparlas por la fuerza. Ella misma combinaba sus prácticas más crueles con caprichos de dama, como hacerse traer de la India cúrcumas, amarantos y mirobálanos que, por el duro clima, no llegaban a arraigar en los parterres del jardincillo exterior de Csejthe.

Como se ve, de todo aquello pudo haber tenido noción Erzsébet, a quien sin duda apasionaba el tema de los vampiros. Todavía más, si cabe, que el de la brujería, pues si mucho le había costado dar con una bruja digna de crédito como Anna Darvulia, aún más le costó encontrar a la única que poseía los suficientes méritos para erigirse en su digna sucesora, Ezra Májorova.

En cambio, de los vampiros, y eso lo sabe a la perfección János Pirgist porque a él le sucedió lo mismo cuando era niño y aún ahora las gentes no dejaban de importunarle con tales historias, Erzsébet oyó hablar siempre y con total naturalidad a los Báthory, cortadores de cabezas y empaladores de cuerpos. A ellos poco podía impresionarles el cariz enigmático de esas fábulas, se llamase a los vampiros como se les llamase, y según la región: *moroï, opers, varcalaci, vidmes, pricolici* o el más implícito *diavoloace.*

Erzsébet lo único que sabía, y no tendría ninguna duda al oír esas leyendas, era que los vampiros humanos habían dado pruebas de su existencia en episodios de los que quedaba constancia escrita y legal por parte de las autoridades en sitios como Blovu, cerca de Kadam, en Bohemia, y también en Olmutz, villa morava. O en las cercanías de donde ella nació en el cantón húngaro de Oppida Heidonum, junto a Transilvania, o en Amarasti, no lejos de Dolj, en Mehedinti, justo al lado de Vaguilesti, en Kartrzy, más al norte, y ya en plenos Balcanes, en lugares como Kilósova, Medredja o Kisiljevo.

Así llamaron los antiguos escritores latinos a las sirenas, que también eran mujeres-vampiro: *Cruenta sirenum ora...,* las bocas ensangrentadas de las sirenas, o *Deterrimae versipelles...,* las pérfidas sagaces que se alimentaban de sangre y eran insaciables. Pero había algo que intrigaba más a Erzsébet que toda esa serie de apariciones que mucha gente decía haber presenciado. La palabra *pyr* para los eslavos significaba «pájaro». Ella quería volar ni más ni menos que esos animales que, parecidos a los murciélagos pero más grandes que éstos, sí había podido ver con sus propios ojos: los vampiros de verdad.

Siendo niña, y seguramente para darle miedo, uno de sus primos de Transilvania le contó cierta noche a la luz del fuego de la chimenea, mientras los mayores se solazaban tras una fastuosa comida en un salón contiguo, cómo actuaban los vampiros, esa especie de pájaros que eran como ratas o conejos con grandes orejas y alas surcadas de finas membranas. Según su primo, los vampiros aguardaban que sus presas yaciesen profundamente dormidas, prefiriendo animales que por su propia condición se sumían en el letargo invernal, pero incluso lo hacían con otros que no pertenecían a tales especies. Tenían la virtud de saber cuándo estaba produciéndose el momento más profundo del sueño de aquellas presas a las que previamente habían localizado. Así, acechaban desde lo alto de una rama o escondidos en la frondosidad de un árbol. Luego, iniciando un vuelo de delicado trazado, se colocaban muy cerca de esos animales en reposo. Entonces, sin tocarlos nunca, daba comienzo la segunda fase del proceso. Ya estaban posados a su lado, y el animal seguía dormido. Centímetro a centímetro iban aproximando su morro a la víctima, que respiraba tranquila. Eso podía demorarse horas, y ahí residía la clave para pasar desapercibidos. Finalmente, y ésta era la parte más prodigiosa, la que consiguió captar toda la atención de Erzsébet, acercaban aún más su morro a la piel de la víctima. Volvían a ser muchos los minutos de paciente espera, pues el menor movimiento habría despertado al animal. Asomaban sus largos colmillos, más finos que agujas, dejándolos deslizar con absoluta lentitud entre el pelo del animal. La aproximación era entonces milímetro a milímetro. Hasta que se producía el suave, casi imperceptible contacto. Ése era el instante crucial. La quietud debía ser absoluta. Quizá el animal se moviese un poco por instinto, pero si seguía dormido luego de haber entrado en contacto los colmillos del vampiro sobre su carne, continuaba produciéndose el milagro. Con infinita delicadeza iba introduciendo la punta de sus colmillos en esa carne, sorbiendo ávidamente su sangre desde un primer momento, con lo que a los pocos minutos el animal estaba ya incapacitado para reaccionar. Había caído en una grata e incomprensible ensoñación. Algo le picaba ahí, en alguna parte de su cuerpo, pero, débil hasta el extremo de no poder ni moverse, se dejaba hacer. Así hasta que lo vaciaba de sangre. Entonces sí, el vampiro, ahíto de sangre, remontaba el vuelo lanzando victoriosos chirridos.

A la niña Alžbeta no sólo no le dio ningún miedo esa historia, sino que empezó a fantasear a su costa. A ella no le iba a venir un vampiro a morderla mientras dormía. Entre otras cosas porque dormía escasas horas, y siempre en un estado de duermevela. No había vampiro capaz de traspasar los gruesos muros de sus castillos, ni los ventanales que quedaban herméticamente cerrados.

Quizá tardó aún unos pocos años en comprender que el vampiro era ella, pues así lo soñó de niña, deseándolo con toda la energía de su imaginación.

Probablemente el relato de su primo tuvo lugar en el castillo de Somlyó, al que solían acudir los Báthory una vez por año para reunirse todos. Nunca llegó a conocer János el castillo de Somlyó, ni tampoco su madre. Csejthe era su hogar mal que le pesara, y si sólo estuvo en los castillos de Sárvár, Varannó y Pistyán Kata habló del resto.

Pero a él seguía obsesionándole únicamente Csejthe, porque fue allí donde vivió sus mayores momentos de horror. Esos que aún no se ha atrevido a describir en su totalidad, como si una mano invisible se posase sobre la suya, impidiéndole sincerarse. Era el vampiro que vivía instalado en su memoria, que lo paralizaba una y otra vez en el momento en que se creía decidido a contarlo todo.

—¡Oh, Señor, dame valor para hacerlo...! —exclama de pronto para sí cerrando los ojos.

Por un instante llega a temer que su joven ayudante le haya oído. Escucha atentamente. Nada se oye. Es noche cerrada y el padre András dormirá tranquilo. Él no tiene *eso* en la memoria.

Pirgist se levanta y da un par de vueltas por la habitación. No termina de decidirse. Tampoco sabe cómo contarlo. Pero, a fin de cuentas, si ha llegado hasta aquí, si ha sido capaz de describir lo que ya ha descrito, ¿por qué habría de importarle exprimir un poco más sus propios recuerdos y su conciencia?

Se queda varios minutos de pie frente al gran crucifijo de hierro forjado que cuelga de la pared. No se atreve a mirarlo. Finalmente alza la vista y reza una corta oración. Luego vuelve a sentarse frente a su escritorio, moja el plumón en el tintero y sigue escribiendo un renglón. Y luego otro, y otro más.

Él vio. También él vio. Fue una visión fugaz. Pudo durar apenas unos segundos, el tiempo de atisbar por una puerta que alguien, imprudentemente, había dejado mal cerrada. Juraría que se despertó en mitad de la noche y se sobresaltó al comprobar que su madre no se hallaba a su lado, como era de esperar. Iba medio sonámbulo, olvidando por completo las consignas que hasta la saciedad le habían repetido: que de noche nunca se moviera de allí. Al parecer su madre fue llamada con urgencia por Kata para limpiar algo. El caso es que tuvo miedo. Más miedo de su propio miedo que del de esa soledad del lavadero del que tan a menudo le habían dicho que no se moviese. Y empezó a buscarla. Primero por el lavadero adyacente. Después en otro contiguo a éste. Recorrió un pasillo, subió un piso. No se atrevía a decir: «¿Mamá?», en voz alta, porque seguía siendo mudo una vez abandonado el lavadero principal.

Fue entonces cuando, al doblar por otro pasillo, oyó lo que oyó. Gritos ahogados y sacrílegas imprecaciones. Distinguió, hecha su mirada ya a la penumbra, un resquicio de luz que se colaba desde el canto de aquella puerta mal cerrada. La tenía a escasa distancia, y algo desconocido, quizá el temor de que a su madre estuviese ocurriéndole cualquier cosa mala allí dentro, le abocó a empujar un poco la puerta. Y vio. Y oyó. Color y sonido. Fue esa mezcla lo que provocó su alarido, esófago abajo.

—¡Oh, Dios! ¿Cómo contarlo, cómo? —balbucea ahora entre jadeos.

Vio cuerpos de chicas atados a la pared, y alguien situado frente a ellas que movía sus brazos con un objeto brillante y afilado en la mano. Quizá era un cuchillo. Quizá uno de los grandes y largos alfileres que se utilizaban para zurcir lana y otras prendas gruesas. Y la voz de aquellas chicas. No consiguió ver toda la escena, pero con contemplar un fragmento de ésta ya le bastó:

Rojo, eso es lo que vio. Sangre por todas partes. Y gritos amortiguados por la estopa y los trapos que a aquellas chicas les habían introducido en la boca.

Rojo. Un golpe seco. Rojo. «¿Por qué?», oyó en un lamento que provenía de la parte de la habitación que no lograba abarcar con la vista.

Rojo, rojo.

«¿Qué es esto?», clamó una voz en el interior de esa habitación.

Todo muy rojo, como si la estancia entera se hubiese teñido con el color de las amapolas.

Hasta el olor a humedad que impregnaba el muro en el que ahora se apoyaba le llegó rojo.

Rojo y más rojo. Pieles blancas, y encima rojo. Como la pulpa de una granada reventada. Rojo.

Viscoso, picante. Rojo. Como el color de algunos vestidos que, de lejos, le había visto a la Condesa. Como el de las cofias de ciertas mujeres que pudo ver en el pueblo, en una fiesta reciente. Rojo. Y, de pronto, la voz entrecortada de una chica, suplicando:

—¿Por qué? ¿Qué es esto? —Y luego—: ¡Dios mío!

O tal vez fueron dos veces las que lanzó tal imprecación.

—¡Dios mío, Dios mío!

Era lo que él mismo estaba pensando en esos momentos. Como si aquellas chicas le robaran las palabras.

«¿Por qué?» «¿Qué es esto?» «¡Dios mío!»

Ahí no estaban ni el sol, ni el trigo, ni la miel. Todo era rojo. Muy rojo.

Desde la otra parte de la habitación llegaron insultos y maldiciones. No consiguió oírlos con nitidez, pero sí su piel, que se había erizado como las escamas de algunos reptiles que dormitaran sobre las rocas que rodeaban el castillo, expuestos a la luz solar.

Entonces aún no alcanzó a comprender en toda su plenitud esa perfecta álgebra del dolor, del mayor de los dolores: la ausencia de respuesta a la pregunta: ¿Por qué chicas? ¿Por qué esas chicas, tan blancas, tan llenas de rojo?

De pronto, mareándose, su visión quedó nublada por la febril, vertiginosa yuxtaposición de los diversos tonos de rojo. Allí dentro todos parecían chillar como posesos, las víctimas y los verdugos. Unos a causa del daño, otros para que callasen, pero entre todos formaban una espiral que no dejaba de crecer. Y la hoja, los alfileres, seguían subiendo y bajando a ritmo acompasado. Y en cada movimiento un nuevo espasmo, una brutal contracción.

Vio destellos de color de plata surcando el aire, como si le partiesen el pecho al aire y, junto a él, costillas, pulmones, entrañas. Y luego las voces rotas de las chicas que murmuraban cada vez más débilmente:

—¿Por qué? ¿Qué es esto? —Y después—: ¡Dios mío!

Posiblemente fuera cierto. Eran dos los colores que allí había: el del brillo de la plata y el de la pulpa de la granada u otras frutas con el mismo color. Aunados, confundiéndose entre sí. Las cerezas reventaban, esparciéndose a modo de diminutas estrellas sobre la pálida piel de las chicas.

Y la hoja de plata en su constante movimiento. De arriba abajo. De arriba abajo. La hoja de plata creando nuevas cerezas, nuevas fresas, nuevas ciruelas que estallaban sin hacer ruido. A lo sumo, un característico chasquido al entrar en la carne. Una danza pendular, maquinal, que helaba la madrugada, que incendiaba el frío. ¿Cómo ahuyentar aquella dañina luz?

Y el rojo que crecía en intensidad, hasta casi cegarlo.

La hoja de un largo cuchillo resplandeciente hizo encoger la alborotada alma del pequeño y estupefacto János hasta conseguir anularla. La hoja que movía esa figura envuelta en una capa hasta los pies, haciendo enmudecer del todo su alma, ya resquebrajada en pedazos. La hoja más brillante de cuantas joyas de plata hubiese visto nunca, pero con restos de cerezas, de fresas y de granada en su punta, en su filo, haciendo enmudecer a los muros, a las antorchas del pasillo, al aire.

En aquella confusión mental, arrastrado por la vorágine de imágenes que le impactaban en los ojos como pedradas y que se le introducían en la retina, también a él, como afiladísimos alfileres, el niño sordomudo e invisible, pegado cada vez con más fuerza a la pared, sólo deseaba salir al campo abierto para poder gritarles cuanto acababa de ver a los árboles, a las flores, al cielo. Porque no era ciego. O sí lo era. Qué importaba eso ya.

Pero fuera la noche era cerrada, y en aquellos campos, en aquel lugar, cuando llegase la noche ¿no se esconderían las flores, los árboles, no huiría el mismísimo cielo para no ser testigo de lo que allí pasaba?

Pirgist levanta la cabeza, jadeando ostentosamente. La sacude. Deja la pluma y junta las manos en actitud de oración.

¿Cómo pudo llevar esto dentro, igual que hacemos con un hueso cualquiera de nuestro propio esqueleto, sin compartirlo jamás con nadie?

Y vuelve a preguntarse: ¿cómo tendrá valor y audacia para relatar esa historia, lo que aún resta de la misma, de manera coherente, sin recurrir a vagas alusiones a frutas y colores, cuando en realidad es así como la vivió? En su mente todo sigue siendo un magma reflejando fragmentos sin sentido, y con los cuales ha convivido hasta hoy, desterrándolos al más oscuro y remoto rincón de su memoria.

Y es que aun hoy, si rebusca en ella, hace descubrimientos que le hielan el corazón. Al dejar la puerta realizó un movimiento con la cabeza. Mínimo, pero suficiente para abarcar un nuevo ángulo de visión. Y allí logró ver, colgada de una pared, a una muchacha desnuda. La tenían colgada de uno de esos enormes ganchos de los que penden los animales una vez se les ha matado, para desguazarlos con más comodidad. Probablemente la habían colgado de tal forma que el gancho no le entrase por ninguna parte vital y mantenerla un rato más en su agonía. También vio, sobre una mesa, y esparcidos por el suelo, utensilios diversos. Algo que entonces no reconoció, pero que, grabados en su mente, con el tiempo llegó a saber lo que eran: garlopas, piornas, leznas, cepillos con púas metálicas, berbiquíes y una especie de manubrio donde les romperían o les fragmentarían las extremidades a las chicas. Herramientas utilizadas en carpintería y herrería que allí cumplían su función de tortura. Clavículas, fémures, tibias, húmeros, peronés, omóplatos, todo eso quebraban antes de astillar o cercenar. Y ella, la fiera, columbrándose entre veredas y linderos del pensamiento que la hacían gozar con aquel dolor como si contemplara el hermoso paisaje desde un otero, y otras entrando en acción para dejar claro quién era allí la auténtica orfebre del dolor. Sólo al quedarse sin chicas, sólo cuando cesaban por completo los gritos porque ya de ninguna garganta podía salir grito alguno, se diluía esa urticaria que dominaba su sangre. Asimismo distinguió, en la pared, una suerte de sistema de poleas conectadas mediante cuerdas y correas de cuero, donde mantendrían suspendidas a las muchachas mientras eran supliciadas. Todo eso quedaba iluminado por un candil, y János lo observó en un parpadeo. Allí tenían a sus víctimas, tumefactas unas, yertas otras, convulsionándose las que más resistencia tuvieran o las que hubiesen dejado para el final. Y aquélla era una, una sola de las estancias del horror.

Porque nunca, aunque hubiese dispuesto de un millar de vidas longevas e intensas, llenas de peripecias y sorpresas, sería posible que János comprendiese que cuanto pudo observar aquella noche por espacio de breves segundos, no más de cinco o seis, seguro que no más, pese a fundamentarse en esa mirada fugaz y en escorzo, iba a perseguirlo para el resto de sus días, y que esa noche lo que él hizo no fue solamente mirar. El solitario e instintivo acto de mirar, siquiera por error. No. Él observó, ya que era como las piedras. No miró simplemente. Aunque al observar aquello, lo sabe, vio. Entonces intuyó. Y, al intuir, vio y miró y observó como jamás llegase a imaginar. Porque al imaginar entendió. Quedó impregnado de las cosas. Vio, oyó y olió como deben vernos, oírnos y olernos los insectos. Fue así como aprendió.

Ya estaba marcado para siempre. Como una res. Debería sobrevivir con esos hechos que eran el cordón umbilical que le unía al pasado.

János Pirgist se palpa las manos. Tiene borrosa la visión, luego de tantas horas ensimismado y la emoción que ha tenido que soportar en los momentos anteriores. Ya no es un niño. Por fin ha dejado de ser el niño sordomudo y ciego e invisible que hasta hoy había sido, aunque amparado en el cuerpo de un adulto.

Aquella noche de Csejthe, y tras presenciar el fragmento de una escena que sin duda se repetiría otras noches y con mucha mayor frecuencia de lo que él alcanzara a atisbar, el pequeño János corrió despavorido por los pasillos, bajó al piso inferior, casi dándose de bruces varias veces por los escalones, y de nuevo corrió en dirección a los dormitorios anexos al lavadero. Llegó allí conteniendo a duras penas su grito. Seguía sin haber nadie en el jergón. Una vieja lavandera dormía roncando varios metros más allá, pero ni siquiera a ella se atrevió a despertar para contarle lo que acababa de encharcar sus ojos, de obturar sus oídos, de taponar su nariz, de obnubilar su conciencia. Además, ella debía de saber ya. Ella, como los otros, eran mayores y tenían oídos, ojos, bocas, nariz, recuerdos.

Le consoló la idea de que a su madre no estaba sucediéndole nada malo. Eso quiso creer. Castañeteándole los dientes, y no de frío pues se sentía arder, se introdujo en el jergón cubriéndose entero con la manta. Sacó un brazo y cogió a su perrillo, que dormitaba a los pies del camastro, sobre una estora. Lo metió con él entre la manta. El animal no protestó. Simplemente se acomodó allí, moviendo el rabo y complacido por el calor que el cuerpo de János le daba.

Un fuerte dolor de cabeza fue lo primero que recuerda. Y el rostro de su madre. Ya despuntaba el nuevo día. Ella llegaba con el aspecto demacrado, pero le riñó con suavidad por haber metido al perrillo en el jergón. Le dijo que podía llenarles de pulgas, que nunca más lo hiciera. Estaba pálida como jamás antes la viese. Seguramente, y como hecho excepcional, Kata se había visto obligada a recurrir a ella y otras dos lavanderas para limpiar restos de sangre en cualquier parte del castillo o en ciertas prendas.

János, ya más calmado, se sumió en un profundo sueño. A la mañana siguiente, cuando no habían transcurrido ni cuatro horas desde que llegase su madre, se despertó gimoteando.

Tenía fiebre y soñaba con Mirta.

Curiosamente no había soñado con lo visto esa noche. Incluso se esforzó en pensar que todo fue producto de su imaginación. Pero la fiebre crecía, y tuvieron que ponerle cataplasmas, humedeciéndole con paños mojados varias partes de su cuerpo, que se estremecía a intervalos de cada pocos segundos. Luego le pusieron bizmas y emplastos y le hicieron tomar un amargo y humeante brebaje.

Nada dijo a su madre de lo visto o soñado, porque sabía que con ello iba a darle el mayor disgusto de su vida. Ella misma parecía no ser consciente del fuerte acceso de fiebre que tenía su pequeño, y lo cuidaba, sí, pero ausente y mecánicamente. También ella habría visto algo nuevo y aterrador aquella noche. De hecho, es probable que ambos estuvieran marcados para siempre, como las vacas y bueyes en cuyas patas o lomos se inscribe la señal que identifica a quién pertenecen.

Ella, su cuerpo y alma, como todos allí, pertenecían a la

Condesa Erzsébet Báthory, viuda de Nádasdy. Y así iba a ser hasta que se extinguiesen sus vidas. Tenían grabado el estigma del conocimiento.

Pero János no estaba dispuesto a resignarse tan pronto a la evidencia de que el Mal existía por sí mismo, que por sí mismo nacía y se desarrollaba, creando un surco de desolación a su paso. No. Pasaron los años y él siguió investigando y preguntando. Necesitaba aferrarse a algo. Habló con médicos acerca de los antecedentes de la familia Báthory. Mencionó los más que probables casos de epilepsia que se habían dado entre algunos de sus antepasados. También, y cuando realizaba indagaciones en torno a las leyendas sobre vampiros y brujas que circulaban por Hungría y media Europa, supo que existían otras posibilidades para, si no explicar, sí al menos iniciar nuevos caminos de investigación que, era cierto, dejó interrumpidos a causa del desaliento y su recóndito deseo de olvidar todo aquello de una vez. Pero este firme deseo se nivelaba en la balanza de su curiosidad innata con el de saber, con el de obtener respuestas, ya que no aclaraciones, aunque fuesen sólo aproximadas.

Recordó los relatos acerca de Erzsébet mordiendo a algunas criadas hasta arrancarles trozos de carne, algo que con la edad ella parecía haber dejado un tanto de lado.

Recordó las alusiones a sus ojos en blanco, en presuntos éxtasis producto de lo que acabase de tomar en forma de pócimas.

Recordó las indirectas referencias a sus convulsiones, normalmente en mitad de una sesión de tortura, con lo que debían parar el proceso hasta que se recuperase.

Fue así, hablando con algunos eminentes doctores, como se enteró de que existía no sólo la epilepsia, que podía mostrarse bajo diversos estados y con irregulares niveles de intensidad, sino también lo que los médicos conocían como una forma de rabia similar a la que padecían los animales, sobre todo los de un potencial instinto más agresivo, como perros y gatos.

¿Es posible que a Erzsébet le hubiese mordido en alguna ocasión un animal con rabia? ¿Quizá aquel lobo a quien mató ella misma, al que degolló siendo adolescente, el que le produjo una herida que la tuvo postrada varios días? ¿Era eso posible? Lo era, pero eso jamás podría demostrarse, como que sufriese algún grado indeterminado de epilepsia heredada de sus antepasados. János supo de la existencia de casos de epilepsia congénita o rabia asociada a una simple mordedura o rasguño que tenían su foco en determinadas partes del cerebro: el llamado lóbulo temporal, el hipocampo y el núcleo amigdalino. Tales descargas epilépticas o rabiosas producían episodios esporádicos de comportamiento violento con la azarosa frecuencia e inactividad que decidieran generar esas partes afectadas del cerebro.

También averiguó Pirgist otro dato que durante un tiempo fue motivo de sus reflexiones y conjeturas. Entre los métodos terapéuticos ideados contra los casos de rabia en seres humanos estaban la dieta de ajos, cebollas y puerros, o fricciones asimismo de ajos y sal bajo la lengua, raíces de escaramujo o de rosal silvestre, espárragos, vinagre, alcohol destilado de forma que fuese lo más puro posible, láudano hecho de extracto de amapola, azafrán y vino blanco, o zarzaparrilla, o veneno de víbora mezclado con albahaca, pan ácimo, tallos de aladiernas, regoldos machacados al caer del castaño y alcaparras en polvo, mercurio, arsénico, belladona y, lo más importante, transfusiones frecuentes de sangre. También se recomendaba la ingestión de la misma.

¿Había podido ser la loba sanguinaria, en realidad, una perra rabiosa, quizá una desdichada epiléptica? Podía. Pero, aunque de eso se hubiese tratado en una cierta medida, estaba lo otro. Era loba. Siempre lo fue. Y llevaba en sus venas la llamada de la sangre.

Necesitaba matar para ser.

Ahí no cabían difusas especulaciones ni aventurados diagnósticos. Nació loba, dragón, serpiente y águila. Una mala mezcla. Eso seguiría siendo hasta el final.

Como las geodas, esas rocas que crean cristales violáceos hacia adentro, así era la perversidad de Erzsébet para nacer en su propio seno, regenerándose sin tregua.

Pero a veces Pirgist se preguntaba si no se mostraría él mismo piadoso con Erzsébet, como lo fue con Mirta y sus familiares. Le parecía excesivamente monstruoso admitir la eventualidad de un Mal gratuito, demasiado monstruoso como para, pese a provenir de un monstruo con forma humana, aceptarlo sin más. No, no se engañaba al respecto. Sus indagaciones siempre tuvieron como objetivo poner más materia donde había absoluta ausencia de materia, un poco de razón y lógica donde nada quedaba de éstas. Nunca intentó justificar, sino comprender, en un amplio sentido del término.

Comprender para aceptar y situar los acontecimientos en el ámbito de las cosas terrenales. Pero era imposible. Un muro que no podía tocarse, aunque estaba, se erguía entre Erzsébet y el resto del mundo. Por eso pronto se resignó János a seguir aprendiendo acerca de enfermedades diversas que por esas fechas estaban empezando a descubrirse. Por eso no lograba evitar una sonrisa de escepticismo cuando le venían con alusiones a vampiros. Eso eran nuevas e insustanciales pamemas en comparación a lo que él había visto.

Sin embargo, también los vampiros envejecen y mueren. La luz de lo vivo abarca a todos por igual, sin distinción de credos, sin determinar a otros según especies, razas o culturas.

La loba, la mujer-vampiro envejecía irremediablemente. De ahí sus últimos y atroces estertores para aferrarse a aquello que únicamente le daba vida y esperanza: la sangre.

De ahí que, como estaba previsto, tocase a quien no debía tocar: las hijas de los *zémans*, que a su vez conversaban de tanto en tanto con personajes de importancia en el devenir social de su tiempo, siendo algunos de esos *zémans*, incluso, quienes empezaban a llenar las arcas de parroquias e iglesias en todas partes del país.

Ése fue su gran error, debido a una carencia: buscar no sólo sangre fresca, sino sangre de más calidad. En apenas unos meses, y tras los nulos signos de vida o respuestas que varias de esas chicas parecía se negaban a dar, sus familias se preocuparon. Ellas, que a diferencia de las campesinas sabían leer y escribir, habían prometido que escribirían en cuanto llegasen a Csejthe. Nunca lo hicieron. Y el resquemor fue creciendo.

En ese contexto de murmuraciones y malos augurios llegaron las fechas previas a la Navidad de 1610. En efecto, no sólo iban a acudir a Csejthe los parientes más cercanos de Erzsébet, sino el Palatino Thurzó y el propio rey Matías. Aquello era una insensatez.

Se trataba de la última batalla, y había que jugárselo todo a una carta. Erzsébet sabía que sería necesario enfrentarse a las miradas insidiosas y acusadoras de Megyery el Rojo, tutor de su hijo Pál, la de su cuñada Kata y la del mismo Palatino Thurzó, que antaño, es posible, sintiese amor por ella.

Ella ya no sentía amor hacia nadie. Ni siquiera, es probable, hacia sí misma. Por tal motivo, y como había extraviado el baremo de las cosas, se dispuso a propiciar un definitivo golpe a toda aquella jauría de mastines que, no lo dudaba, iban en su captura, pese a que aún procuraran disimular las formas. O si no ¿a qué podía deberse la insistencia de sus hijos en realizar ese encuentro colectivo en Csejthe? Veía con claridad con qué hábil elocuencia a sus propios hijos, desde las más altas esferas, les habrían inducido a creer que era una espléndida ocasión para acompañar a la viuda de Nádasdy. Y ellos, incautos, al parecer eran los que más habían insistido en que tal encuentro se produjese.

Pero Erzsébet había perdido definitivamente la noción de

todo. Así que ideó, junto a Májorova, elaborar una pócima que, tanto bajo la apariencia de ponche como en pasteles hechos con fuertes especias autóctonas de la región, entre las que había algunas setas, acabara con la vida de los más importantes de sus invitados, que en realidad no eran sino sus enemigos mortales.

Hasta el último día, combinando ese asunto con la precipitada salida de Csejthe de tres o cuatro decenas de chicas en dirección a otros castillos y los preparativos propios de tan crucial evento, estuvo urdiendo con Májorova conjuros y hechizos en los que se demoraban noches enteras. Noches en las que al menos no siguieron matando. Aquélla se trataba de una Navidad algo anticipada, que debía celebrarse a mediados del mes de diciembre. El jarabe venenoso y los pasteles no logró tenerlos listos Májorova hasta casi la víspera.

Y por fin llegó el día.

Erzsébet recibió a sus invitados en persona, grave el aspecto y con una cinta negra en la frente, en señal de luto por su esposo. La otrora joven dama de seno turgente, grácil el talle y cintura de discóbolo, lucía esplendorosa pese a su edad. Conmoción en la comarca causaría la presencia del rey Matías y su numeroso séquito, así como la de tan egregios invitados, que nadie conocía pero que a todos parecían impresionarles. Hubo misa solemne con el pastor Ponikenus, quien subía por vez primera al castillo desde hacía meses, ágapes interminables y bailes que duraron hasta que las noches se confundían con los días. Erzsébet mantuvo la compostura en todo momento aunque en realidad era constantemente observada por muchos pares de ojos. Megyery y Ponikenus aprovecharon para preguntar aquí y allá, dando dinero en algunos casos, amenazando sutil o directamente en otros. Sacaron sus propias conclusiones, que poco después le hicieron llegar al Palatino Thurzó, quien de alguna manera seguía negándose a dar credibilidad a lo que, informe tras informe, le ponían sobre la mesa.

Cuando tuvo lugar la fastuosa cena de despedida, los ayudantes de Erzsébet distribuyeron el ponche y los pasteles entre los invitados. Les sirvieron a todos sin excepción, incluidos el rey y el Palatino. Pero también ahí el destino iba a serle poco propicio a Erzsébet.

De una parte es probable que Májorova, temerosa de producir realmente una gran mortandad entre tan ilustres personas, en el momento de realizar las mezclas definitivas redujese considerablemente su capacidad letal. Pese a que Erzsébet los quería muertos. A todos. Tampoco le parecía descabellado decir que habían sido víctimas de una fuerte y desgraciada intoxicación colectiva. Más de una vez habían sucedido casos así, y pronto se olvidaban. Además ella sabía, lo cual era rigurosamente cierto, que este rey tenía muchos soterrados adversarios entre la nobleza húngara. En el fondo iba a hacerles un favor liquidándolo. En cuanto al Palatino, era un muñeco sin decisión propia. Pondrían a otro en su lugar y listos. Así concibió el panorama su mente enferma, e incluso con su castillo lleno de invitados, embebida por completo en el asunto que la incumbía, en todo punto delirante, ella seguía subiendo esporádicamente a sus aposentos para hacer nuevos y cada vez más crueles conjuros.

Pero si no contó con el supuesto recato de Májorova a la hora de administrar el veneno, tampoco contó con que, tratándose de la cena de despedida, hartos de comida y bebida como estaban, casi nadie bebió y comió lo suficiente. En los casos del rey Matías y del Palatino ni siquiera probaron lo que podía haberles causado sendos problemas de salud, si no la muerte.

Sólo al día siguiente, cuando ya todos los invitados se disponían a partir, empezaron a correr voces por el castillo solicitando la urgente presencia de médicos, pues había algunas personas que padecían vómitos, diarreas y una fuerte fiebre. Se reconoció abiertamente que sin duda se debería a algún alimento en mal estado, del que abusaron sin medida. Era más sencillo que todo eso: ellos sí habían bebido del ponche y comido los pasteles que elaboró la bruja de Miawa. Pero seguían vivos.

Este hecho, y ya a solas con ella, llevó a Erzsébet a amenazar claramente a Májorova:

—¡Me has traicionado, impostora...! —estuvo gritándole un día entero cada vez que la veía.

La otra negaba como buenamente podía, pero por fuerza tuvo que darse cuenta, y más que nunca, de que también su vida pendía de un fino hilo. La salvó, quizá, el súbito arranque de Erzsébet, quien sólo podía aplacar su ansiedad como siempre había hecho, matando. Así, lo que pareció iba a acabar en una venganza personal, en la cabeza trastornada de Erzsébet se convirtió pronto en lo que ella misma creyó un golpe de suerte: nada había pasado, nadie había muerto por intoxicación. Y por tanto nadie investigaría. Las cosas en el castillo aparentaban ser absolutamente normales. Incluso, y de eso se enorgullecía especialmente, nadie había podido ver el menor rastro de chicas en Csejthe. Seguía siendo la afligida viuda de fuerte carácter, algo hosca, sí, que vivía encerrada entre aquellos muros. Preferible de ese modo. En pocas horas, pues, se convirtió en un asunto de total urgencia hacer regresar a las muchachas de los sitios a los que las habían enviado.

Volvía a oír la llamada de la sangre, y eso la cegó. Ni por un instante se le ocurrió imaginar que en Viena, Praga y Presburgo no se hablaba de otra cosa, en ciertos despachos, que de cómo tenderle la red en la que debía caer.

ILAVA

—¡Padre András, suba, por favor! —Se oye la voz de János, ronca y excitada, al tiempo que hace sonar con energía la campanilla situada junto a las jambas de la puerta de su buhardilla.

Pronto se oyen pasos apresurados en la escalera de caracol, hecha de nogal, que va a dar a la estancia superior.

—¿Ocurre algo, reverendo Pirgist? —pregunta el joven sacerdote, alarmado, mientras a grandes zancadas va subiendo por la escalera.

János lo aguarda de pie junto a su escritorio, vacilante. No dice nada, pero se le ve muy serio.

—¿Se encuentra mal, padre? —insiste en saber su ayudante.

Él le tranquiliza. Nada le pasa, salvo esa inquietud en su espíritu que no le abandona ni un momento. Así se lo dice, pero omite referirse a lo último que ha escrito, y que hasta entonces, desde la infancia, llevó encerrado en su corazón. El ayudante respira aliviado, pues temía algo peor.

—Está sometiéndose a demasiados esfuerzos, reverendo —le comenta en tono de cariñosa regañina—. Parece un niño y no...

—¿Un viejo achacoso que se dispone a preparar su definitivo viaje al más allá, eso es lo que iba a decir, padre? —inquiere János, que sigue sintiéndose un niño, el mismo niño que durante largas y fatigosas jornadas ha ido llenando cuartillas, y que sólo ahora cree haber crecido. Pero eso, ¿cómo explicárselo a su inexperto ayudante? Éste agacha la vista, azorado.

—No, no era eso, reverendo...

—Da igual —dice Pirgist con una sonrisa en los labios, intentando reconducir el tema—. Verá, desearía pedirle un favor que en realidad son dos, y posiblemente tres...

El joven sacerdote enmarca una mueca risueña y apostilla:

—Complicado lo pone...

—No tanto. Es muy sencillo. Si decide hacerme el primer favor, ése le conducirá al segundo, que es como el reverso de lo mismo, y... del tercero quizá hablemos más tarde.

—Adelante, pues —contesta el sacerdote.

—¿Quisiera usted leer cuanto hasta la fecha he escrito? Sé que entiende a la perfección mi letra, que además procuré hacerla clara en todo instante.

El joven cura entreabre la boca, sorprendido:

—Pero, reverendo... eso me llevará...

—Lo he calculado: dos días, si lee sin demora. En todo este tiempo queda libre de atender a quien venga a visitarnos. Yo me ocuparé de la misa de mañana, de las campanas y, si llega el caso, de la misa de la jornada siguiente. Lo que haga falta. A fin de cuentas —murmura tras meditar un rato—, eso es algo que he estado haciendo a diario durante muchos años. No se me ha olvidado, téngalo en cuenta... De alguna manera me vendrá bien descansar un poco y aclarar las ideas.

El otro acepta su broma de buen grado. Afirma estar encantado con la misión que le encomienda. No es un favor que le hace, sino al revés, un favor que recibe.

Pirgist inclina su cabeza y lanza una sentencia:

—Quizá no piense lo mismo luego de leerlo...

—Sí, pero para eso deberé hacerlo antes de opinar, ¿no cree? —repone sonriendo.

—De acuerdo. Sólo le pido concentración. No me pregunte nada mientras lea, por más que ello le sorprenda. Sólo al final hablaremos. ¿Está conforme?

—Deseando empezar...

—¡Ah! Ni de las comidas quiero que se preocupe. Yo se las traeré puntualmente, igual que usted hace conmigo todos los días. Y conste que esto no debe entenderlo como caridad sino como una especie de apacible egoísmo por la confianza que su persona me inspira y, debo reconocerlo, la avidez que siento por conocer su opinión sincera...

—En cuanto usted salga por esa puerta le aseguro que nada me distraerá. Si detengo mi lectura será sólo cuando el sueño me venza. También yo creo que en una jornada o dos habré concluido...

—Bien, demuéstreme, pues, que es capaz de ello.

—Lo haré.

János Pirgist se retira lentamente. Antes de cerrar la puerta, ve cómo el joven clérigo ya coloca ante sí el montón de cuartillas, procurando que queden perfectamente alineadas por los cuatro lados. En silencio, Pirgist le lanza una bendición.

Van transcurriendo las horas. János atraviesa momentos de suma impotencia y otros en los que se hunde en una lasitud tal que se ve obligado a sentarse en su sillón orejero, junto a la estufa de carbón. Entonces pasa tiempo adormilado. Cumple con lo prometido. Da la misa para una decena escasa de feligreses. Toca las campanas cuando es hora. Sube la comida en la bandeja, que deposita en un extremo del escritorio. Evita mirar directamente al padre András, pero sus ojos se cruzan de improviso. El rostro de ese buen clérigo parece haberse transformado por completo, pero la seriedad de su promesa le da valor para apartar la vista de Pirgist y sumergirse de nuevo en la lectura, incluso estando él ahí presente. Por un momento piensa János con cierta alarma si su joven ayudante no estará cayendo, también él, bajo el influjo de la Condesa. Pero pronto se tranquiliza. «No, a él no puede afectarle como a mí. Es imposible.» Así siguen transcurriendo las horas. En la parroquia de Lupkta-Ratowickze apenas ocurre nunca nada digno de mención, lo que facilita ese pacto entre ambos sacerdotes.

János está amodorrado en el sillón con su libro de oraciones en la mano. Se ve ya el crepúsculo de la segunda jornada en que su ayudante continúa leyendo. Unos ruidos lo despiertan. Intenta ponerse recto en el sillón, pero la voz del joven le dice:

—No se mueva, se lo ruego...

Ha descendido por las escaleras sin que lo oyese, y ahora lo tiene frente a sí. No lleva nada en las manos. Su aspecto no es bueno. Tiene ojeras. Pirgist no se ve con fuerzas para iniciar el diálogo. El joven clérigo acerca una banqueta hacia el sillón y, tras mantener unos momentos la mirada clavada en el suelo, dice:

—No me juzgue impertinente ni frívolo, reverendo, pero...

—Tampoco él ahora parece capaz de hablar.

—Duda de si cuanto ha leído es cierto, ¿verdad? —le ayuda Pirgist.

—No dudo, si usted lo ha escrito. Sólo que resulta tan difícil de pensar que algo así...

—Vivimos en un mundo muy peculiar, padre. Lo inverosímil puede asaltarnos allí donde menos lo esperábamos.

—Entonces, ¿es real? ¿Es real todo lo que explica? —Se nota una enorme inquietud en su semblante. Pirgist sonríe y contesta:

—Tan real como que mi nombre es el que es, que fui parido de humana madre y que creo en Dios Todopoderoso.

El joven cura inclina su cabeza. Parece como si acabase de recibir un mazazo.

—Siento si puede haberle... contrariado la lectura, lo siento de veras —se excusa János.

—No es que me haya contrariado —intenta defenderse su ayudante—, es que...

Él le corta:

—Como me dijo Mirta aquella noche, eso poco importa ya...

Se hace el silencio entre ambos. Pirgist cruza los brazos sobre su pecho y pregunta:

—¿Puedo entonces, como convinimos, pedirle el segundo favor? —A lo que el joven asiente moviendo la cara afirmativamente.

»Necesito su opinión sincera al respecto, como le dije. Decidida y absolutamente sincera.

—Cuente con ella, reverendo —manifiesta con una renovada luminosidad en su mirada.

—¿Cree usted que debo proseguir? —La pregunta ha quedado suspendida en el aire. Sólo se oye el crepitar de unos leños en la estufa y, a lo lejos, el mugir de unas vacas.

—¿Que si lo creo? —casi lanza un grito el joven—. ¡Debe proseguir, le cueste lo que le cueste!

—¿Y si yo le dijera que aún me he reservado un secreto, un último secreto, el más duro de todos ellos, al menos para mí? —La voz de Pirgist se ha quebrado un poco al decirlo. Parece afónico y no lo está.

—¿Puede haber acaso un secreto mayor, reverendo? —escucha la pregunta de su ayudante.

—Lo hay.

—Entonces, motivo de más. Es algo que se debe a sí mismo, o, como usted mismo afirma en algún lugar, a aquellas inocentes víctimas, y ahora no voy a hablar de futuras generaciones que puedan leer su relato...

—No me importa el futuro, padre, no me importa para nada.

—¿Entonces?

—Es que tengo miedo.

Intercambian una significativa mirada. El joven adelanta su mano hasta apoyarla en el brazo de Pirgist. Le dice lentamente:

—Por todos los Santos del Cielo, reverendo, por lo que más sagrado exista en el mundo, no puede dejar la historia así. ¡No sería justo...!

Pirgist medita unos momentos. Se levanta y dice:

—La concluiré. —Aunque no está preparado para lo que su ayudante le contesta, casi interrumpiéndole:

—Pero si no hace mención de ese secreto, temo, su esfuerzo no habrá valido la pena, pues usted siempre sabrá que la historia está incompleta. Se da cuenta... ¿no es así, reverendo?

—He de reconocer que tiene razón...

—Ánimo, pues —le arenga el joven—, póngase a ello y no vacile. Regrese allí y ajuste cuentas con su pasado... Hágalo por Mirta, por las demás...

—Gracias, padre, me ha sido de enorme ayuda —afirma Pirgist con solemnidad y haciendo carraspear su voz.

Está emocionado y le cuesta disimular.

—Gracias a usted por haber sido valiente —responde su ayudante.

Con pasos lentos, cabizbajo, János asciende de nuevo por la escalera de caracol. Sabe con lo que va a enfrentarse. Le teme, pero a la vez también lo espera con impaciencia. Lleva demasiados años aguardando esa batalla tras la cual, en uno u otro sentido, cualesquiera que éste fuese, podrá decir con orgullo que lo hizo o, al menos, lo intentó.

Ya está sentado de nuevo frente a su escritorio. Acaba de mojar el plumón. Ya se halla dispuesta la limpia cuartilla. Ante él se despliega, amenazante, ese páramo de su pasado donde nunca, desde entonces, se atrevió a entrar. Ya no siente temor. Sólo la atenuada angustia de revivir lo que creía olvidado, sepultado por el paso de los años.

Y vuela, recorre los años hacia atrás, vuela. Se recuerda a sí mismo, siempre como una diminuta sombra que deambulaba por el lavadero principal. Y de ahí iba a los patios del castillo o los campos de los alrededores.

Miraba los penachos humeantes surgidos de las chimeneas del pueblo o de la próxima aldea de Vág-Ujhely, veía a los arrieros con su hatillo y sus cayados, yendo a lejanos apriscos, miraba a la gente como diminutas partículas que se movían en la llanura, entrando y saliendo de cobertizos y cuadras. Los había visto disponiéndose a podar las vides, recogiendo leña para el invierno, haciendo la siega. Siempre vivos y tan cerca del peligro. Se ve recogiendo bellotas y carozos de melocotón, cuando hacía buen tiempo, o paseando por unos encinares y alcornocales cercanos. Se recuerda deambulando por vaguadas pedregosas, oyendo el gorjeo de los pájaros y tirando guijarros por la ladera, que rodaban por el roquedal hasta perderse en silencio, sin emitir el más leve ruido. Se recuerda observando el borrascoso horizonte, y regresando después al castillo antes de que le cogiese la tormenta, pese a que era consciente de que la tormenta estaba allí, entre sus muros. Y recuerda el ajetreo de aquellas jornadas posteriores a la partida de los ilustres invitados. Recuerda la llegada de carretas con nuevas chicas, que regresaban de los sitios a los que precipitadamente fueron destinadas. Intentaba no mirarlas, pero sus ojos se desviaban hacia las carretas.

Ellas, lo que permanece de ellas, ¿dónde estará ahora? No, en estos momentos no debe abandonarle la fe. Si hay justicia estarán en un lugar seguro y lleno de una luz maravillosa. Pero, se pregunta viendo así multiplicada su inquietud, ¿acaso también ellas, en su estado actual, que sin duda es tan incomprensible como grato, están aguardando a ver cómo prosigue con su relato?

Por ellas, sólo por esas vírgenes cuyas vidas fueron destrozadas en secreto y que nunca podrán ser calificadas oficialmente de santas, ni siquiera de mártires, pues la mayoría carecieron de todo para la posteridad, incluso de nombre, y casi todas de rostro, ha de contar su secreto, su último secreto. El único instante en el que, estando vivo aún, sintió que pisaba, que entraba en el umbral de la muerte.

El hecho se produjo, como en anteriores experiencias donde también corrió gran peligro de ser descubierto, por una rara combinación de circunstancias en las que su curiosidad de un lado, el azar de otro y siempre un tercer elemento, le abocaron a una situación límite sin que él se diese apenas cuenta.

Primero, cuando pudo oír aquella conversación entre un enfermo y preocupado Ficzkó y el *haiduco* al que éste conocía, conversación de la que aún le quedaba algo que contar, fue por estar paseando justo por el lugar que no debía, aunque aquélla no fuese una de las zonas donde de forma repetida y alarmante le habían prohibido estar.

Luego, cuando se encontró a la desdichada Mirta y las otras dos chicas ya parcialmente torturadas y amordazadas en un frío rincón, se debió a su perrillo, que le condujo, huyendo de él mientras jugaban, a pasillos a los que nunca debió acceder.

Después, cuando pudo ver lo que estaba sucediendo en una de las habitaciones del piso superior, su fortuito y horrible descubrimiento fue culpa de que estaba medio dormido y muy asustado por no hallar a su madre en el jergón. La buscó en vano, y con lo que se topó fue con aquella escena llena de súplicas y sangre.

En las dos primeras ocasiones tuvo tiempo de convivir, por espacio de varios minutos, con la sensación acongojante de poder ser descubierto en cualquier momento. La última duró apenas unos segundos, pero había inundado para siempre su retina y su conciencia.

Ahora la culpa la tendrían unas risas. Paradójicamente, tratándose de un lugar como Csejthe, unas risas. Algo que jamás hubiese imaginado.

Creyó no estar haciendo nada malo por irse un poco más allá, tan sólo un poco, del lavadero principal. No había dejado los límites del pasillo que, a medio centenar de metros, daba a una serie de pequeñas estancias que ahora estaban destinadas a cumplir la función de calabozo, pero él no podía saberlo. Creía no haber rebasado la frontera prohibida, y en verdad no lo había hecho. Tampoco era de noche, sino última hora de la tarde. Su madre había bajado al pueblo junto a Kata y otra lavandera a por hogazas de pan, levadura y harina. Subirían al anochecer, le dijeron, y aún no había anochecido. Por qué encaminó sus pasos hacia allí, eso es algo que no sabe. Seguro que por pensar que, aunque no fuera ésa la zona habitual de sus juegos, no entrañaba peligro alguno.

Fue entonces cuando, al cruzar junto a una puerta cerrada, oyó risas. Aquello le llenó de felicidad. ¡Alguien reía en Csejthe! Quizá llevaba años sin oír ese tipo de risas, contagiosas y espontáneas. Pertenecían sin duda a varias chicas. El recuerdo de Mirta le sobresaltó. ¿Era posible que las cosas no fuesen igual de malas para todas las chicas, que a algunas las castigasen y provocasen tormentos horribles y a otras no?

La puerta, como todas las del castillo, poseía una cerradura lo suficientemente amplia como para introducir allí una gruesa llave. Aquel agujero de la cerradura le atrajo como un imán. No había llave. Tranquilizado por las risas, no pudo evitar el gesto: se arrodilló frente a la puerta y acercó su ojo a la cerradura.

Dentro se veía a varias muchachas medio desnudas, que se peinaban y acariciaban entre bromas. Tenían una forma de actuar un poco extraña, como si sus movimientos flotasen. Entonces tampoco podía saber que posiblemente les habían dado algún filtro afrodisíaco o quizá simplemente vino, el potente vino de la región de Eger, para mantenerlas en tal estado. Confiadas, voluptuosas. En realidad estaban en adobo, preparándose, sin tener el menor conocimiento de ello, para su propio sacrificio. Pero a János le agradaba verlas así, pues parecían felices.

Fue entonces cuando ocurrió. Apenas un segundo, pero que se le antojó una eternidad. Como si una llamarada le hubiese traspasado el cuerpo, dejándolo por completo quemado y a la vez intacto.

Una mano se posó en su hombro.

Sin embargo supo desde el primer momento que aquello no era una mano. No una mano humana. No una mano como cualquier otra mano, cuyo contacto habría reconocido de inmediato.

Aquello era una garra. Pese a que se había posado con delicadeza sobre él, era una garra.

Un escalofrío le sacudió por entero, pese a que ni siquiera había tenido fuerzas para girarse.

No podía huir, ya que le tenía sujeto por el hombro, de modo que estaba acorralado. Y seguía sin atreverse a volver el cuello y mirar. No quería hacerlo. No quería ver quién estaba allí, junto a él, aguardando su reacción. Algo le enturbió la visión y los sentidos. Ya no veía a las muchachas, pese a seguir con el ojo pegado a la cerradura. Ya no veía la puerta. Ya no veía nada, sino un pozo que se lo tragaba.

Era Ella.

János lo supo sin necesidad de volverse. Era Ella, y esa certidumbre lo paralizó instantáneamente, como mariposa que se enreda entre los hilos de una tela de araña y ya ha recibido el primer picotazo. Fue al cabo de unos segundos cuando oyó la voz:

—*A lányok szépek... igaz?*

Una cuchillada acababa de traspasarle de lado a lado. «Las chicas son bonitas, ¿verdad?», le había preguntado la voz.

Entonces se giró un poco. Lo suficiente para, aún arrodillado, ver al ser que se hallaba frente a él, inconmensurable, terroríficamente alto, sin apartar en ningún momento la garra de su hombro.

Allí vio una montaña inmensa y negra con la cresta pálida.

Era la Condesa, en efecto. Y le sonreía con una espantosa y torcida mueca.

János notó que sus axilas ardían y que sus sienes estaban a punto de estallar. Numerosas estrellas de fuego cruzaron por sus ojos, sumiéndolo luego en la negrura. Tras cada parpadeo, volvía a verlo todo negro.

Vio, pese a que sólo les iluminaba el cono de luz que salía de una antorcha situada poco más allá, cómo un destello cruzaba su mirada ígnea. Fue entonces la primera vez que se sintió muerto. Ya estaba muerto, literalmente muerto, y cuanto pudiera pasarle a partir de ahora acaecería en la muerte, pues aquella mirada lo había sentenciado. No obstante, ésa habría de ser sólo la primera de las tres veces en las que, en espacio de poco tiempo, habría de sentirse muerto.

Por instinto más que por miedo, y procurando recordar lo que sabía del idioma que usualmente hablaba Erzsébet, el húngaro que desde hacía siglos se había usado en estas tierras, no ese dialecto mezcla de húngaro, alemán y eslovaco que por lo general utilizaban todos, con voz trémula repuso, ya sin dejar de mirarla:

—*Mit parancsol... Asszony?* —«¿En qué puedo servirla, Señora?» Eso fue lo que dijo con voz sumisa y hueca.

La frase, así como su tono, pareció complacerla, pues acentuó su sonrisa, que por momentos perdió el ribete siniestro.

—*Marha jó!* —salió de sus finos labios, que centelleaban en las sombras. «Muy bien», había sido su respuesta. Pero él seguía ahí, arrodillado, con la garra sobre su hombro.

Ella le ordenó mediante un gesto que se pusiese en pie. Le miraba sin decir nada, como si nunca hubiese visto un niño, como si fuera la primera vez que veía a un humano. Casi parecía desconcertada. Tal vez recordase. ¿De qué conocía a ese pequeño intruso, de qué? Porque, era sabido, la Condesa tenía una gran memoria para los rostros y también para los nombres. Igual que para ciertos detalles de la fisonomía que a cualquier otro le habrían pasado desapercibidos, olvidándolos pronto. Era así como de repente una noche podía exigir que se le trajera a tal o cual muchacha, llamándola por su nombre y apellido, que llevaba semanas o meses recluida en un calabozo, y que había sido secuestrada junto a otras muchas, de la que nadie recordaba ya su existencia. Así, «la rubia de tupidas cejas», decía entonces. O: «Una que tiene un pequeño lunar en el mentón.» O: «Esa a la que le falta un diente.» E iban a por ella. Nunca se equivocaba.

Ahora miraba a János, atenta y concentrada, torciendo incluso ligeramente el rostro como hacen los perros cuando no comprenden algo o aguardan cierta reacción de sus amos. Esos ojos de loba recorrían una y otra vez su menudo cuerpo, que si al principio se puso a temblar, ahora ya ni siquiera lo hacía, pues se sintió muerto, definitivamente muerto, y los muertos no tiemblan.

Pirgist se da cuenta sobre la marcha de que en algunas partes de su relato, al hacer hablar a la Condesa, incluso momentos antes, lo ha hecho utilizando el idioma en el que ella solía expresarse, el castizo y suave de la Alta Hungría. Así la recuerda siempre que piensa en ella diciendo algo, aunque su propio relato esté escrito en esa otra mezcla nacida de diversas lenguas. Así debe continuar haciéndolo, pero precisamente ahora, en esta fase de la historia en la que por primera y única vez mantuvo un diálogo más o menos fluido con ella, y por mor de precisar con más exactitud sus recuerdos, decide hacerlo a la manera tradicional, que le supone menos esfuerzo.

Porque lo que sucedió después le pareció producto de una ensoñación. La evidencia de que la llamarada no había pasado en vano por su cuerpo.

—Eres un pequeño muy curioso, ¿lo sabes? —preguntó ella. Por fin empezaba a apartar la mano, aquella mano larga, blanca y huesuda, de su hombro.

—Oí risas, Señora… —balbuceó él sin pestañear.

Erzsébet dirigió un instante la mirada hacia la puerta cerrada.

—¿Y te gustó lo que has visto, pequeño? —preguntó con voz que, aunque pretendía ser dulce, no lo era.

—Son muy bonitas, Señora...

Ella volvió a clavar su mirada en János. La sonrisa desapareció de su rostro, que tenía la textura del mármol. Había que decir algo rápido, no dejarla pensar, pues cada uno de sus pensamientos podía ser más dañino.

—Además... —dijo János, ahora tartamudeando— parecían muy contentas...

—Lo están. Aún lo están... —murmuró ella sin apenas mover los labios, abstraída en algo que acababa de cruzar por su mente como un cometa en el cielo. De repente pareció reaccionar:

—Dime, ¿has visto algo más?

Llegaba el momento de la verdad. Sobre todo no debía dejar de llamarla «Señora» de modo respetuoso. En eso intentó concentrarse para contrarrestar su miedo.

János sintió cómo el temblor renacía en él. Era ahora cuando debía mostrar mayor aplomo y convicción:

—No, Señora... sólo a estas chicas.

Ella le observó con detenimiento. Volvió a apoyar su mano en el hombro de János, lo que produjo en éste un nuevo estremecimiento. No, no debía dar muestras de miedo o estaría irremediablemente perdido.

A ella le excitaba el miedo, volviéndola agresiva.

—Sí... ya sé quién eres... ¡ya lo sé! —oyó que le decía la Condesa, en cuya boca había reaparecido un atisbo de sonrisa. Él permaneció mudo. Un sexto sentido le decía que así era necesario obrar. Cualquier paso en falso, cualquier palabra de menos o de más precipitaría su propio fin.

»Nos vimos hace años, en el campo... sí —parecía regocijarse de su buena memoria, y eso tranquilizó algo a János—. Tú eres el hijo de la ayudante de Kata, mi fiel Kata. Me lo dijeron...

Él permanecía allí como una estatua, procurando no delatarse con su agitada respiración.

—Sí, Señora... Fue en Varannó.

Ella desvió la mirada hacia el pasillo. Nadie había.

—No me mientas ahora, pequeño, no me mientas porque no me gustan nada las mentiras, ¿sabes? —Él negó con la cabeza, ante lo que Erzsébet siguió—: Mi buena y fiel Kata, ¿qué cuenta?

János esperaba algo así.

—No entiendo lo que dice, Señora —contestó él casi en tono de protesta y sin dar tiempo a que ella terminara su frase.

—¿Cuenta cosas... de mí?

Era el momento crucial. Ahora debía contener el temblor, ahora debía hacer un sobrehumano esfuerzo y mirarla a los ojos, por mucho que eso le costase. Ahora debía hablar como hacen los hombres.

—No, Señora... bueno... —titubeó un instante mientras todo en su cabeza daba vueltas.

—¿Qué? —preguntó ella apretando un poco la garra sobre su hombro.

János pegó el cuerpo a la puerta. La tenía demasiado cerca, y esa cercanía, llenándole de pavor, le impedía pensar.

—A veces... llora. Y reza. Reza mucho. —Había oído su propia contestación, pero fue como si alguien hubiese hablado a través suyo.

—¿Nada más?

—Nada más, Señora.

Ella volvió a sonreír oblicuamente. Suspiró y dijo:

—Mi buena Kata, siempre tan piadosa y eficiente...

—Sí, es muy buena, Señora —repuso János con seguridad, pero no estaba convencido de estar hablando como debía hacerlo. Sentía los latidos del corazón en la frente, en

las piernas, en los brazos, en la boca—. Nos quiere mucho…
—añadió con un hilillo de voz.

Entonces ocurrió algo que no esperaba, algo que por nada del mundo él hubiera deseado que pasara: la Condesa se inclinó, quedando en posición de cuclillas delante suyo. Sus rostros estaban muy cerca el uno del otro. Casi podía sentir el calor de esa carne quemando la suya. La mano derecha de ella, que casi todo el rato había permanecido sobre su hombro, se deslizó lentamente hasta su pelo. Introdujo allí los dedos, que él notó como culebras moviéndose, pero permaneció estático. Nada más podía hacer.

Después esa mano se deslizó por sus orejas, luego por sus mejillas. Notaba el contacto de las uñas. Dejó de respirar. Ella le miraba a los ojos con los suyos muy abiertos.

En aquellos dos agujeros que tenía delante vio sendas noches. Nada más. Al fondo de esas noches que eran los ojos de Erzsébet, quizá, brillaban dos lunas. Pero seguía mirándola directamente a los ojos porque si se fijaba en la boca empezaría a gritar en demanda de auxilio. Y ése era el fin, lo sabía.

Quizá eran dos noches de plenilunio, aunque todo allí estaba envuelto de negrura. Quizá saliese de esos ojos el ronroneo imperceptible de un búho cuando ya ha divisado a su presa.

La mano, las uñas, recorrieron su cara y descendieron hasta la barbilla. Avanzaron con suavidad hacia el mentón y siguieron descendiendo hasta posarse en la nuez de su garganta. Olisqueó su piel, como extrañada.

Erzsébet había entreabierto ligeramente la boca, como si le costase respirar. Y dijo:

—Eres muy guapo…

Él se encogió de hombros y, cosa increíble, enmarcó una tímida sonrisa.

Entonces fue cuando notó que las uñas de ella empezaban a hacer presión en su garganta. Cada vez más presión. Se le estaban clavando con fuerza allí. Todo se puso de color azul, luego negro y finalmente rojo. Se ahogaba. Y la presión de esas uñas crecía. Ésa fue la segunda vez que creyó morir.

János, presa del pánico pero procurando disimularlo, comprendió que si ella efectuaba un poco más de presión, sólo un centímetro o dos más, lo estrangularía. Ya sentía una arcada. Entonces, no supo de dónde, se atrevió a decir en un hipido:

—Me hacéis daño… Señora…

Aquello pareció hacerla reaccionar, pues la presión de sus uñas cedió en el acto. No obstante, seguía teniéndolas sobre su cuello. János, como había visto hacer a algunos ventrílocuos en las fiestas, murmuró:

—Kata dice que sois buena… aunque asegura que tenéis muy mal genio si se os contraría…

—Y tú ¿me has contrariado? —preguntó ella, que acababa de apartar la mano de su cuello.

—No, Señora.

Lo dijo con docilidad, pero aparentando estar muy seguro de sus palabras. Simultáneamente la Condesa había llevado cada una de sus manos a ambos lados de la cabeza de János. Sobre todo, siguió pensando, no debía olvidar llamarla «Señora» cada vez que se dirigiera a ella. Y mirarla siempre a los ojos, aunque se abrasase.

Erzsébet inició un movimiento con las manos. Quizá ya no apoyaba sus uñas en la piel de János, quizá le rozase sólo con las yemas de los dedos, pero él notaba ahí unas tenazas ardiendo.

Deslizó sus manos por las mejillas de János, que a su vez abrió la boca un poco para que ella no notase su incipiente temblor.

Fue una caricia. Sí, lo fue. También la Condesa sabía acariciar. ¿Cómo era eso posible?

También las lobas dan lametones de cariño a sus crías, y las miran con ternura.

Sin embargo, no había ternura en aquella mirada que le llegaba de tan cerca. Seguían centelleando las dos lunas en el fondo de tanta oscuridad. János, que por la posición que mantenía frente a ella no podía moverse en absoluto, se fijó entonces en sus ojos, en aquel negro insondable e inmóvil. Y allí vio pequeñas estrías de otro color. Acaso amarillo o verde. Eran las pupilas, que tenía dilatadas enormemente, las que le conferían a sus ojos aquella negrura sin fin, desoladora. Erzsébet no parpadeaba. János tampoco. La una escrutaba, el otro aguardaba.

Ella, sorprendentemente, no sabía qué hacer con su víctima, pese a que la tenía apresada y sin escapatoria.

Él, a su manera y en silencio, rezaba.

Las palmas de las manos de la Condesa se ciñeron a sus mejillas. Aproximó un poco más su boca entreabierta a la de János, quien de hecho, se dio cuenta de ello, había vuelto a gritar aunque ni el menor sonido saliese de su garganta.

Y se acercó aún más la boca de aquella que seguía siendo bellísima, mucho más de lo que él pudiera creer o hubiese visto cuando pudo observarla a cierta distancia. Incluso las bolsas que se apelmazaban bajo sus ojos eran como dos porciones de crepúsculo. Sentía que esa boca se aproximaba más y más. Pudo notarla rozando casi sus labios. Ahora percibía el aliento de ella, y a cada ráfaga de esa embriagante brisa, János sentía un nuevo estremecimiento. Estuvo a punto de decir algo inconexo, pero si hubiese movido los labios, éstos habrían entrado en contacto con los de ella.

Oyó un precipitado y poderoso latido en su paladar. Los ojos, sin voluntad, se le cerraban poco a poco. Estaba hechizado. Flotaba en una niebla de aroma agridulce. Tragó saliva con dificultad. Un borbotón de miedo en estado puro se fue cuerpo adentro, hacia el estómago.

La cabeza de Erzsébet se ladeó ligeramente, justo para que su nariz no tocase la de János.

Entonces le besó en los labios. Larga, fría, profundamente.

Y él, al notar aquella boca helada, sintió que moría por tercera vez. Ahora sí estaba muerto, y para siempre.

Ella apretó un poco más la boca contra la suya, que seguía impávida. Luego notó los dientes de ella deslizándose por su labio superior. Mordió allí con sumo cuidado. Todo giró alocadamente en la cabeza de János. Estaba rodando en ese vértigo cuando notó los dientes de ella repitiendo la operación, pero esta vez en el labio inferior. Apretó un poco más, como si saborease un delicioso fruto recién cogido del árbol, pero sin hacerle el menor daño.

De repente, y como si algo la hubiese sorprendido, la Condesa apartó el rostro.

Se irguió lentamente, con solemnidad. Sus cuerpos ya no estaban en contacto. János se dijo que, a fin de cuentas, la muerte no eran tan dolorosa.

Ella, con el semblante serio, le recomendó que en lo sucesivo no se moviese de las faldas de su madre.

—Los hombrecitos buenos no pasean por un castillo como éste... —comentó con una siniestra sonrisa en los labios, en esos labios que hace apenas un momento le habían besado con gélida y contenida pasión.

Él movió la cabeza en señal afirmativa. Había comprendido.

Entonces Erzsébet se giró sobre sus talones y empezó a caminar por el pasillo. János seguía paralizado, con la espalda pegada a la puerta. Ya no oía risas de chicas. Había dejado de oírlas desde que notó la garra.

La Condesa había dado unos pasos cuando se volvió de improviso. Le lanzó una penetrante mirada. ¿Volvería a morir por cuarta vez? Si ya estaba muerto, ¿cómo iba a hacerlo de nuevo?, se consoló él. Entonces ella le habló:

—Ya te lo dije en una ocasión, ¿recuerdas?

Él no tenía ni idea de a qué podía referirse. Movió la cara hacia ambos lados, expectante.

—¡Ojalá fueses una niña...!

Él sonrió como pudo, mientras ella le devolvía algo que pudo haber sido una sonrisa de complicidad.

Y se perdió entre las sombras del final del pasillo.

Aún continuó un rato János como estaba, pues una repentina flojera se apoderó de todos sus miembros. Curiosamente no se fue de allí corriendo, como quizá hubiese sido normal, sino que abandonó aquel lugar muy despacio.

Por más que lo intentaba, no podía dejar de pensar: «Estoy muerto, estoy muerto.»

Pero no. Acababa de nacer de nuevo.

Desde entonces se movió con más lentitud por el castillo y sus alrededores. Era como si, a pesar de haber pasado lo que pasó, y de lo cual nunca contaría nada a su madre ni a Kata, pues les causaría un enorme disgusto, supiese en su fuero interno que, no obstante estar ya muerto o de haber accedido a una curiosa e inexplicable forma de muerte en vida, la Condesa nunca le haría daño, no a él. Quizá le recordaba a su hijo Pál, que tendría su misma edad. Diríase que, por a saber qué extraña razón, lo había escogido como testigo, sabedora de que ese niño, el silencioso hijo de una de las lavanderas, había visto, sabía, intuía.

Erzsébet estaba demasiado ocupada esos días para preocuparse de él, quien a fin de cuentas era sólo un niño. Ni siquiera una niña, lo cual sin duda le había salvado la vida.

Fue únicamente varias jornadas más tarde, paseando errático por los campos que rodeaban Csejthe, cuando János, que había alcanzado lo alto de un montículo y estaba medio adormilado sobre la hierba, se sobresaltó de repente. Acababa de recordar lo sucedido con la Condesa, y también recordó lo que le oyese contar a Ficzkó a ese *haiduco* que parecía no dar crédito a lo que escuchaba. Algo sucedido en el castillo de Erdöd, y que a Ficzkó le traía tan desagradable recuerdo.

Se trataba de una muchacha a la que habían estado torturando durante horas, pero que se debatió hasta sus últimos momentos. La tenían atada con correajes en el suelo, boca arriba. Entonces, según Ficzkó, ocurrió algo inesperado. Erzsébet, que parecía arrebatada de furia, se abalanzó sobre ella con un cuchillo de los más gruesos de que disponían, introduciéndoselo repetidamente en el pecho. Aquello hizo que todos se quedaran desconcertados. Era preferible no intervenir, pues la fiera parecía ensañarse con su víctima ya muerta. La sangre la había salpicado por completo. Eso era lo que no le perdonaba: que se le hubiese muerto antes de tiempo. Clavó el cuchillo, ayudándose con ambas manos, en el pecho de la chica. Lo hizo una y otra vez. Empezó a desgarrarle la carne con frenéticos movimientos. Oyeron cómo crujían sus huesos, costillas y vértebras. Ella seguía forzando. Le abrió un boquete. Entonces introdujo allí una mano. Logró meterla con dificultad, escarbando. Pero la introdujo hasta que su puño quedó cubierto por el pecho de la muchacha.

Entonces extrajo algo de ahí, dando fuertes tirones, mientras la sangre brotaba como si de un surtidor se tratase. ¡Era su corazón! ¡Se lo había arrancado de cuajo! Lo tomó entre sus manos y, para consternación de sus ayudantes, se lo llevó a la boca no sin antes dirigirles a todos una sonrisa de triunfo. Lo besó varias veces. Lo olió, como aquella vez hizo con el rostro de János, y empezó a masticarlo. Estaba comiéndoselo, lo hacía como si lo que degustase fuera un jugoso pomelo o una rodaja de melón.

Ficzkó aseguró haberse mareado hasta sentir náuseas. Tuvo que apartar la vista. De repente la Condesa escupió restos aún palpitantes de aquel corazón. Tenía la cara completamente manchada de rojo, y el espectáculo era difícil de soportar. Hasta Darvulia apartó la mirada. Ella misma había hecho pedazos el protocolo de la tortura al que estaban casi acostumbrados. Aquello era demasiado. Se limpió la cara con su manga y ordenó que echasen el cuerpo a la chimenea, sin más preámbulos.

Era ésa la mujer que le había acariciado. Ésa cuya boca sintió en la suya. Por ello János, en aquel montículo, empezó a llorar de forma incontenible. Con él mismo, cuando tuvo sus labios firmemente apretados por los dientes de Erzsébet, había hecho como con el corazón de aquella chica, aunque entonces ella se quedase a medio camino. ¿Por qué, habiendo arrancado tantos labios a mordiscos, con él no hizo lo propio? Eso nunca lo sabría. Era su secreto. Y el de ella.

En una sola ocasión, sin contar ésa, y a lo largo de toda su vida, volvió János a sentir el contacto de los labios de una mujer, y fue cuando los puso sobre su madre muerta y amortajada. Estaban fríos pero, sin embargo, incluso esos labios azulados y sin vida de su madre le parecieron más vivos que los de la Condesa, que tenían un remoto helor.

Durante las dos últimas semanas del año 1610 Erzsébet se hallaba sumida en otros quehaceres mucho más excitantes que eliminar al hijo de la lavandera, que se movía como un gato por donde no debía. Entre las decenas de chicas que había dispersado en varios castillos, sobre todo en el de Ilava, a fin de que ninguno de sus invitados pudiese verlas cuando llegaron, había cuatro hijas de *zémans*. Ésa y no otra era la sangre que ella necesitaba. Los nombres de aquellas infortunadas ya no eran anónimos e intrascendentes, como los de cientos y cientos de hermosas jóvenes que las precedieron. Se llamaban Vistra Meyénthény, Anna Radamenkz, María Kipickis y Doricza Niláievá.

A las cuatro, y en cuanto llegaron a Csejthe, las torturaron en varias sesiones, preparándolas así para la parte final y culminante del ritual, el momento en que habían de ser pacientemente desangradas para que sus vidas, en forma de sangre, llenaran la bañera que aguardaba en un rincón de los lavaderos.

Pero el destino hizo que otra joven campesina, que subía al castillo desde el pueblo llevando leche, desapareciese un día. Nunca se supo de ella. Aquí entró en liza otro personaje que en su mocedad, por ser del pueblo de Csejthe, ya había oído rumores. Era su novio, quien, alarmado, hizo varios intentos de preguntar en el castillo, pero allí alguien debió de decirle que nada sabían de la citada muchacha. Habiendo oído lo que había oído, no se quedó conforme con la respuesta. La chica llevaba varias semanas yendo y viniendo al castillo con esos cubos de leche o agua que recogía del río. El muchacho, angustiado, decidió ir a Presburgo y ver al Palatino, que por aquella época, según le habían dicho, se encontraba en la villa. Eso fue lo que hizo. Pero a quien se encontró en Presburgo fue a Pál Nádasdy, el pequeño hijo de Erzsébet, acompañado de Megyery. Éste, a escondidas de Pál, oyó el relato del campesino. Y ya no lo dudó. Escribió a Thurzó, el Palatino, pidiéndole encarecidamente que tomara cartas en el asunto, pues la gravedad del mismo superaba con creces cuanto todos ellos habían podido imaginar. Esa demanda coincidió, en el despacho de Thurzó, con otra que le hizo llegar el padre de Doricza Niláievá. Había que actuar, y rápido, porque aquello amenazaba ya con ser una infamia para la nobleza húngara en su totalidad si el caso llegaba a oídos de las cortes de Europa.

En Csejthe, noche tras noche, Erzsébet supervisaba cómo crecía el nivel de su bañera o discutía largas horas con Májorova acerca de la calidad de la sangre de esas nuevas muchachas. Se reanudaron los conjuros y las invocaciones a la Luna, sin pensar en ningún instante que la sangre que acababa de derramar ya no era roja sino, en un sentido simbólico, vagamente azul.

Allí el trajín de sus tres cómplices era mayor que nunca. Dorkó con su serón de alpaca, Jó Ilona con su echarpe de lana y dril del que no se separaba jamás, ambas vestidas con sayas llenas de significativas manchas. Tal era el uniforme que se ponían para ejercer su execrable oficio. Y observando desde un rincón, siempre embozada en su capa, aunque sin la capucha puesta, la bruja de Miawa, belitre, ruin y temerosa, pues ya había comprobado en sus propias carnes la ira de la Condesa. La bruja vestía una hopalanda de grueso terciopelo negro forrada de piel de marta. Y aún más allá, poniendo gran celo en salvar cuantos escollos le salieran al paso, ella, la reina del terror, como un médano sobresaliendo de la charca infecta y pútrida en la que se metió, camino del simbólico y cenagoso buhedal del que ya no podría salir, pues hasta en el propio castillo, y cuando se advertía su presencia, se cerraban postigos, puertas y celosías, y chirriaban discretamente los goznes desvencijados de oscuras estancias. Definitivamente náufraga, sólo contaba ya con una reducida y asustada mesnada de fieras a su pesar, pero fieras al cabo, que habían perdido sus carlancas y cumplían órdenes mecánicamente, hastiadas de sangre y gritos. Ella aún les arengaba en tono procaz y agrio para que llevasen tiento con el líquido rojo que iba de palanganas a cuencos, y de ahí a odres de cuero, pero cuya tibieza habría podido llenar una alberca. Y cada noche el mismo bordoneo de las moscas, excitadas por aquel olor que lo llenaba todo, las mismas chicas chillando como verracos prestos al degüello, pues ya todas parecían tener idéntico rostro y reacciones. Ella, la de humor rancio y corazón hueco, ella, renuente y sorda a cualquier súplica, incluso a las de Doricza, cuyos tirabuzones blondos eran ya mechas grasientas debido a la sudoración y al dolor del sufrimiento, y cuyos hermosos ojos de color índigo se habían llenado de vetas rojas. Erzsébet, en la que todo pensamiento era bulboso, se hallaba ya sujeta al rizoma surgido de la tierra, y ese tubérculo la atenazaba impidiéndole moverse con libertad. Tan enfadada estaba por la resistencia que oponía esa Doricza que decidió torturarla con especial dedicación, evitando que muriera ya en la primera sesión. Luego iría a la chimenea. Ya pasó el tiempo de los furtivos sepelios, siempre lejos de los camposantos llenos de boj y ciprés. Para esa reticente de Doricza, la estoica, no habría sepelio alguno, ni su cuerpo sería alimento de los vermes. La chica se había puesto de color malva y, sujeta por una especie de arnés, seguía haciendo lo que más odiaba Erzsébet: rezaba. Exánime y casi sin aliento, continuaba rezando mientras duró su suplicio, pese a que la Condesa la emprendió primero a arañazos y luego a cuchilladas, que procuraba darle en partes que no fuesen vitales. Se equivocó, porque la muchacha se estaba desangrando.

Pero los aserrados y metálicos dientes del cepo por fin se cerraban sobre la loba.

BEZKÓ

A guisa de heraldo llegaba un hombre por los campos. Aparecía por un peñasco próximo, desde la cima del cual se divisaba en toda su extensión la llanura que rodeaba Csejthe.

Era un espía que la propia Condesa había destinado a ese lugar, para que la avisase si alguien se aproximaba. Sin resuello llegaba ese campesino que, en efecto, recortando por atajos y tras haber preguntado en una aldea, supo que se acercaba alguien importante en dirección a Csejthe. Además, a esas personas las acompañaba una guardia fuertemente armada. Erzsébet ya no se fiaba ni de sus *haiducos*, de ahí que encargase tal tarea de observación a un labriego que conocía la zona como nadie. Pero ella no sabía realmente lo que estaba pasando en el exterior. El campesino se demoró varias horas en el pueblo de Csejthe, donde en principio, alguien zanquivano y astuto, quien parecía arrastrar a través de sus largas piernas el temple de su paciencia, le detuvo con la excusa de ofrecerle un refrigerio. Tan hábil maniobra fue obra del pastor Ponikenus. Éste, a su vez, recibió días antes una misiva secreta informándole de que tuviera los ojos bien abiertos, pues por fin se preparaba una acción contra su enemiga. Dándole conversación y usando cuantos subterfugios se le ocurrieron, consiguió retener Ponikenus por espacio de un par de horas a aquel asustado labriego que aún debía subir la empinada cuesta que iba al castillo y dar cuenta de lo visto a su Señora.

En Presburgo, en los días previos, Megyery y Thurzó habían estado deliberando qué decisión tomar al respecto. Se informó al rey Matías, quien ordenó que de inmediato se procediese a la detención preventiva de Erzsébet en espera de aclarar los hechos que se le imputaban. Las presiones del novio de esa muchacha que desapareciese sin dejar rastro, así como las del padre de Doricza, habían surtido efecto. De una vez por todas los cazadores decidían movilizarse. Para el rey, si era cierto lo que se contaba de la Dama de Csejthe, en cuyo castillo acababa de estar, su abominable conducta era un oprobio para toda la nobleza, y tal situación había que erradicarla de inmediato y usando, si era necesario, los métodos más expeditivos. Aun así Thurzó, el Palatino, estuvo dudando cuarenta y ocho horas. No se acababa de decidir a asestar el golpe definitivo a alguien a quien no sólo temía, sino con quien guardaba lazos de parentesco. Megyery le forzó, arguyéndole que era su cargo y su dignidad los que también estaban en juego, aparte de a saber cuántas vidas más. Mientras, a la declaración del padre de Doricza, el *zéman* Niláievá, se unieron las de otros *zémans* de las comarcas de Kyjov, Nytra y Uherské. La situación era insostenible. Es probable que Thurzó, consciente o inconscientemente, quisiese dar tiempo a Erzsébet para que ésta huyese a la lejana Transilvania, donde sin duda hallaría protección en cualquiera de sus parientes. Pero eso podía degenerar en una contienda de funestas consecuencias. Así que finalmente se decidió a actuar. También él necesitaba ver para cerciorarse de que eran ciertas las atrocidades que se le imputaban a Erzsébet, pues seguía sin convencerse plenamente de ellas.

Por su parte, el aturdido espía de la Condesa, que estaba embargado por el miedo, pactó con Ponikenus, cuando éste le filtró veladas amenazas si no lo hacía, que nada diría de esa demora de varias horas. Sencillamente, iría al castillo, informaría de lo visto, ante lo cual Erzsébet habría de tomar alguna medida, y luego se marcharía de allí lo antes posible. Así se lo aconsejó Ponikenus, quien contaba impaciente el tiempo que faltaba para que apareciesen en el pueblo los personajes que estaban a punto de llegar.

Pero Erzsébet seguía muy ocupada con sus maleficios, reponiéndose de la agotadora noche anterior, en la que había vuelto a llenar de sangre su bañera. Aún quedaban en ella restos de la furia que le causó que se le hubieran escapado vivos sus ilustres invitados de las semanas anteriores. Eso lo pagarían, entre otras chicas, las cuatro hijas de los *zémans*. Especialmente ellas. La noche previa las cuatro habían sido torturadas, reservándose a Doricza para el final, pues era la que más le gustaba. Ésta tuvo que contemplar el suplicio de sus compañeras.

Las paredes y el suelo estaban llenos de sangre, y se dice que aquella noche ni siquiera cayó en la cuenta de desvestirse, por lo que se dedicó a torturarla ataviada con uno de sus más lujosos vestidos. Sus mangas de lino volvían a verse empapadas de sangre. Fue así como, ya de madrugada, le llegó el turno a Doricza. Incluso cuando Erzsébet, para empezar, le propinó un centenar de azotes, no perdió su compostura y siguió orando. Tras éstos llegaron las incisiones con una cuchilla. Le arrancó las uñas de las manos y de los pies. Finalmente, mientras se sentaba en su sillón ya cansada, ordenó a Dorkó que le cortase las venas de los brazos, pero poco a poco. Había llegado el momento de aprovechar su sangre. Así se hizo al tiempo que Doricza caía desplomada.

No se sabe si aún aquella noche Erzsébet obtuvo su preciado baño. Había un gran revuelo por las dependencias superiores del castillo. Fue a la mañana siguiente, cuando ya había salido el sol desde hacía varias horas, el instante en que irrumpieron a las puertas del castillo los personajes llegados de Presburgo. Los *haiducos* dudaron si dejarles entrar, pues la Condesa dio órdenes estrictas en ese sentido. Pero la orden real que veían con sus propios ojos, así como lo aborrecible que a todos les resultaba la Señora del castillo, hicieron que les franquearan la entrada sin oponer la menor resistencia.

Erzsébet, que había oído el alboroto, mandó precipitadamente que se escondieran los cuerpos de las chicas. En parte lo habían hecho la madrugada anterior, pero por negligencia o debido al agotamiento sus secuaces no cumplieron el mandato a rajatabla. Ni se había hecho desaparecer a las chicas ni se habían borrado las numerosas manchas de sangre que por doquier se veían. No dio tiempo.

Thurzó, Ponikenus y bastantes hombres armados entraron abruptamente en los salones del castillo, donde pronto se organizó una liorna considerable, con carreras y gritos. Exigieron ver a la Condesa, quien seguía recluida en sus aposentos del piso superior, donde se retiró alegando que se sentía enferma. Así lo adujeron unos criados. Pero no era enferma, sino loca de furia como Erzsébet se hallaba. Posiblemente en esos minutos de recelo e incertidumbre maldijo la demora de su espía. De saber que Thurzó en persona acudía a por ella, y con una orden de registro de todas las dependencias de Csejthe, habría huido a grupas de *Visar* en dirección al alejado castillo de Bezkó, de donde sin duda se trasladaría a Transilvania. Una vez allí, podrían defenderla sus primos Gabor o Segismundo Báthory de todos esos intrusos que se habían empeñado en amargarle la existencia.

Mientras ella, que no se decidía a bajar y dar la cara, recitaba ininterrumpidamente conjuros contra sus enemigos. Éstos, ayudados por antorchas, empezaron a recorrer el castillo por su cuenta. Iban buscando pruebas. Y las encontraron. Así estaba escrito que debía ser. Por desgracia, pero también por suerte, las encontraron.

Había restos de sangre por todos lados. En pucheros y baldes. En la bañera de los lavaderos, en el escalfador. Sangre seca y sangre aún fresca. Sangre hasta en techumbres no muy altas y en paredes. Sangre encontrarían al poco en el baldaquino de su lecho y en los caireles de sus sábanas, que eran grecas orladas de rojo. Sangre junto a un agujero que, abierto en las piedras, iba a dar a un acantilado por el que se deshacían de muchos cuerpos, sangre en las chimeneas, sangre por varios pasadizos. Sangre, sangre, sangre. Pero allí no había ninguna chica.

Siguieron buscando, ahora con renovado ahínco, pues sólo les restaba hallar la prueba definitiva del delito. Y finalmente, en un apartado calabozo en el que apenas cabía una persona de pie, dieron con lo que buscaban. Horrorizados, vieron los cuerpos de dos muchachas totalmente desolladas. Una sobre otra. Por escasas horas no habían tenido tiempo de quemarlas o procurarles un entierro improvisado en algún lugar del campo en el que difícilmente habrían sido encontradas nunca.

Thurzó lanzó una expresión de espanto. Se sentía mareado. Por allí había también todo tipo de instrumentos de tortura y cabellos arrancados. Incluso vísceras llegaron a ver. Abrieron otra puerta haciendo saltar su cerradura a golpes de hacha. Dentro estaban dos muchachas a las que habían arrancado parcialmente la piel. Una jadeaba de forma lastimosa. Parecía agonizante. Thurzó se inclinó ante ella y le preguntó:

—¿Os ha hecho esto la Condesa…?

La chica afirmó con un movimiento de su cabeza justo antes de expirar. Era suficiente. A un lado yacía la que otrora fue una alta y guapa muchacha rubia. Estaba en carne viva. Era lo que quedaba de Doricza. Dicen quienes la vieron en tal estado que ni su propia madre hubiera podido reconocerla.

Erzsébet, como si intuyese el peligro, tenía preparada desde varios días antes una calesa presta para partir hacia Bezkó. Allí estaban depositados varios instrumentos destinados a la tortura. Aunque ella habría huido a caballo para evitar riesgos, no olvidó ese detalle, que de nuevo horrorizó a Thurzó y sus acompañantes al descubrirlo. Por unas horas de indecisión no pudo escapar. Por su afán de sumergirse de nuevo en la locura de la sangre. Y ello a pesar de que dispuso de varios días desde que, es probable, alguien pudo haberla informado de que en Presburgo se estaba decidiendo su suerte.

Se detuvo sin más premura a quienes todos señalaban como culpables, Ficzkó, Jó Ilona y Dorkó, que se dejaron apresar dócilmente, como si eso les aliviase del peso que sin duda debían soportar sus conciencias. También a Kata, lo que llenó de pesar y alarma al resto de lavanderas.

Entonces, y luego de muchos requerimientos, apareció ella delante del Palatino, soberbia y dispuesta a protestar por lo que consideraba un atropello a los de su casta. Thurzó la increpó: «Erzsébet, veo que tenían razón, eres como una alimaña. Estás viviendo tus últimos meses. No mereces respirar el aire de esta tierra, ni ver la luz de Dios. Tampoco eres ya digna de pertenecer a la sociedad humana. Vas a desaparecer de este mundo y no volverás jamás a él. Las tinieblas te rodearán y podrás arrepentirte de tu vida bestial. Señora de Csejthe, te condeno a prisión perpetua en tu propio castillo.» Acto seguido, y dirigiéndose a sus cómplices, les dijo: «A vosotros os juzgará el tribunal.» Hizo encerrar a Erzsébet en su aposento, fuertemente custodiada. Ésta no dejó de protestar ruidosamente en ningún momento.

Junto a Thurzó, estupefactos por cuanto terminaban de ver, se hallaban como testigos dos yernos de la Condesa, el noble Miklós Zrinyi y György Homonna. A éstos Thurzó les dijo que gustoso, y con sus propias manos, habría dado muerte allí mismo a la dama, pero que en beneficio del honor de los Nádasdy, que ya no de los Báthory, todo se llevaría a cabo ateniéndose de modo escrupuloso a la legalidad, pero en el mayor de los secretos. En un principio Thurzó pensaba encerrarla a perpetuidad en un convento situado en Varannó, casi junto al propio castillo que la Condesa tenía en dicha localidad, pero luego de lo visto no pudo obrar de otra manera.

Megyery y un mandatario del rey, que también se hallaban presentes, dijeron que esa decisión no satisfaría a Matías, pues la sentencia de recluirla en Csejthe no estaba a la altura de las atrocidades cometidas. Además, habían encontrado el cuadernillo de notas en el que ella misma especificaba, con nombres y minuciosas descripciones físicas, a muchas de sus víctimas. Había que juzgar públicamente a Erzsébet y ejecutarla como merecía.

Sus tres cómplices fueron conducidos bajo fuerte escolta a Bicsé. Las siguientes horas serían de gran ajetreo. Todavía se pudo rescatar a varias chicas con vida que, desnudas y hechas una piña, se amontonaban en los calabozos.

A la mañana siguiente Ponikenus, quizá dejándose llevar por la piedad, decidió subir a la habitación en la que estaba encerrada Erzsébet. A él sí se le permitió la entrada, pues creyeron que iba a confesarla, y de hecho es probable que ésa y no otra fuese su intención. Pretendía obtener el arrepentimiento de ésta, pero lo que se encontró fue, como la llamara Thurzó, una verdadera alimaña. Aunque se había hecho acompañar de un fornido soldado, poco faltó para que la Condesa, nada más verle, se abalanzase sobre él con intención de arañarle el rostro. Estaba allí, envuelta en pieles y con todas las joyas y alhajas que pensaba llevarse en su huida. Una vez la redujeron, gritó:

—¡Así que has sido tú, bastardo. Mira en qué situación me has puesto!

Todo ello lo decía en húngaro antiguo, idioma que Ponikenus no conocía bien, pero se lo hacía traducir. El pastor le dijo que era el momento de pensar no en venganzas sino en su alma. Ante esto, Erzsébet, lanzando una sonora carcajada, exclamó:

—¿Qué te crees? ¡Ya están los míos preparados al otro lado del Tiszá para pasarlo todo a sangre y fuego, y sin duda mi primo Segismundo vendrá a salvarme desde Transilvania...!

Ponikenus, sin perder la calma pero ciertamente asustado, la exhortó:

—¡Callad ya. Cristo ha muerto por vos...! —Frase ante la que ella repuso, jactanciosa y mirándole al bies:

—¡Menuda revelación... hasta los labriegos se saben esa historia!

Entonces el pastor ya no pudo contenerse:

—Has mancillado el Evangelio, criatura mal nacida... Lo manchaste con sangre...

—De vuestro Evangelio lo aprendí, malditos. Lo decía San Mateo: «Bebed todos de mi sangre, que será sello del Nuevo Testamento, la cual derramarán muchos...» —Se calló un instante, y luego siguió—: Yo me he limitado a cumplirlo.

No había terminado esta última frase cuando soltó una siniestra risotada. El pastor, frente a ella, a duras penas lograba contener su indignación y el pavor que esa mujer le inspiraba.

—Eres sacrílega y malvada... —empezó a increparla Ponikenus, pero ella le cortó:

—De vosotros lo aprendí. ¿O no está Cristo supuestamente en los inocentes? Fue a vuestro Cristo a quien se lo leí —dijo con mirada iluminada—. Sólo a él: «Quien bebe mi sangre y come mi carne, tendrá vida eterna...»

Y luego, retorciendo sus labios con inquina, añadió:

—Yo lo hice.

Como viese que era inútil todo intento de aplacarla, más bien al contrario, cada vez se la veía más violenta, Ponikenus optó por irse de allí.

Habría sido en esas horas previas, mientras ella discutía con el Palatino abajo, cuando Ponikenus pudo ver algunos de los numerosos libros que la Condesa tenía. Y de ellos dejó registro, aunque se perdiese esa información.

La suerte de Erzsébet estaba decidida, pese a que aún no supieran qué hacer exactamente con ella, pues aquel asunto planteaba un serio problema de estado. De momento se ultimaban en Bicsé los preparativos para juzgar a sus cómplices. El primero se inició en la villa de Bicsé el día 2 de enero del año 1611, y duraría hasta el 7 de ese mismo mes. Allí no estuvo Erzsébet, que seguía recluida en su castillo aguardando la decisión definitiva sobre su futuro. El alcaide de Bicsé era Gaspar Bajary, quien fue ayudado por el escribano Gaspar Hardosh. De la redacción del acta se encargó Daniel Erdög. En cuanto al juez real llegado desde Presburgo, era Teodosio Sirmiensis y, aunque la Iglesia no supervisó el proceso, sí tuvo un representante en el tribunal, el pastor de Bicsé, Gaspar Nágy. La causa tuvo carácter de proceso criminal. Hubo veinte jueces y, en la primera sesión, trece testigos.

Simultáneamente tenían lugar las enconadas deliberaciones para decidir el destino de Erzsébet, que era lo que más preocupaba a todos. El rey Matías era partidario de juzgarla y ejecutarla públicamente, como escarmiento por sus crímenes. Pero Thurzó, sin duda avisado del malestar que aquella situación estaba provocando entre ciertos sectores de la nobleza, que quizá no daban crédito a lo sucedido, o no plenamente, pues a fin de cuentas se trataba de una de los suyos, fue modificando su opinión al respecto. Miklós Zrinyi y Pál Nádasdy, yerno e hijo de Erzsébet, escribieron al rey suplicándole que no la ejecutase. A ello se sumó la entrevista que György Homonna, su otro yerno, tuvo con el soberano. Todos le pedían clemencia e invocaban el buen nombre del linaje de los Nádasdy, pues ya pocos se habrían atrevido a hacerlo en el de los Báthory, pese a que uno de sus primos, y ahí residía otro de los problemas con implicaciones políticas, seguía siendo rey de la vecina Polonia. El asunto era delicado. En una carta a Matías, el Palatino Thurzó, luego de exponerle con detalle los múltiples problemas que podrían derivarse para la Corona si Erzsébet era juzgada y ejecutada, con lo que de ignominioso tenía ello, y como el rey seguía queriendo ajusticiarla, volvía a pedirle comprensión.

«A Vos, Majestad, os toca elegir entre la espada del verdugo y la prisión perpetua para Erzsébet Báthory. Pero nuestro consejo es que no la ejecutéis, pues en verdad nadie tiene que ganar con ello.» De hecho se trataba de una advertencia, tan elíptica como sutil, al propio rey Matías, quien finalmente se inclinó ante los argumentos de su inteligente y probo Palatino. Se evitaría así un conflicto con Polonia y con Transilvania, aparte de cierto malestar entre la aristocracia.

Sorprendentemente, los bienes de la Condesa parecían estar en orden. En septiembre del año 1610 había redactado su testamento, como si de algún modo pudiera prever su inminente final. En ese testamento dejó todo a su aún jovencísimo hijo Pál, que acababa de obtener el título de Gran Oficial del Condado de Eisenburg, habiéndose prometido a Judith Forgách, que pertenecía a una de las familias más ilustres de Hungría.

Aquellos turbulentos días János, junto a su madre y el resto de personal del castillo, fueron trasladados a casas de Csejthe, donde debían permanecer hasta que concluyese el juicio contra los cómplices de la Condesa. Seguía teniéndoles consternados lo sucedido, que no por obvio dejaba de ser doloroso: el hecho de que entre los detenidos y juzgados se hallara Katalyn Benieczy, la lavandera. Era demasiado lo que ésta había visto. El propio János recuerda que su madre, así como otras lavanderas, insistieron en dar su testimonio para ayudar a Kata.

Y allí, en el improvisado tribunal de Bicsé, volvió a desgranarse el relato del horror. Los primeros testigos aún hablaban indecisos, a veces tartamudeando, como si temieran el castigo de la Condesa. Así fueron pasando sucesivamente György Kubanovic, Jan Valkó, András Uhrovic, Thomás Zima, que fue obligado a enterrar a varias muchachas en Csejthe y también en Polodié y Kerezstúr. Luego siguieron Ladislav Antalovic, Martín Krackó, András Butova y Jan Chrapmann.

Curiosamente eran hombres los que testimoniaban. Hombres que, aun a sabiendas de cuanto estaba sucediendo, no hicieron nada por impedirlo. La única mujer que dio su testimonio en aquella primera sesión fue una tal Suza, sirvienta que había trabajado en el castillo de Sárvár, pero a la que la Condesa no se atrevió a tocar porque sabía que era protegida del alcaide de esa localidad, el ciudadano Bichierdy. Fue la misma Suza quien relató que Erzsébet había anotado escrupulosamente en una lista los datos de sus víctimas, y éstas ascendían al aturdidor número de seiscientas diez. A las que habría que añadir aquellas otras de las que posiblemente se olvidó, o de otras que asesinase antes de iniciar su cadena imposible de crímenes, o sea, las mártires inmoladas en secreto mientras aún vivía su marido, Ferenc Nádasdy. Suza calculaba que podrían ser un centenar más. Sara Barinysi, viuda de Peter Martín, confirmó estas cifras, pues también trabajó varios años al servicio de la Condesa. Entre ambas calculaban haber visto a treinta chicas muertas, por lo menos. Pero ninguna de ellas dos dijo nada. No hasta ese momento.

Tanto Suza como Sara, mujeres de cierta edad, fueron quienes hablaron a favor de Kata, la lavandera. Dijeron que tenía buen corazón, y que cuando le era posible daba alimento y abrigo a las prisioneras. Incluso, según parece, llegó a salvar a alguna a la que los torturadores dieron por muerta antes de tiempo. En el colmo de la perfidia, Kata fue obligada a pegar a varias de esas muchachas, pero queda constancia de que ella lo hacía contra su voluntad, y frecuentemente en estado de ebriedad. Todo ello, ayudarlas cuando podía, lo llevó a cabo con grandes riesgos para su persona. De hecho seguía viva de milagro.

Fue entonces cuando le tocó el turno de hablar a Vargha Balintné, la madre de János, así como a otras lavanderas de Csejthe. Todas, sin excepción, testimoniaron a favor de Kata, a quien en principio el tribunal pensaba condenar a la pena máxima.

Una mañana la madre de János llegó llorando, pero lo hacía con los nervios rotos y de alegría porque Kata había sido absuelta de aquello que injustamente se le imputaba. Al menos se hacía justicia en esto, y János lloró junto a su madre, congratulándose por la felicidad de ésta y la del resto de lavanderas, que eran como su familia.

El testimonio que más conmovió al auditorio fue el de Anna, viuda de Stefan Gönczy, quien perdió a su hija cuando ésta contaba apenas diez años. Había sido llevada al castillo de Csejthe y nunca más supo de ella. Erzsébet no sólo quería sangre fresca, primero, y pura después. También quería sangre joven, de niñas casi púberes, si era necesario. Tras dos jornadas de testimonios, les tocó hablar a los imputados.

Después de aquel cúmulo de abrumadoras acusaciones, poco podían hacer los inculpados sino dar muestras de aflicción por cuanto, dirían, se vieron obligados a llevar a término muchas veces tras haber bebido abundantemente, cosa que propiciaba la Condesa para así obtener mejor sus fines.

Ujvari Johanes, llamado Ficzkó, Jó Ilona, que entró en Csejthe en calidad de nodriza, y Dorottya Szentes, llamada Dorkó, comparecieron compungidos y dispuestos a contar cuanto se les pidiese. Fue aquélla una jornada de renovado espanto, pues los testimonios de estos tres seres confirmaban las peores sospechas que por toda la región habían corrido durante años, sólo que las aumentaban hasta lo inverosímil, de puro atroz.

Según Ficzkó, él solía quemar y sujetar a las muchachas, aunque también dio muerte a un número de ellas que no podía recordar con exactitud. ¿Para qué?, se preguntaban todos en la sala. Dijo que en la tarea de cortar venas y hacer incisiones con tijeras, cizallas y todo tipo de cuchillas, solían ocuparse las otras dos acusadas, Jó Ilona y Dorkó.

Éstas, por su parte, en el monótono recuento de los hechos aportaron datos sobre cómo se torturaba o asesinaba a algunas muchachas, no sólo en Csejthe, sino también en los castillos de Sárvár, Lezticzé, Bezkó, Kerezstúr, hasta en Bicsé, lugar en el que se celebraba la vista, y en las propias Presburgo o Viena. Jó Ilona fue quien mencionó a varias hijas de *zémans* de Vechay, Vranov, Chegber y Ecsed.

Cuando acabó aquella lastimosa rutina de los interrogatorios, los jueces se levantaron para deliberar por espacio de una hora. Finalizado el plazo, volvieron a la sala con su veredicto. Era éste:

«Considerando que las confesiones y los testimonios han demostrado la culpabilidad de Erzsébet Báthory, a saber, que ha cometido crímenes horribles contra la sangre femenina y considerando que sus cómplices eran Ficzkó, Jó Ilona y Dorkó, y que estos crímenes requieren castigo, hemos decidido que a Jó Ilona y, a continuación, a Dorottya Szentes, les arranque los dedos el verdugo con sus tenazas, porque con esos dedos han cometido crímenes entre el sexo femenino. Finalmente, se las arrojará vivas al fuego.

»En lo que a Ficzkó se refiere, su culpabilidad debe contemplarse habida cuenta su edad. Como no ha participado en todos esos crímenes, hemos decidido una pena más moderada. Se le condena a muerte, pero será decapitado antes de arrojar su cuerpo al fuego. Esta sentencia se ejecutará inmediatamente.»

La multitud congregada allí profirió un murmullo a causa de la impresión.

Lloviznaba aquella mañana en la plaza principal de Bicsé. La comitiva con los reos cruzó el corto trayecto hasta el lugar de las ejecuciones. Algunas personas, pues el pueblo suele dar muestras de piedad en momentos así, rezaban o lloraban, como pasó con Gilles de Rais. Otros, sin embargo, observaban la escena con mirada de odio hacia tan abominables seres. Los más, por el contrario, parecían sumidos en la incredulidad, pues nunca habían asistido a una ejecución.

Fue entonces, cuando los *haiducos* se dispusieron a situar a los condenados en disposición de que el verdugo cumpliese su deber, el momento más dramático. Jó Ilona prorrumpió en gritos, suplicando perdón y cargando todas las culpas en la persona de su Señora.

Dos robustos *haiducos* la sujetaron mientras el verdugo, utilizando unas tenazas, empezaba a cortarle los dedos de la mano. Al ir a cortarle el cuarto dedo cayó desvanecida. Se esperó unos momentos para que reaccionase, y luego se siguió con la condena. Uno tras otro, entre alaridos de dolor, fueron cortándole los dedos, hasta diez. Y así, arrastrándola con los muñones ensangrentados, fue conducida a la hoguera. Su cuerpo sería presa de horribles convulsiones mientras perecía quemado. La gente había enmudecido, pero ya nadie desviaba la mirada.

Por su parte, Dorkó se desmayó al ver que ataban a Jó Ilona al poste donde debería sucumbir a las llamas. Mientras le cortaban los dedos lanzó alaridos de dolor y también ella se desmayó. Con Dorkó fueron más rápido, pues entre la multitud había muchos niños a los que era preferible ahorrar en lo posible el triste espectáculo. Se le cortaron los dedos incluso cuando estaba sin sentido. Y desmayada se la arrastró al poste del que minutos antes fue retirado el cadáver quemado de Jó Ilona. Algunos creyeron que Dorkó había muerto ya, pero un repentino y horroroso grito les hizo comprender que aún vivía cuando la alcanzó el fuego.

Ficzkó, con su cuerpo tiritando y su encorvada espina dorsal a ras de suelo, pudo contemplar desde un lado de la plaza la ejecución de las dos mujeres. Estaba pálido, pero nada decía. En un momento, y en cuanto se retiró el cadáver de Dorkó del poste de la hoguera, se le llevó hasta el tajo donde le aguardaba el verdugo. Éste empuñaba en su mano una espada especial para la ejecución llamada *palós*. Ficzkó miró al cielo y, según parece, intentó decir algo, llorando. De nada le valían ya ni su cifosis ni sus bufonadas. Le obligaron a poner la cabeza en el tajo. Un segundo después la espada caía con fuerza y precisión sobre su cuello. La cabeza rodó unos metros más allá de donde se hallaba el verdugo. Quedó mirando al cielo con los ojos entornados y, aseguran algunos, sus labios aún se movían cuando ya tenía el cuerpo cercenado.

Entonces arreció la lluvia y la multitud, impresionada, corrió a buscar refugio en sus casas. Durante muchos años seguirían hablando de aquellas ejecuciones que les fue posible presenciar, así como de los crímenes de la odiosa Señora que los instigó.

Esos ajusticiamientos no los quisieron presenciar ni Vargha, la madre de János, ni el resto de lavanderas, quienes habían sido trasladadas de nuevo al pueblo de Csejthe para que aportasen, en la medida de lo posible, más informaciones que ayudaran a averiguar nombres de nuevas víctimas, pues de diversas partes llegaban quejas referidas a desapariciones de muchachas. En realidad nunca se sabría con certeza el número de éstas que mataron Erzsébet y sus cómplices, lo cual sumió a muchas familias en el desconsuelo, pues preferían saberlas muertas que inexistentes para siempre, con lo que un dolorosísimo resquicio de incertidumbre las acompañaría ya durante el resto de sus vidas.

Fueron esas semanas que siguieron a las ejecuciones cuando se jugó el destino de Erzsébet. Pero en el pueblo de Csejthe todos pensaban en la dicha que por fin vendría a sus días, libres ya del azote de la Señora que durante casi dos décadas les atemorizó. Poco sabían esas gentes que pronto iba a llegar una orden real por la que el pueblo debía quedar desierto en un plazo muy breve de tiempo. Como si estuviera apestado. El justo para cargar sus pertenencias e irse. Ocupados en su propia supervivencia los aldeanos de Csejthe apenas miraron hacia arriba, hacia el castillo, que se veía desde cualquier rincón del lugar al que uno quisiera ir. Intentaban no mirar hacia arriba.

El propio János no recuerda, por más que lo intenta, haber levantado la vista en dirección al castillo. Como si de ese modo quisiera olvidar que ese sitio había existido alguna vez. Era cierto, la supervivencia no pasaba sólo por recoger a toda prisa los pocos y humildes enseres y amontonarlos sobre carros a los que acompañaban unas decenas de animales, sino fundamentalmente en no elevar la vista hacia el castillo dedicándole una última mirada, siquiera la de despedida.

No miró atrás su madre cuando se iban en dirección a la próxima aldea de Vág-Ujhely, ni Kata, ni nadie que hubiese estado en el castillo. De Kata sólo llegó a saber que se fue a su aldea de Găvănesti, a orillas del Buzzü, en Valaquia, y que se volvió demente, dejándose morir a los pocos años de consunción.

Él entiende, pero de eso sólo es capaz ahora, que aquella caravana de personas no pudieran volver la vista atrás porque tal acción les hubiese mortificado todavía más, creando en ellos nuevas pesadillas.

Finalmente llegó la esperada sentencia desde Presburgo. Se condenaba a Erzsébet Báthory a quedar emparedada en su aposento, hasta que acabase su vida. De esa forma se cuidaban las autoridades de no incurrir en los riesgos que implicaría su ejecución, que en ningún caso sería válida si antes no se celebraba un juicio. Y eso precisamente era lo que querían evitar.

Ella oyó imperturbable la sentencia. Como antes había sabido de la muerte de sus tres servidores sin que se le moviese ni un músculo de la cara. No dijo ni una palabra. Ni siquiera cuando se le explicó que el castillo quedaría ya por siempre desierto, colocando cuatro banderas negras y cuatro cadalsos en cada uno de sus extremos, señal de que ningún ser humano podía acercarse allí a mucha distancia. Lo mismo sucedería con el pueblo de Csejthe, que había sido desalojado. Por toda la comarca se colocaron pasquines anunciándolo. Únicamente dejarían un hueco horizontal situado a la altura del suelo por el que cada cierto tiempo se le introduciría pan y agua para que pudiese sobrevivir, administrando ese alimento como ella creyera conveniente. Además, se taponarían igualmente las puertas que conectaban su aposento con otras estancias. Salvo esa pequeña ranura pues, ningún contacto tendría con el exterior, excepción hecha de otro mínimo agujero que fue abierto a tal efecto, a saber, en lo alto del techo, para que pudiese entrar el aire y ver, siquiera débilmente, la luz del día.

Todo esto lo oyó sin pestañear. Seguía hundida en sus pensamientos, en su orgullo herido y sus sueños echados a perder.

Se le dio acopio de leña, pero eso se traducía en unos cuantos troncos que apenas podrían durarle lo que restaba de ese invierno. Luego, ya nada tendría para calentarse. Nada que no fuesen sus pieles, de las que fue obligada a escoger unas pocas. También le dejaban velas y cirios para alumbrarse, aunque esa luz se le acabaría en breve. Dos, tres meses a lo sumo. Poco pareció importarle, pues su indignación seguía siendo mucho mayor que la angustia lógica que debía de producirle el marco al que iban a quedar reducidos sus movimientos, precisamente a ella, que desde niña sintió aversión por los espacios cerrados, creciendo esa claustrofobia con la edad. Su aposento disponía de un retrete que no tenía salida al exterior, por lo que las deposiciones debían ser vaciadas a diario por el lacayo que en el castillo cumplía la función de casiller. Como es obvio, en apenas unas jornadas aquel aposento empezaría a llenarse de materias fecales. Era muy grande, pero aun así debió contar con ello, y no era una grata perspectiva para quien había dispuesto de tanto poder y lujo a su alcance.

No sintió atrición, siquiera leve, ni el menor síntoma de pesadumbre por todo lo hecho, y del mismo modo por su cabeza ya extraviada no debió de pasar la posibilidad de palinodia o retractación pública alguna. Ella, que provenía de una familia en la que la crueldad era cosa común, y en la que siempre hubo violaciones y estupro, ¿iba a dar señales de flaqueza en tal momento? ¿Cómo ella, que había buscado con avidez de arúspice en las entrañas de sus inocentes víctimas, desollándolas vivas y lentamente, iba ahora a sentir pena por haberlas destruido, cómo, si eran suyas? Sus sentimientos poseían ya la somnolencia pura del hielo, aunque tantas y tantas veces, en presencia de esas jóvenes desnudas y suplicantes, hubieran quedado deshechos por el relámpago, a menudo incluso para sorpresa suya, quien con frecuencia ni siquiera quería matarlas tan pronto, dejando un surco de magma abrasador por donde pasase. Entonces, en su entorno, era la muerte.

János aún iba a tardar bastantes años en encontrar que algo falló en aquel proceso por los crímenes de la Condesa, y en el que, según todos los indicios, se había aplicado correctamente la Ley, excepción hecha con la propia Erzsébet, quien, debiendo haber sido ejecutada, tuvo que soportar una curiosa condena. En realidad desde muy joven él se dio cuenta de esa evidencia, pero era tal la repulsa que le producía pensar en ello que ahuyentaba sus pensamientos al respecto.

Y es que no sólo fueron Erzsébet y sus más directos cómplices quienes propiciaron aquellas setecientas muertes de inocentes, no. Había muchas más personas implicadas. Y con estas personas la justicia nunca se decidió a intervenir, a buen seguro que por apagar del todo los rescoldos del escándalo.

El Palatino Thurzó sabía, aunque no pudiera imaginar la magnitud de los hechos. Y Megyery el Rojo también sabía. Y el pastor Ponikenus, e incluso los yernos y plausiblemente las hijas de Erzsébet, sabían, pero, como tantos y tantos, volvieron la vista hacia otro lado. Reaccionaron tarde.

Ficzkó, Dorkó y Jó Ilona, junto a la propia Condesa, *cometieron* los crímenes, sí, pero no los *propiciaron*. Pues ¿quién sino otra compleja red de personas les suministraron centenares de muchachas? En las actas de los interrogatorios, que Pirgist pudo leer tiempo después en los archivos del castillo de Ezstergom, y también en varios archivos de Budapest, figuraban los nombres, y lo hacían de forma detallada, de toda una red no sólo de mujeres, sino también de hombres que, fuese por miedo, dinero, prendas o menudencias en forma de joyas, ayudaron a Erzsébet durante década y media para confeccionar un incontable número de víctimas.

Dezco Benedick, barbián donde los hubiere, que ejerció de mayordomo de la Señora, Stefan Vaghy, Baltasar Poki, Daniel Vás y Jezorlavy Istok sabían, como también sabían un tal Sido, un tal Kosma, un tal Silvachy o un tal Horvar, quien llegó a manifestar que tenía serios problemas para dar con chicas altas, como le gustaban a Erzsébet, pues por la región sólo las había bajitas. Las altas cayeron ya en las fases iniciales de la rapiña.

En cuanto a la lista de mujeres que ajustaron chicas con los ayudantes de la Condesa, ésta era aún más numerosa y sorprendente.

La vieja Kardoska sabía, y Szalny, y Barnó, y Kodrinova, y Stavo y Öetvos, y Seleva, y Liptai, y Kocsi, y Koechi, que reclutó muchas por la zona de Domolk, y la odiosa Bassovny. Todas ellas sabían. Eran ellas y no otras quienes suministraban la carne para el matadero. La justicia nada hizo contra ellas. Había que tapar el escándalo, conseguir que se dejase de hablar de todo aquello cuanto antes. Ellas fueron sus mesnadas para la depredación sistemática.

La aristócrata que aparecía vestida con una capa y una capucha durante las primeras torturas y asesinatos, ¿quién era? Nunca se investigó. Como tampoco sobre otra mujer cubierta asimismo con una capucha y disfrazada de muchacho que participó en algunas orgías y cuya silueta muchos pudieron ver al entrar o salir de los castillos.

Decenas y decenas de personas sabían, supieron todo el tiempo, mas ninguna acción se llevó a cabo contra ellas. Pero algo llamó la atención de János cuando pasaron unos años, pues hasta entonces no pudo pensar con claridad en aquellos acontecimientos: entre los detenidos y juzgados no estaba Ezra Májorova. Sin duda la misma mañana, o quizá en la madrugada previa a la detención de la Condesa, huyó discretamente, aprovechando la confusión reinante. Jamás volvió a saberse de ella.

Se les había escapado la bruja de Miawa, y eso no era un buen presagio. Quizá decidieron ir a buscarla por los bosques, pero todos temían a Dios, sí, aunque, lo confesasen o no, también temían al que acecha en su oscuro reverso.

Que tanto crimen hubiese quedado impune, ¿no era acaso una muestra de la más absoluta ausencia de justicia? ¿Y siendo ésta, al parecer, tan difícil de administrar por los hombres, no dejaba un hueco descorazonador donde debiera haber, al menos, justicia divina? Pensó entonces János Pirgist en que si San Agustín no tenía razón cuando habló de la actitud del Creador ante el Bien y el Mal, tal vez sí la tuviese, siquiera en parte, el filósofo Epicuro, quien escribió: «O Dios quiere abolir el Mal y no puede, o bien puede, pero no quiere o no puede y no quiere. Si quiere pero no puede, es impotente. Si puede pero no quiere, es malvado. Pero si Dios puede y quiere abolir el Mal, entonces ¿por qué hay Mal en el mundo?», palabras estas que en otra época le hubiesen parecido sacrílegas a János, aunque fuesen planteadas tan sólo a modo de hipótesis, pero que desde entonces, cuando se produjeron los acontecimientos, habían cobrado evidente sentido.

Que nada pudiese hacerse nunca contra la bruja de Miawa pues, no sólo era un nefasto presagio, sino prueba de una realidad de insoportable vigencia: el Mal existe y con frecuencia campa libremente, sorteando todo a su paso sin que las personas hagan nada por apartarlo de ese ámbito de impunidad en el que desde el principio de los siglos vive cómodamente instalado. Pirgist, en sus averiguaciones que se demoraron décadas, recurrió sobre todo, en lo referente a los vampiros y las brujas, a varios sacerdotes como él que habían consagrado parte de sus vidas a estudiar con la mayor objetividad posible tan escabrosos temas. Si para conocer algo más acerca de los vampiros fue ayudado por Milosz Farbodas, polaco, y Zbigniew Lubcwosky, serbio, en lo referente a la brujería tuvo largas discusiones con Theodor Hausmann, quien le mencionase lo de la biblioteca de Erzsébet, y el valaco Segismundo Lipperich. Tanto uno como otro, y cuando Pirgist les habló de la inexplicable desaparición de Ezra Májorova, se encogieron de hombros diciendo en un tono que podía parecer de broma: «Es lo que pasa con las brujas de verdad: desaparecen.»

Incluso con Erzsébet, que a su manera también era bruja aunque recurriese a otras de su clase para perfeccionar el arte maléfico que ya poseía, ocurrió algo similar: desapareció en vida, pues en vida se privó a los mortales de su contemplación.

Con ella se equivocaron todos. Se equivocó la vida, poniéndola en este mundo cuando y donde no debía. Porque eso, lo que hizo, con toda probabilidad no hubiera podido suceder en ningún otro país de Europa, pero Hungría vivía mucho más allá de la Edad Media. Se equivocó el pastor Ponikenus al desear la regeneración de su alma, pues para él parecía imposible aceptar que ese ser careciera de alma. Se equivocó el Palatino Thurzó al vaticinarle pocos meses de vida y conminarla al arrepentimiento. Pese a todo lo que había visto y cuanto sabía, aún seguía siendo incapaz de pensar a quién se enfrentaba.

Extraviada en sus ensoñaciones, y a buen seguro que deleitándose en sus iniquidades, que embrutecieron toda una época y que fueron deshonra del humano género, la expoliadora de vidas, aquella cuya maldad poseyó ribetes de perfección aritmética, veía cómo la emparedaban lentamente sin dar la menor muestra de temor, sin elevar una queja. Más soberbia que nunca, envilecida por su pasado, aguardaba desafiante a su porvenir. Ella, la que no nació entre flores de lis sino envuelta en pieles de oso y mamó de las ubres de la violencia que se desplegaba voraginosa a su alrededor. Ella, la plaga, ella, el azote. Ella, la cabeza de la hidra que ulceró vidas y acontecimientos. Ella, pupila discente aventajada de la propia bruja de Miawa, seguía libre y viva en su encierro.

Piedra tras piedra, iba quedándose aislada. ¿Pensaría en aquellos instantes en que nunca amó? ¿O quizá amase un poco a cierta chica llamada Ilona Harczi, que poseía una hermosa voz y los ojos de color esmeralda? ¿Por qué tuvo que descuartizarla con sus propias manos en el palacete de Viena, por qué? ¿Acaso amó, siendo aún adolescente, al apuesto y bizarro Ferenc Nádasdy? Pero no. Era inútil engañarse ya. Tenía once años y su futuro marido diecisiete. Al poco se fue a guerrear, dejándola sola, como siempre. ¿Acaso amó a sus hijos, a quienes procuraba ver sólo de tanto en tanto, pues se sentía incómoda en su presencia, y de quienes se libró en cuanto le fue posible? La había emocionado mucho más la contemplación de los rebaños de tantas jóvenes asustadas, suplicando todas, gimiendo y arrastrándose a sus pies. La emocionó más la lectura del *Opúsculo de los secretos de la Luna*, que hace entrar la locura por grietas que existen en la conciencia de los hombres, incitándolos a la crueldad. Se emocionó mucho más recreándose entre las líneas del *Conjuro de las nueve hierbas*.

No echó nunca de menos los festines fastuosos en los que una tosca horda de supuestos nobles escupían en los platos, comían con los dedos, se hurgaban en las narices, abofeteaban a sus esposas por cualquier nimiedad o se sonaban con los manteles. No echó en falta los bailes galantes en los que nadie se manifestaba de modo abierto, sino que todo era un simple juego de cortejo y seducción que a ninguna parte llevaba, si no era a precipitados matrimonios. Los paseos en trineo, en cambio, sí los había echado en falta, sobre todo en los últimos años. Pero incluso entonces ya no podía embestir a traición a otros trineos, como cuando era niña y, por serlo, se le permitían ese tipo de cosas.

Allí quedaba ella, que ahora sólo podía ver la cabeza de los albañiles. Ella jadeando tenuemente en la oscuridad, perdida en sus fantasías de niña sanguinaria y mujer de hierro. Soñando, sí, con la sangre y con la luna que ya nunca más podría ver. Nunca más la amapola y la perla. Nunca más.

De sangre creía haberse hartado, al menos por momentos, pero no de luna. A partir de ahora, aunque no la viese, ¿podría hablarle confesándole sus cuitas? ¿Qué rayo de luna lograría filtrarse por ese diminuto agujero que le dejaban en el techo, orificio minúsculo que unos menestrales, utilizando arganas y grúas, abrieron en lo alto de su aposento?

Cuando lloviera, ¿entrarían por ahí gotas de agua? De ser así, ella se pondría justo debajo para mojar su rostro con el único elemento que le llegara del exterior. Pero si no era así, si por aquel resquicio nada se filtraba, no se rendiría. No ella. Aunque abandonada de todos, sola en las entrañas de su propia soledad, sabría ser fiel a su estirpe, pese a que bien podría imaginar que sus hijos, y los hijos de éstos, y los hijos de los hijos de éstos, se harían llamar en lo sucesivo Nádasdy, nunca más Báthory, apellido ahora vergonzante, decían, porque sus enemigos así lo habían querido, pero antaño gloria de Hungría.

Tenía toda su vida pasada para hacer recuento de la misma, mas no para arrepentirse. Eso nunca.

Recordaría cuando disfrutaba haciendo sufrir a los animales que capturaba, y cómo poco a poco fue haciéndolo con personas, que era mucho más excitante. Ese bullir en sus venas la reconfortaría, pues ella, a la que en su día llamaron la Castellana de Nytra por sus atavíos que recordaban la moda de aquel lejano reino, estaba más allá de atavíos, de reinos y lejanías. Aunque eso no lo reflejara aquel cuadro que con su esbelta figura pintó un artista de Flandes, cuyo nombre ya no recordaba, y que ahora habrían quitado de las paredes del castillo. En el cuadro eran fieles el talle y la postura de sobria resignación al posar para el artista. Fieles su ceñido corpiño y sus anchas mangas de lino, fiel la inmensa gola y el vestido granate, fiel la cofia de ese mismo color y a la húngara, que tanto le gustaba, fiel su ancha frente y su mirada triste, que en realidad era ausente. Sin embargo, a Erzsébet nunca le gustó demasiado ese cuadro, que todos tildaban de magnífico, pues a su egregia apariencia se ajustaba. Así se lo decía Ferenc.

Ahí, en aquella pintura que ya rezumaba el color de la sangre cuando se coagula, sus dedos parecían en exceso gordos y desproporcionados, cuando en realidad sus manos eran tan bellas. Tampoco el cuadro consiguió retratar su pensamiento. Eso le pertenecía únicamente a ella, y nadie podría robárselo.

Porque ella seguía teniendo sus posesiones pese a esas paredes de piedra que levantaban entre su persona física y el mundo. Por ella, a diferencia de lo que sucedió con Gilles de Rais, nadie entonaría un *De profundis*, ni el *Dies Irae*, ni siquiera el *Requiem*. Llevaba las más abismales profundidades en su memoria, llevaba los días de ira en la conciencia, llevaba un réquiem en la sangre, y esto, ¿quién podría quitárselo?

En todo ello piensa János Pirgist al escribir. Él pretendió reconstruir la monstruosidad incomprensible, darle forma, por nauseabunda que ésta fuese, para entenderla siquiera sesgadamente, desde un punto de vista que le ayudase a él y a quienes leyeran su testimonio. Aunque era consciente de que moriría sin saber si lo logró o no.

Se había enfrentado al Mal para acabar descubriendo que éste, cuando late en estado perfectamente embrionario, carece de discurso y de lógica.

Los albañiles, usando piedras y mortero, comenzaron a tapiar la habitación en la que Erzsébet seguía sentada con aire solemne en un gran sillón de cuero. Aún les observaba altiva. Tenía que hacerlo.

Quedaban ya las últimas piedras por poner. La miraron por última vez aquellos hombres rústicos y atemorizados, al parecer mucho más que ella misma.

—¡Pudríos, vosotros y vuestra descendencia! —les gritó Erzsébet con una fuerza tal que se oyó por todo el castillo.

Luego empezó a recitar algo en dialecto *tôt*, que ellos no entendían. Seguramente les hablaba de plantas, de animales, de intrincadas conjunciones de las estrellas en la bóveda celeste, que ya nunca más podría ver. Eso pensaron. Pero en realidad declamaba:

—*Éjzsaka bál jövök, hol-ba medjek tovabb...* —«Vengo de la noche y hacia la Luna voy...»

Todavía unas piedras más, y el ruido de sus herramientas sellando por completo la estancia. Y la oscuridad.

Sobre su corazón, sujeta a la pechera por una fíbula, llevaba un broche de oro con la letra inicial del escudo de su familia.

La última mirada de uno de los albañiles, al que le costaba colocar esa definitiva piedra que encajaba en las otras, le mostró a una mujer vestida de negro con su capa granate, apoyados sobre la mesa del escritorio sus brazos que acababan en unas amplias mangas de fino lino blanco. Llevaba el cabello recogido en un moño y, sobre la frente, un gran rubí que ya apenas se veía. Parecía aguardar la visita de alguien.

Cerca de ella estaba su espejo negro en forma de ocho, que no reflejaba ninguna imagen que no fuese la de las sombras.

Colocaron la última ristra de mortero y, por piedad, uno de los albañiles le dijo, agachándose y poniendo el rostro cerca de la ranura que estaba a nivel del suelo, por la que apenas cabía una mano, que dentro de una semana o dos, él no podía saberlo con certeza, le llevarían comida y bebida.

Pero como respuesta sólo obtuvo silencio. Se irían de allí con la mayor prisa posible, casi a la carrera. Nadie quedaba en el castillo. Tampoco en el pueblo.

Ellos no lo sabían, pero la dejaban como quizá siempre quiso estar. Sola. Con sus fantasmas.

Y allí se quedó ella, en espera de la noche y aullando, aunque no emitiese ningún sonido.

Expectante con las nuevas formas que veía por primera vez en su vida y que, cómo no, ya intentaba dominar.

Aguardando en la densa y fría penumbra de su tumba.

CSEJTHE

El águila ya no podía volar, pues le habían cortado las alas.

La loba ya no podía morder, pues le habían arrancado los dientes.

La serpiente ya no podía reptar, pues le habían aplastado el cuerpo.

El dragón ya no podía aterrorizar con su flamígera mirada, pues le habían privado de la vista.

El escudo de los Báthory estaba deshecho.

Se quedaba sola, y aun así, más sola y más loca que nunca, seguiría siendo una Báthory. Era justo ahora cuando debía demostrarles a todos hasta qué punto lo era.

Debía tomar ejemplo de su primo András, aquel bravo András cuya cabeza estuvo en un glaciar de Transilvania, cortada por sus enemigos pero, dicen, con los ojos muy abiertos, llenos de cólera, desafiante. En él debía mirarse, en el espejo de sus ojos, ya que no en ese otro Segismundo tan cobarde que nunca iría a salvarla de su reclusión.

Ya jamás la claridad del día. No había lumbre, ni velas. Sólo oscuridad y silencio. Pero siempre, al menos, esa grata compañía que nunca le faltó, el sonido de los milanos y el viento.

¿Dónde estaban sus estuches con material para conjuros, dónde? ¿Dónde los dientecillos de gamuza, que salta entre los riscos y tiene la piel amarilla y pálida? ¿Dónde los bulbos de tulipanes silvestres? ¿Dónde aquellos corazones de mandréporas que se hacía traer desde las lejanas Sarichioi y Badadag, junto al lago Razelm y el mar Muerto?

Por fin ahora estaba ya en el mar Muerto, y quizá viese allí a su diosa predilecta.

El frío era insoportable, más insoportable aún que el hambre o la sed. Cien veces más insoportable que su soledad.

Deambulando de un lado a otro de la estancia, no moviéndose más allá que a unos pocos pasos de donde estaba, iban consumiéndose sus días, que se parecían tanto a las noches. Porque por el orificio del techo apenas le llegaba luz. Incluso en eso se hizo fuerte: ya le había perdido el miedo a la total oscuridad. Sólo escuchaba el sordo rumor de las pieles al arrastrarse. Pero sintió que pasaba un poco aquel frío que parecía dispuesto a matarla y contra el que de nada valían todas las pieles, pues lo sentía en los huesos. Pronto oyó nuevos ruidos, que fueron su única compañía. Serían ratas que se habían colado allí a saber por dónde. Al fin las ratas. No le importaban. A más de una tuvo que apartar de sendas patadas. En su absoluto y oscuro silencio hasta llegó a escuchar el sonido neutro de la carcoma devorando la madera del dosel de su lecho, al que apenas conseguía llegar a tientas, ya sin candelabros que guiasen sus pasos. Oyó a la lepisma devorando el cuero de su sillón y a los ácaros royendo cuanto había en la habitación. Oyó a los murciélagos que, uno tras otro, acabaron colándose por la ranura del techo y haciendo de la estancia su habitáculo.

Era tanta la paz que allí tenía, cuando ella nunca quiso paz, que se consolaba pensando que afuera todo seguiría igual: el autillo acosando a la oropéndola, la lechuza, su amiga, helando al jerbo antes de acabar con él. Disecándolo en vida, como ella estaba.

Caían gotas de lluvia en los días de tormenta, pero tan pocas que parecían evaporarse antes de golpear en su rostro, antes de poderlas recoger entre sus manos, arrugadas por el frío y la mugre. Hasta eso se le negaba.

Es posible que una mañana, ya pasado lo más virulento del frío, llegase una golondrina a la ranura del techo. Es posible, sí, que durante breves momentos los ojillos de esa golondrina, desconcertados por el súbito cambio de luz, de la claridad total a la negrura absoluta, se movieran inquietos. Entonces es posible que fijaran su atención en aquella figura que la aguardaba allá abajo, que le hablaba. Indecisa, el ave permaneció ahí unos instantes. Pero no le gustó lo que vio.

Y huyó también la golondrina. Hasta esto se le negaba.

Allí seguía ella, en sus heces.

Porque pisaba éstas allí doquiera se moviese. Despedían un hedor enorme, pero incluso a eso se acostumbró.

Llevaba el resentimiento cubriéndole el cuerpo como una loriga, como si fuesen escamas, pero apenas alcanzaba a verse las manos. ¿Cuál sería el modo de ver lo que quedaba de su enjuto y sucio cuerpo, cuál?

Pero Erzsébet era anfibia y por eso, pese a ser atacada por herpes y pústulas a causa de la suciedad, pese a las liendres y la sarna, supo desenvolverse en el líquido amniótico de aquella hedionda penumbra.

—*En vagyok vér savanyú…*

«Yo soy la sangre amarga…», recitaba a modo de anáfora una voz cavernosa en la oscuridad.

Así durante horas, días, semanas, meses. Y de nuevo oraba:

—*Ejszaka nélkül rége, éjszaka baratnó…*

«Noche sin fin, noche amiga…», y seguía recitando para un inexistente auditorio, pues nada respondían las ratas, ni los murciélagos, ni los invisibles insectos.

Prohibido tenían dirigirle la palabra quienes una vez cada quince días, según pudo calcular por los cambios de luz que veía en la ranura del techo, le depositaban el pan y el agua.

Nada les dijo nunca. Iba a ser Báthory hasta el final y ya ni siquiera le amedrentaba la oscuridad. Se había hecho a ésta. Era su imperio. Tampoco la acosaba la claustrofobia, porque seguía haciendo volar su imaginación, que era la misma de otrora, cuando fue la niña Alžbeta y muchos la miraban con ojos de deseo o miedo.

Aun en la inmundicia, era la luciérnaga que siempre soñó.

Se equivocaría con ella Thurzó, el Palatino, sí, augurándole pocos meses de vida en aquellas condiciones. Ella, la última superviviente de su linaje, no iba a rendirse fácilmente. Y, para sorpresa de todos, la alimaña sobreviviría en su clausura de Csejthe. Así lo indicaba que desaparecieran puntualmente las raciones de pan que se le dejaban en el hueco del suelo.

Una Báthory no debía rendirse. No ahora.

¿Podían acaso ser animales, que cogían ávidos la comida? No. Se oyeron pasos que iban a recogerla. ¡Seguía viva!

Pero el mundo continuaba acosándola. Una vez por año recibía la visita de alguien que debía de ser un clérigo llegado quizá desde Presburgo. Le leía algo en latín, preguntándole luego si se arrepentía de sus pecados. A lo que ella, escueta, respondía:

—*Enyém föld... enyém szenély...*

«Eran mis tierras, eran mis gentes.»

Más horrorizado que impresionado, aquel hombre que acudía a hablarle de pecado y perdón, se iba de allí con una nueva derrota. Entonces Erzsébet, para darse fuerzas, volvía a pensar en la cabeza decapitada de su primo András, en el glaciar. Estaría orgulloso de ella.

Y si ahora la llamaba la Luna, donde por fin hallaría a András, ¿resolvería el misterio de las anfisbenas, los cinocéfalos y los conjuros? Lo deseaba con todas sus energías.

Se equivocó Thurzó en sus previsiones. Se equivocó el mundo. Erzsébet sobrevivió aquel invierno, y luego otro, y después aún otro, y todavía otro más. Nadie lo entendía.

Al final de todos y cada uno de esos inviernos, de nuevo la voz del clérigo solicitando su arrepentimiento, y de nuevo la seca frase: «Eran mis tierras, eran mis gentes.»

¿Por qué Dios o el Diablo no se la llevaban de una vez? ¿Por qué?, se preguntaban todos.

¿Dónde estaría ahora su clámide de seda, que usaba para dormir? ¿Dónde las alhajas? ¿Dónde la hornacina en que guardaba sus potes con ungüentos? Porque estaban ahí, muy cerca, pero era imposible ver. ¿Seguirían ahí los zócalos de jaspe con olambrillas floreadas? ¿Y la cornucopia que heredase de su madre?

Preferible no ver su propia imagen reverberando a la luz de imposibles bujías en espejo alguno. Mejor la oscuridad.

Así aguantó la loba herida tres años y medio. Le faltaron pocos meses para cumplir cuatro desde su emparedamiento.

Así hasta que, es posible, ella misma se hartó del juego. Ese agotamiento no era tanto físico como anímico. Sencillamente, comprendió al fin que su ciclo se había cumplido. Sólo en una cosa se equivocó también ella: no era inmortal. Lo presentía.

Y de ese modo se desprendió de la placenta que aún la unía a su infame existencia. Cuando quiso.

Para sorpresa de todos, a comienzos de un mes de agosto, con voz firme pidió retocar su testamento. Junto a la ración de comida le pasaron papel de pergamino y pluma. Ya había aprendido a ver en la oscuridad, pues nadie se explicaba cómo, con total ausencia de claridad, fue capaz de redactar con letra bonita y precisa un testamento que otorgaba parte de sus bienes a su hija Katherine y a su marido, György Homonna, aunque especificaba que éste debía cumplirse si seguían procurándole comida y si restituían parte de esos bienes y posesiones a su hijo Pál en el futuro.

Seguramente, y mientras lo redactaba, la traicionó el impulso por seguir viva. De ahí que aludiera al alimento. Pero fue sólo un instante. Lo que acababa de escribir en aquellas líneas demostrando una lucidez completa en sus razonamientos, pues incluso mencionaba su castillo de Kerezstúr ubicándolo en la zona exacta en que se hallaba, en Abaujra, era síntoma de que había intuido su final.

Karpelich András y Egry Imre fueron testigos de la licitud de ese testamento, escrito a comienzos de verano del año 1614, en Csejthe.

Todavía otra vez fueron a depositar comida y agua. Ocurrió a mitad de agosto de ese año. Se oyó una tos pero, como siempre, ni una palabra. Nada. Aún vivía.

Una semana más tardó Erzsébet en sentirse definitivamente dispuesta para su viaje, por fin, a ese más allá que tanto anhelaba. Ya les había demostrado, y con creces, que era una Báthory, y que éstos jamás ceden.

Ya nunca más el croar de las ranas, ni el galope sobre *Visar* por tupidas florestas, ni el sol bruñendo las copas de los árboles, ni las cabrilleantes aguas del Vág, ni soñar con náyades, ninfas y hénides. Ya nunca más oscuridad.

Ya nunca más nada. ¡Por fin veía la luz!

Así se mantuvo durante aquellas largas horas del final.

Ella, hija del Trueno y de la Noche.

Ella, amante de la Luna.

Ella, madre del Grito y hermana del Miedo.

Ella, soberana de la Oscuridad.

Ella, emperatriz de las Sombras y diosa de la Sangre.

Ella, guía del Abismo y de los sueños Carcelera.

Ella, sonámbula del Horror.

Ella, sacerdotisa del Martirio y de la Pureza verdugo.

Ella, maldición de las Bienaventuradas y de las almas limpias Llaga.

Ella, de la iniquidad Pontífice.

Ella, de la vida Sepulcro.

Ella, de la muerte Señora.

Ella, la Muerte.

Así expiró Erzsébet Báthory, viuda de Nádasdy. Suavemente y sin ruido. Quién sabe si en algún momento, entre sus letanías y conjuros, rogó:

—*Kell nekem segitseg...* —«Necesito ayuda.» Si la necesitó, no la pediría. Y si lo hizo, sólo lo oirían los milanos y el viento.

Tal vez aquella golondrina.

El día 21 de agosto del año 1614 fue depositada su ración de pan y agua. Horas después, y como solía ser costumbre, miraron si había cogido la comida. Allí estaba, intacta. La llamaron por su nombre. No contestó. Tras deliberar unos momentos, se decidió abrir una pequeña brecha en el muro que la tenía apartada del mundo.

Oyeron el revuelo de los murciélagos y una vaharada pestilente hizo que tuviesen que taparse la boca. Allí estaba, sentada en su sillón, envuelta en pieles. Sin respirar. Por fin se había ido a los bosques, con la bruja de Miawa y el espíritu de Darvulia.

Lilith llegaba a su nadir, cuando más alejada está de lo humano.

Dos testigos dieron fe de su fallecimiento por causas naturales. El primero fue el secretario del Palatino Thurzó, György Zadovsky:

«A 21 de agosto de 1614.

»Erzsébet Báthory, esposa del Magnificente Señor Conde Ferenc Nádasdy, viuda, tras cuatro años de detención en un calabozo de su castillo de Csejthe, condenada a prisión perpetua, ha comparecido ante el Juez Supremo. Ha muerto al anochecer, abandonada de todos.»

Pero ella seguía engañándolos incluso después de muerta. No fue en uno de los calabozos donde expiró, sino en sus aposentos, como la Señora que era. Y estaba por ver que fuese a comparecer ante el Juez Supremo. Eso nunca lo sabría nadie.

El otro testigo de su óbito fue el letrado Itsván Krapinai, quien escribió:

«Erzsébet Báthory, esposa del alto Señor Ferenc Nádasdy, magistrado del Rey y Caballero Mayor, de estado viuda, infame y homicida, ha muerto en prisión en Csejthe. Muerta repentinamente, sin cruz ni luz, el 21 de agosto de 1614, por la noche.»

Volvía a mentirles. Csejthe no era su prisión, sino su paraíso, y nunca lograron arrebatarla de allí. Tampoco necesitaba cruz alguna, todo lo contrario. Fue un privilegio que no la pusieran frente a ella. En cuanto a la luz, ¿quién podría negarle que había accedido a esa luz de la luna que por fin la llamaba, quién?

Afuera soplaba una repentina ventisca. Su cuerpo fue sepultado en un lugar secreto de los campos que rodeaban el castillo, como ella hizo con tantas. Estaban acabando de enterrarla y de pronto descargó un fuerte aguacero, impropio de aquella época. Igual que cuando nació.

De ella no quedaría, pues, rastro alguno. Sólo su recuerdo.

János Pirgist coloca el plumón de ánsar junto al tintero. Da por finalizado su trabajo. Fatigado, se levanta para ir a mirar por la ventana de la buhardilla. El invierno, y también el invierno de su vida, concluye tras el largo esfuerzo.

En esos momentos piensa en cierta frase de un escritor francés al que Erzsébet nunca pudo leer, pues murió justo cuando él nacía: «Hay héroes del mal lo mismo que del bien.» Nada podía definir más acertadamente a aquella a quien dedicase tantas jornadas de escritura.

También pensó que justo el año en que la Condesa moría, varios médicos lograban extraer una criatura del interior de su madre abriéndole el vientre. A esa operación la llamaron «cesárea». La vida, pues, continuaba.

Pero una vez más se vuelve a hacer la pregunta de si no habrá sido en balde su pormenorizada especulación en torno a la génesis y esencia del mal, ya que en cuanto a sus efectos, sí cree haberlos explicado de manera fidedigna. El mal, ¿es ausencia de bien, simplemente eso? No. El mal, ese mal con el que János ha estado debatiéndose desde que era un niño e intentó evitarlo para sobrevivir, y luego, cuando fue joven y pretendió apartarlo de su memoria, y aún después, al decidirse por fin a escribir su historia, ese mal es algo superior a cualquier concepto que sobre el mismo puedan tener las personas. Se podrá perseguir y castigar, pero difícilmente se entenderá nunca. Porque ese mal es de carácter óseo y, a la vez, inexplicable. Como la tristeza o la alegría, como el odio o el amor, no se puede tocar ni ver, pese a que está. De ahí el temor al fracaso de no haber salido airoso tras su titánico esfuerzo de redacción. Ese mal sólo cabría definirlo como la tendencia oscura que lleva a algunos a sentirse ya no felices, sino realizados, con el dolor de otros que ningún daño les han hecho. Y hacerlo no como escarmiento, no para obtener más poder o riquezas, no por libidinosas inclinaciones o por motivos de venganza, no por creencias ideológicas o religiosas, sino por el propio placer de la contemplación de la desgracia ajena. Todo ello, ¿es posible explicarlo con palabras, se puede juzgar bajo el prisma de cualquier criterio moral? No. Por eso duda, sabiendo que tal incertidumbre habrá de acompañarlo de por vida.

Pero ha de reaccionar. Sin demora llama Pirgist a su ayudante en la parroquia, y le dice que ya ha acabado su relato.

—¿Está satisfecho con el resultado, reverendo? —pregunta con interés el joven.

—Estoy en paz conmigo mismo por haberlo escrito —responde él de forma evasiva.

Su interlocutor no parece contento con esa explicación. De modo que sigue insistiendo:

—Pero ¿lo ha contado... todo?

—Todo cuanto se podía contar... —contesta él, abstraído en lo que se ve a través de la ventana.

Constatando que su superior da muestras de un evidente cansancio, y que no parece en exceso dispuesto al diálogo, el joven clérigo agacha la vista y se dispone a retirarse. Cuando está ya en la puerta, oye la voz de Pirgist:

—Aguarde un instante, no se vaya aún...

—Sí, padre...

Pirgist se vuelve hacia él. Lo mira largamente y dice:

—¿Recuerda que, al dejarle el manuscrito días atrás, le hablé de un tercer favor, un tercer y último favor...?

—Lo recuerdo, claro que sí, y por supuesto estoy dispuesto a cumplirlo. —Tras vacilar unos momentos prosigue—: Aunque mentiría si no le dijese que ardo en deseos de saber cómo termina su historia. ¿Me dejará leer ese final, padre?

—Me parece justo —murmura János.

Ambos callan. Al fin el joven se decide a preguntar:

—¿Y el favor...?

El venerable hombre que tiene frente a sí parece no entender a qué se refiere cuando poco antes le comentó algo al respecto. Un gesto de su cara le hace notar que ya ha caído en la cuenta.

—Me gustaría pedirle algo importante. Algo muy importante para mí. Quizá más importante que haber escrito esa historia...

—Cuanto más importante sea, con más entusiasmo lo haré yo —responde el joven.

De nuevo se queda callado. Es como si le costara pronunciar las palabras que inevitablemente termina diciendo:

—Quiero ir allí.

El joven padre András parpadea sorprendido. No lo esperaba. Con cierta turbación dice:

—¿Allí es... allí, a ese sitio?

—A Csejthe —responde en tono rotundo Pirgist.

El joven titubea varios segundos, no porque dude de que en verdad desea hacerle ese favor, sino porque nunca hubiese creído que su superior pudiera pedírselo, y mucho menos desearlo.

—Debo enfrentarme a ello —dice Pirgist—. Ha sido más

de medio siglo demorando ese momento, pero ya es inútil eludirlo.

—Perdone que me atreva a preguntárselo, padre, pero ¿qué espera hallar en ese lugar, que sólo le trae malos recuerdos?

János se siente preparado para responder a tan directa cuestión:

—Cerrar la historia, cerrarla de una vez.

—Pero ¿acaso no acaba de decirme que ya concluyó su relato? ¿Qué otra cosa quiere, pues?

Pirgist se sienta en su sillón. Frente al escritorio. Sin dejar de mirar a su ayudante, responde:

—Cerrar mi propia historia. Poder irme en paz de esta vida.

—¿Tanto desea regresar ahí?

—Nunca dejé de desearlo, nunca. Pero nunca me atreví a hacerlo.

El joven cura insiste:

—No obstante, y por lo que alcanzo a imaginar, del castillo poca cosa quedará...

—Pero sigue estando allí.

El otro no se da por vencido, pues en su fuero interno piensa que ese reencuentro con lugares de siniestra memoria en poco puede favorecer la salud de su superior.

—¿No considera... perjudicial... enfrentarse a todos esos recuerdos, padre?

—Lo considero inevitable.

—Entonces, bien, ¿cuándo dispongo la partida?

—Mañana mismo. Nada ocurrirá aquí de urgencia que nos retenga por unos días. Yo mismo redactaré una carta a la archidiócesis explicando que durante unas jornadas no habrá misa diaria en la parroquia, esté tranquilo.

—De acuerdo. De inmediato cogeré lo necesario para el viaje. ¿Cuánto cree que nos llevará?

—Tres días de ida y tres de regreso. Calculemos una semana. Conozco sitios donde podremos pernoctar.

—Perfecto, padre. Si le parece, mañana salimos de madrugada...

Pirgist asiente con gravedad. Lleva demasiado tiempo queriendo hacer esto como para echarse atrás ahora.

Invierten lo que queda de aquella jornada en preparar las pertinentes vituallas, coger ropa de abrigo y alquilarle dos burros a un campesino, que dispone de varios de estos animales en una cuadra contigua a la parroquia.

Aquella noche cenan un caldo de mastuerzos y cogollos de col. También algo de tocino. Pero lo hacen sin intercambiar palabra alguna, pues éstas sobran.

A la mañana siguiente, cuando aún no ha despuntado el sol, se ponen en camino. Deben ir hacia el norte, sin dejar el curso del Morava. Subirán hasta Malacky y luego girarán en dirección a Trnava. Una vez allí habrán de continuar por la ruta que lleva a Pistyán. Finalmente torcerán hacia el Vág, de tumultuosas aguas.

—No se me ha olvidado el puente desde el que, una vez superado, divisaremos las llanuras colindantes a Csejthe —afirma Pirgist.

Se ponen en camino pues, a lomos de sus jamelgos. Durante el viaje, en el que por fortuna no les cae ninguna nevada pese a que tienen que soportar los rigores del frío reinante, apenas se cruzan las frases de rigor. Es como si evitaran aludir a aquello que les aguarda en su destino.

Conforme van aproximándose a éste, el joven ayudante de Pirgist muestra un semblante preocupado. Algo le inquieta, y con toda certeza teme lo que pueda resultar de todo esto con su superior. János, por su parte y no sin sorpresa, se nota hundido en una extraña serenidad. Por momentos se siente hasta feliz. Está regresando a su infancia, y también ese período le trae recuerdos gratos, sobre todo cuando terminó la pesadilla.

A media mañana del tercer día de viaje ya han cruzado el Vág, y aún avanzan otro tramo, entre campiñas y trigales, hasta llegar a un otero desde cuya cima, si el tiempo les ayuda, podrán observar las llanuras que rodean Csejthe. Trepan por una senda llena de pedruscos, pero la niebla impide ver a lo lejos.

—En un día despejado incluso podría divisarse el castillo —afirma János con un suspiro.

Algo se ha encogido en su estómago. Su acompañante parece notarlo, pero nada dice. Vuelven al camino principal. Así transcurren hasta cuatro horas más. Dejan atrás campos en barbecho, parcialmente cubiertos por las recientes nieves. Ascienden un montículo y, al bajar por el otro lado, Pirgist detiene su mula.

—Mire… —silabea con emoción en la voz.

En la lejanía aparece como una sombra recortada sobre el cielo grisáceo la silueta del castillo. El joven cura da la sensación de haber enmudecido de repente.

—Venga, que ya falta poco… —le anima János.

Se sienten muy cansados, pero no es el momento de detenerse.

Al cabo de un rato divisan unas chabolas. Allí hay gente. Eso extraña a Pirgist, que siempre imaginó esta zona, en su recuerdo, totalmente desierta. Momentos después llegan a lo que fue el pueblo de Csejthe. En efecto, unas pocas familias han vuelto a llevar la vida allí. Varias gallinas y una oveja contemplan su paso, atentas sin duda a los animales que los transportan.

Su ayudante, quien en la noche previa a la partida acabó de leer el manuscrito de János, no puede evitar sentirse profundamente impresionado. Él, sin embargo, aún no ha tenido tiempo de reaccionar. De hecho, cabalga sin levantar en ningún momento la vista hacia el castillo, cuyo perfil, pese a que parece medio destruido, ya es distinguible.

Entonces, por vez primera, se atreve a mirar directamente el castillo, lo que queda de éste. Su corazón se contrae. Debe abrir la boca y respirar hondo para tranquilizarse, pues su serenidad se ha desvanecido del todo. Su propio aliento le impide ver con claridad esa mole que paulatinamente va estando más y más cerca.

Dejan a sus espaldas la aldea. Un par de mujeres, con sus retoños en brazos, les han mirado con actitud de sorpresa al ver el camino que se disponen a tomar. Empiezan a ascender por una empinada cuesta, pero de nuevo Pirgist opta por no mirar hacia arriba. Ha de posponer ese momento para cuando ya no sea posible dar marcha atrás y arrepentirse.

Si ella no se arrepintió nunca, tampoco él va a hacerlo ahora.

Junto a una fuente, cuyas aguas manan cristalinas por encima de las rocas, János le pide algo a su ayudante:

—Es preferible que me aguarde aquí. Subiré yo solo...

El joven cura muestra signos de alarma y, al mismo tiempo, de un alivio que apenas consigue disimular. Nada le tranquiliza en ese paisaje ni en esa situación. Pirgist se da cuenta y procura ponérselo fácil:

—Sí, esto es una cuestión a dirimir entre ellos y yo. No puede haber testigos.

—¿Ellos? —pregunta con ademán de perplejidad el joven.

—Mis recuerdos —sentencia János.

Inicia el tramo final de la subida, ya a pie y con andar cansino, procurando no resbalar con algunas de las piedras que se apelmazan en el lindero. La nieve dificulta aún más su marcha, ligeramente inclinado el cuerpo, jadeando pero sin decidirse todavía a mirar aquello que le aguarda, con las fauces abiertas, a unos pocos pasos de distancia. A su izquierda ve unos matorrales de celindas, a su derecha se acumula la broza y la bardoma. Todo es desolador.

Cruza lo que un día fue el puente levadizo. Los fosos que lo circundan están anegados de barro, que una capa enharinada oculta parcialmente. Hay ortigas y maleza por todas partes.

Es entonces, justo después de pasar bajo el portón central, cuando levanta los ojos y mira.

Allí está, igual que siempre. Amenazante, como de otro mundo. Deshabitado. En estado de ruina casi total. Distingue pájaros trazando círculos sobre las almenas. Los muros están ennegrecidos por el paso del tiempo. Se ven llenos de hierbajos y musgo. Él camina, ahora sí, observándolo todo con detenimiento, como si con cada mirada intentase recuperar un fragmento de su infancia, que se quedó entre esos muros mucho más destruidos de lo que creyó en un principio. No hay techos, pero aún distingue lo que fue el patio y sus pórticos en herradura. Evita mirar en dirección a los lavaderos. Sabe a dónde se dirige, aunque aún no encuentra la senda. Sigue trepando por caminos llenos de piedras, que antaño fueron pasadizos que iban a dar a los calabozos. Busca algo. Sabe lo que busca, aunque aún no se atreva a reconocerlo abiertamente. Por fin, tras encaramarse en varios puntos y subir por muros deshechos, llega a un lugar concreto y se detiene. Mira hacia lo alto.

Siente que el corazón golpea con fuerza en su pecho. Ahí lo tiene.

Aquello, ahora lleno de hierba, fue el aposento en el que la Condesa pasó sus últimos años. No hay techo ni apenas paredes. Los ojos se le humedecen, y no se debe al intenso frío que lo envuelve.

Intenta rezar una oración, pero las palabras no fluyen ni a su boca ni a su mente. Incluso ve un árbol, que ha crecido espontáneamente en un flanco de lo que en su día fue la guarida de Erzsébet. Se trata de un árbol menudo y lleno de espinas.

Es tanta la emoción que le embarga que pierde el sentido del tiempo. De repente recuerda que su ayudante estará esperándole abajo, junto a la fuente situada a escasa distancia de la entrada al castillo. Decide irse. El estado ruinoso en que se encuentran todas las dependencias de lo que décadas atrás fue uno de los *hrads* más formidables de Hungría consigue que de nuevo se emocione.

Resignado, se da media vuelta, disponiéndose a bajar. Ha de llevar cuidado, pues el descenso, con ese suelo resbaladizo, es mucho más peligroso que la subida.

No ha dado más que unos pasos cuando se detiene en seco.

Un sudor frío recorre su frente. Pero está paralizado. Algo le ha paralizado en un instante, cogiéndole desprevenido.

Sabe que no está solo.

Lo sabe, y comienza a temblar mientras va diciéndose para sus adentros: «No es posible, no es posible...»

Se gira lentamente sobre sus talones. El cayado en el que se apoya cae de su mano, pero la hierba amortigua todo sonido. Busca desesperadamente con la mirada. Cada tramo de los muros, cada piedra. Sabe que ahí hay algo, aunque aún no lo detecta.

Entonces lo ve. Debe hacer presión con los puños cerrados para contener su agitación. De nuevo el miedo. Aquel miedo de cuando era niño. No puede ser, no puede.

Pero ahí está. Un pájaro negro, demasiado pequeño para ser un cuervo, demasiado grande para ser un milano. Negro, negro como la noche del recuerdo. Está inmóvil, apostado entre las ramas de ese árbol que creció en donde estuvo la habitación de ella.

János abre la boca incrédulo:

—¿Eres... eres tú, no es así? —balbucea notando que su propio aliento se congela en cuanto sale al exterior.

»Sigues siendo tú... —murmura en un gemido.

No queda rastro de ningún otro pájaro en el cielo. Éstos huyeron ante la presencia del hombre. Pero ese pájaro no.

A János le tiemblan los labios. Se agacha con lentitud. Rebusca algo entre la nieve. Coge una gruesa piedra y, tras tomar impulso, respirando con dificultad, la lanza en dirección al árbol. La piedra impacta entre sus ramas.

Pero el pájaro sigue donde estaba. No ha hecho el menor movimiento de abandonar su escondrijo, lo cual habría sido previsible.

—¡Oh, Cielo... Oh, Santo Cielo, protégeme, por lo que más quieras...!

Le ha salido un sollozo que corta el aire. Pero no hay nadie más que pueda presenciar la escena. Sólo el pájaro y él. Se agacha y coge otra piedra. La lanza con rabia hacia el árbol. Ahora ha impactado aún más cerca del animal.

Es inaudito que continúe inmóvil, mirándolo. O no lo es.

—¡Bicho inmundo, aléjate ya... Déjanos! —exclama János con la voz quebrada—. ¡Vete de una vez, criatura infame... acude al infierno, que es de donde provienes...!

Pero el animal sigue imperturbable. Una tercera piedra, que cae algo lejos de su cuerpo, pese a que logra mover más aún las ramas del árbol, parece ser tragada por la nada.

Pirgist, dándose nerviosos manotazos en el pecho, consigue coger su crucifijo de plata, que lleva bajo la capa. Se lo muestra al pájaro con violencia.

—¡Acaba ya con esto, maldito...!

Su brazo tiembla tanto que a duras penas le es posible mantenerlo erguido.

Entonces el pájaro mueve un poco sus plumas. Emite un espantoso graznido sin dejar de observar a Pirgist en todo momento. Ni los gritos ni las piedras le han asustado lo más mínimo.

—¡Eres tú, abominable criatura! —vuelve a sollozar Pirgist, que ahora se desploma quedando postrado de rodillas sobre la nieve. —¡Déjanos ya!

El crucifijo pende otra vez de su pecho, balanceándose al ritmo alterado de éste.

El pájaro se mueve y Pirgist encoge su cuerpo, pues cree que va a atacarle. Pero no. Levanta vuelo agitando sus alas.

Se eleva lentamente por el aire y aún emite otro graznido, que en los oídos de Pirgist resuena como el eco de una risa. Sí, sabe que se ha reído.

En estado de sumo desconcierto dobla la cabeza sobre el tronco, presa de la mayor turbación. Vuelve a decirse que no es posible cuanto acaba de ocurrirle y, sin embargo, así ha sido. Se palpa con desesperación en las manos, en los hombros, en el pecho, para saber si él mismo es real. Y sí, allí está su cuerpo. Estremecido. Latiendo.

Cuando por fin se recupera un poco, decide bajar por el camino que siguió para llegar hasta ahí. Las lágrimas corren por sus mejillas y las sienes aún le palpitan. Seca esas lágrimas con un extremo de la capa. Su joven ayudante no debe verle así.

Abajo las chabolas del pueblo brillan como pavesas. János piensa en el duro destino de esos parias que dependen de aquello que siembran.

Luego, tras bajar de forma en exceso precipitada, lo que provoca que resbale en un par de ocasiones, distingue al padre András, quien desobedeciendo sus órdenes se ha acercado un poco.

Éste le dice en voz alta que creyó oír gritos, como si alguien estuviese peleándose. Temió por él, afirma compungido y solícito. De ahí que no pudiera contenerse más.

—¿Quién ha gritado ahí arriba? —le pregunta por segunda vez con síntomas de temor en el rostro.

János le responde, aunque procurando no mirarle a la cara:

—Habrá sido su imaginación. O el viento...

El otro mira alrededor, no muy convencido de lo que Pirgist asegura.

Le señala un pequeño libro de oraciones que lleva en su mano enmitonada.

—De poco iba a servirle eso en este sitio... —dice Pirgist, aunque de inmediato lamenta haberlo dicho.

Tampoco el otro parece que vaya a preguntar más. Están bajando por la cuesta que lleva al pueblo, y ninguno de los dos piensa volverse para mirar el castillo siquiera por última vez, allí donde pesadillas y sueños, al igual que ganado buscando calor en los apriscos durante la helada, se reúnen en conciliábulo junto a las horas inmortales.

Tras caminar unos pasos, su acompañante le sorprende con un nuevo comentario:

—¿Ha sacado algo en claro de esta experiencia, reverendo?

Él medita unos breves momentos. Aún se halla profundamente afectado por cuanto acaba de sucederle arriba, en el castillo. Pero al fin dice, como si hubiese necesitado toda una vida de intensa reflexión para llegar a esas conclusiones:

—Que debemos recordar olvidando.

—No le comprendo... —se excusa el joven.

—Creo habérselo expuesto claramente —afirma János, aunque sobre la marcha entiende el desconcierto de su ayudante. Éste dice:

—Si nos esmeramos en preservar el pasado, como usted sostiene, incluso para advertir a los demás, a quienes vendrán después de nosotros a fin de que no cometan idénticos errores, ¿cómo olvidar?

Pirgist decide sincerarse:

—En el ejercicio de recordar hacia adentro, y luego transmitir tales conocimientos a algunos elegidos, se encuentra la clave para, preservándolo, aprender el olvido.

—Sin embargo... —empieza a decir el joven, que sigue sin estar convencido.

—No dije olvidar, mi estimado padre András, dije aprender el olvido. Piénselo...

Así descienden un tramo más, y de repente el joven sacerdote hace un gesto de frío. Finalmente habla, aunque con el rostro hundido entre los hombros y con las solapas levantadas de su capa.

—Es éste un clima muy duro, padre.

Pirgist lo mira un instante de soslayo. Le dice:

—Sin embargo, yo, que me crié por estos lares, puedo intuir que ya huele el deshielo.

—Si usted lo afirma —contesta el joven, dubitativo.

—Lo hago —sigue János sin dejar de caminar—, la Misericordia Divina consigue que la Naturaleza nunca cese en sus movimientos.

—Pues yo lo veo todo muy quieto, reverendo —intenta bromear su ayudante.

—Créalo. En apenas nada el paisaje hará que los ciruelos y los almendros luzcan en flor.

—Parece mentira.

—Así es el prodigio de la vida —contesta János.

—*Laus Deo*, padre...

—*Laus Deo*.

Él calla y camina, cabizbajo.

Es entonces cuando observa algo que queda en un recodo de la senda por la que avanzan.

Como si dudase entre caer con suavidad sobre la hierba o convertirse en efímero diamante, una gota de rocío tiembla en el filo de la hoja de un acebo silvestre, nacido espontánea, milagrosamente entre las rocas. Pirgist mira hacia lo alto con alarma. El punto oscuro y alado se aleja, cielo arriba, hasta perderse en un confín del horizonte.

Su silueta se recorta entre dos picos de la cadena montañosa cercana, que recuerda a enormes colmillos surgidos de la propia tierra. Durante breves momentos esa figura queda como suspendida, estática y al amparo de invisibles corrientes de aire.

Ulula el eco del viento en un murmullo creciente, sólo roto por algo que suena como un último y cóncavo graznido que logra tapar el súbito estruendo de un trueno. Tal vez un rayo impacte en el punto alado y oscuro que ahora se pierde entre las nubes. Él reza·porque así sea. Lo hace sin voz, con el pensamiento aterido.

El firmamento asemeja una inmensa sábana de color mercurio, y la luna, que ya nace, una diadema coronando su mortaja.

Empieza a nevar tenuemente. En pocos minutos lo aún verde, lo todavía marrón y lo negro se tiñen de blanco. Es el instante en que se dan cita los espectros, pero hay que ignorarlos o pensar que se trata tan sólo de arteros juegos de la luz, que muere un nuevo día para renacer mañana.

Cerca está la hora de las canciones mientras se recoge la cosecha, y del Ángelus a la hora del crepúsculo.

Falta poco para la época del petirrojo y las calandrias, de las margaritas y del tomillo. Entonces, una vez más, el esplendor va a derramarse doquiera abarque la mirada del hombre.

En esa etérea lejanía cristaliza la noche.

Se hace el silencio en los campos.

Los Cárpatos duermen.

Pronto llegará la primavera.

Esta historia se basa en personajes y hechos, por desgracia, absolutamente reales. Ojalá nunca hubieran existido. Sirvan a modo de testimonio para mostrar aquello de lo que es capaz la condición humana.

BIBLIOGRAFÍA

Barber, Paul: *Vampires, burial and death: Folklore and reality*, Yale University Press, 1990.

Blumer, Dietrich, M. D.: «Hypersexual episode in temporal lobe epilepsy», *American Journal of Psychiatry*, 126, febrero de 1970.

Calmet, Augustine: *Tratado sobre los vampiros*, Mondadori, 1991.

Chotjewitz, P. O.: «Der Vampir. Theorie einer Mythe», *Mercur*, vol. 22, núm. 7, 1968.

Codrescu, Andrei: *Blood Countess*, Simon & Schuster, 1995.

Dezsó, Rexa: *Báthory Erzsébet Nádasdy Ferencné*, Budapest, 1908.

Durham, E.: «Of magic, witches and vampires in the Balkans», *Man*, diciembre, 1923.

Elsberg, R. A. von: *Elisabeth Báthory (Die Blutgräfin)*, Breslau, 1904.

Faivre, T.: *Les vampires. Essai historique, critique et litteraire*, Le Terrain Vague, 1971.

Flor Henry, P.: «Determinants of psychosis in epilepsy: laterality and forced normalization», *Biol Psychiatry*, núm. 8, 1983.

Fricremene, A.: *La mythologie du vampire en Roumanie*, Ed. du Rocher, 1981.

Gamet, A.: *La rage. Possibilités de contamination interhumaine*, L'expansión éditeur, 1969.

Gloor, P.: «The role of the limbic system in experiental phenomena of temporal epilepsy», *Ann Neurol*, 1982.

Gómez-Alonso, Juan: *Los vampiros a la luz de la medicina*, Neuropress, 1995.

Goswamo, U.: «Psychiatric presentations in rabies», *Tropical Geographic Med.*, 1984.

Gould, Sabine B.: *The Book of the Werewolves*, Causeway Books, 1973.

Gunn, J., Fenton, G.: «Epilepsy, automatism and crime», *The Lancet*, núms. 1173-1176, 1971.

Illis, L.: «On porphyria and the aetiology of werewolves», *Proc. Roy. Soc. Med.*, núm. 57, 1964.

Kaplan, C.: *Rabies: the fact*, Oxford Medical Publications, 1986.

McCully, R. S.: «Vampirism: historial perspective and underlying process in relation to a case of auto-vampirism», *Journal of Nervous and Mental Disease*, núm. 139, 1964.

McDonald, D. W.: *Rabies and wildlife. A biologist's perspective*, Oxford University Press, 1980.

McNally, Raymond T.: *Dracula was a woman*, Smithmark, 1987.

Milgrom, L.: «Vampires, plants and crazy kings», *New Scientist*, 1984.

Monzón, Isabel: *Báthory: Acercamiento al mito de la condesa sangrienta*, Feminaria Editora, Buenos Aires, 1994.

Níznanszy, J.: *Cachticka Pani*, L. Mazac Praba, Bratislava.

Penrose, Valentine: *La condesa sangrienta*, Ediciones Siruela, Madrid, 1996.

Pérez, Carlos P.: *Siete lunas de sangre*, Topía Editorial, Buenos Aires, 1999.

Perkowski, Jan Louis: *Vampires of the Slavs*, Slavika Publishers, 1976.

Petoia, Erberto: *Vampiros y hombres lobo*, Círculo de Lectores, Barcelona, 1995.

Pizarnik, Alejandra: *La Condesa Sangrienta*, López Crespo Editorial, Buenos Aires, 1971.

Revieczky, Bertalan von: *Cartas y manuscritos de los Nádasdy*.

Sandor, Makkai: *Ördog Zeker*, Szépirodalmi Könyvkiadó, 1981.

Seabrook, William: *Witchcraft*, Harcourt Brace, 1940.

Senn, Harry: *Were-wolf and vampire in Romania*, NY or Boulder: East European Monographs, 1982.

Summers, Montagne: *The vampire in Europe*, Marboro Books, 1990.

Szátmary, Karl P.: *Tigerin von Csejthe.*

Turóczi, Laszló: *Erzsébet Báthory*, Budapest, 1744.

Wagener, Michael: *Beitrage zur philosophischen Antropologie*, Viena, 1796.

Winkler, M., Anderson, K. E.: «Vampires, porphyria and the media: medicalization of a myth», *Perspectives in Biology and Medicine*, 1990.

ÍNDICE